ИРОНИЧЕСКИЙ
ДЕТЕКТИВ

Читайте романы
примадонны иронического детектива
Дарьи Донцовой

Дарья Донцова

Бенефис мартовской кошки

Москва

ЭКСМО

2 0 0 2

ИРОНИЧЕСКИЙ ДЕТЕКТИВ

УДК 882
ББК 84(2Рос-Рус)6-4
Д 67

Разработка серийного оформления
художника *В. Щербакова*

Донцова Д. А.
Д 67   Бенефис мартовской кошки: Роман. — М.: Изд-во
Эксмо, 2002. — 384 с. (Серия «Иронический детектив»).

ISBN 5-699-00168-9

Даше Васильевой катастрофически везет на трупы!.. Только она
согласилась пойти на концерт классической музыки с импозантным
мужчиной Стасом Комоловым — и вот он уже труп. В антракте Даша
бегала для него за водой и каплями, думала, ему от духоты плохо, а он
возьми да помри. А на следующий день к ней домой заявились менты.
Они явно подозревают Дашу в убийстве. Что же делать? Конечно, бежать! И вот она уже на Курском вокзале с саквояжем в одной руке и
мопсом Хучем — в другой. За спиной у любительницы частного сыска
не одно раскрытое преступление, а потому она и на этот раз не вешает
нос, а решительно берется за дело...

УДК 882
ББК 84(2Рос-Рус)6-4

Бенефис
мартовской
кошки

——————————————————————— РОМАН

ИРОНИЧЕСКИЙ ДЕТЕКТИВ

Глава 1

Если вы проснулись в плохом настроении, а на улице хлещет дождь, то лучше всего устроить себе маленький праздник. Сначала принять расслабляющую ванну, потом спокойно выпить кофе и отправиться шляться по магазинам.

Представляю бурю негодования, которая сейчас обрушится на мою голову. «Да мы работаем», — закричит подавляющая часть женского населения. Это верно, только отвратительное состояние души и тела вполне извиняющее обстоятельство для небольшого обмана. Даю простой совет. Зажимаете двумя пальцами нос и старательно гундосите в трубку:

— Извините, Иван Иванович, у меня жуткий насморк, кашель, очевидно, грипп начинается. Наверное, опоздаю на часок, хочу забежать в аптеку.

Сто против одного, что ваш начальник недовольно буркнет:

— Сиди дома, нечего заразу в коллектив приносить.

Вот и получится лишний выходной и не стоит испытывать никаких угрызений совести, выбегая через пару часов на улицу. Служба от вас никуда не денется. Завтра как ни в чем не бывало предстанете перед светлыми очами Ивана Ивановича и, потупившись, сообщите:

— Антибиотик приняла, американский, жутко дорогой, мигом на ноги встала. Конечно, вредно небось, но ведь работа для меня важнее здоровья.

И потом, вы же нечасто проделываете подобные штуки. Я, например, в бытность преподавательницей французского языка совершала такие «побеги» раз в два, три года. От души рекомендую, это очень помогает поднять настроение. Если нет свободных денег, можно провести денек дома, валяясь на диване и почитывая любимые книжки, или отправиться к подружке и самозабвенно посплетничать. Только упаси вас господь проводить этот день, как обычный выходной, не следует кидаться к плите, стиральной машине или пылесосу. Более того, ни мужу, ни детям, ни свекрови, ни любовнику не надо ничего рассказывать. Пусть они считают, что вы, как всегда, ломались за оклад. Поверьте мне, такой кульбит даст вам огромный заряд бодрости.

Вот почему я сегодня решила удрать от своей семьи. Правда, мне намного легче, чем другим, потому что я нигде не работаю и в принципе могу каждый день проводить как хочу. Но это только в принципе, а на самом деле выходит совсем не так. В нашем доме проживает слишком много народа, и члены «стаи» постоянно находят для матери какие-нибудь дела. На этой неделе пришлось с раннего утра до позднего вечера носиться по детским садам. Мои внуки, Анька и Ванька, достаточно подросли, и Ольга решила, что им неплохо бы начать общаться со сверстниками. При этом она хочет найти детское учреждение, сочетающее в себе полярные вещи.

— Группа человек пять, не больше, — загибала пальцы Зайка, рассказывая мне об идеальном в ее понимании садике, — две воспитательницы, няня, занятия иностранным языком, бассейн, естественно, качественное питание, хорошие игрушки, а главное — никаких деток «новых русских». Очень не хочется, чтобы Анька с Ванькой научились растопыривать пальцы и начали говорить Ирке: «Эй, ты, подай жрачку!»

— Видишь ли, — осторожно ответила я, боясь вызвать Зайкин гнев на свою голову, — во всяких «Крохах» и «Малышах», ну в таких местах, где на пять детей приходится две воспитательницы с няней, как раз и скапливаются «новорусские» отпрыски.

Ольга замерла, потом с возмущением воскликнула:

— Вот! Я знала, что ты все поймешь не так! Я хочу,

чтобы мои дети выросли нормальными людьми, поэтому и собираюсь отдать их в самый обычный, районный садик!

Я уставилась на Зайку.

— Самый обычный, районный садик? С бассейном, занятиями английским языком, качественным питанием, хорошими игрушками и группами детей из пяти человек, на которых приходится две воспитательницы и няня? Зая, ты с крыши не падала?

Ольга покраснела:

— Это ты отстала от жизни! Такие садики есть, просто надо поискать как следует. Займись, тебе все равно нечего делать!

— Даже и начинать не стану, таких мест нет!

— А вот Неля Крюкова для своей невестки постаралась, — отрезала Зайка, — Неля любит Ленку и Пашку, она понимает, как важно...

Не дослушав Ольгу, я схватилась за телефон и, набрав номер, заорала:

— Нелька, в какой чудо-садик ходит Пашка?

— Нормальное место, — затарахтела подруга, — нам нравится. Детей мало, всего четыре человека, воспитательницы милые, нянечка-душка, бассейн, английский, французский, пони...

— Пони?!

— Ну да, такие маленькие лошадки, не знаешь, что ли?

— Конечно, знаю. Скажи, сколько стоит сей райский уголок?

— Семьдесят два рубля.

— В час?

— Ты чего, Дашка, — взвизгнула Неля, — совсем у тебя от богатства башню сорвало. Не все же такие, как вы! Кое-кто и в бюджетной организации работает. В месяц, конечно!

— В месяц? — совсем растерялась я. — Ты уверена? Бассейн, пони, нянечка-душка и меньше чем за сто целковых? Такого просто не бывает.

— Подскажи адресок этого удивительного места.

— Рублевское шоссе, — затарахтела Неля.

Так, этот садик еще и в лесопарковой зоне!

— Только тебя туда не возьмут, — закончила Крюкова.

— Почему? Очередь большая?

— Да нет, он ведомственный.

— И кому принадлежит это райское местечко? Какому заводу или фабрике?

— Администрации президента! — радостно выпалила Крюкова. — Ленкин муж ведь...

Я положила трубку. Чудес не бывает!

Зайка, слушавшая разговор, дернула плечиком.

— Все равно, есть хорошие садики!

Всю неделю ваша покорная слуга моталась по городу и сделала неутешительные выводы. Детские муниципальные учреждения выглядят ужасно, меньше двадцати детей на одну воспитательницу не бывает, а те сладкие местечки, где есть пони и бассейны, стоят о-го-го сколько. Впрочем, нет проблем заплатить, у нас есть деньги, но возле ворот этих чудо-садиков плотной кучкой стоят джипы и «Мерседесы», из которых вылезают родители весьма характерного вида. Папы как один в черных рубашках, обтягивающих мощные плечи, а мамы-блондинки ковыляют на высоченных каблучищах, оставляя за собой приторно-сладкий аромат французской парфюмерии.

Зайке не понравился ни один из предложенных вариантов, и она, заявив:

— Кто ищет, тот всегда найдет, — отбыла на свое телевидение.

А я решила устроить себе отдых и, вместо того чтобы рыскать по районам, приехала в самый центр, загнала «Пежо» в паркинг при подземном магазине, который хозяйственный Лужков воздвиг на Манежной площади, и принялась самозабвенно ходить из магазина в магазин, меряя вещи и нюхая духи. Честно говоря, мне ничего не надо, просто хотелось развлечься.

Часов в пять, обалдев от витрин, я забрела в кафе

«Манеръ», слопала там торт со взбитыми сливками, выпила капуччино и внезапно решила прогуляться по той улице, которая во времена моего детства, юности и большей части зрелости носила имя Герцена. Я давно не хожу пешком, но сентябрьский вечер радовал теплыми лучами заходящего солнца. Очень медленно я дошла до памятника П.И. Чайковскому и села на скамейку. Вокруг роилась толпа: очевидно, в консерватории должен был в ближайшее время начаться концерт. Я не слишком люблю классическую музыку, вернее, плохо понимаю ее, но моя бабушка Афанасия в детстве довольно часто приводила меня сюда. Она считала, что ребенок не должен путать Моцарта с Бетховеном и обязан знать, что Бах писал фуги. Но после ее смерти я ни разу тут не была и, признаюсь, не испытываю никакой потребности посещать просторный зал, украшенный портретами великих композиторов.

Я сидела, наслаждаясь теплым вечером. Оказывается, полно людей, желающих послушать симфоническую музыку. По небольшому пятачку взад-вперед бегало несколько женщин. Они хватали за рукава тех, кто стоял в одиночестве, и с надеждой интересовались:

— Лишнего билетика не найдется?

Потом одна меломанка подлетела ко мне:

— Простите...

— Нет, — покачала я головой, — просто сижу и отдыхаю.

Дама бросилась к мужчине, который сидел слева от меня:

— У вас...

— Нет, — резко ответил дядька, — отвяжитесь.

Я скосила глаза. Красивый, явно дорогой костюм, похоже, от Хуго Босс, ботинки из кожи кенгуру, неброский галстук, за который отдано долларов двести, зажим с бриллиантовой крошкой, одеколон от Шисейдо, и... такая грубость.

Но любительница музыки не обиделась, просто отошла. Очевидно, мужику стало неудобно, потому что он буркнул:

— Надоели, ей-богу, десятый человек подскакивает.

Я не поняла, ждет ли он от меня ответа, и собиралась сказать что-то нейтральное, типа: «Ей просто хочется попасть в консерваторию», но тут у тротуара притормозил шикарный черный лаковый автомобиль. Выскочил шофер и распахнул заднюю дверцу. Показалась стройная нога, обутая в туфельку на бесконечной шпильке, потом из недр «Мерседеса» вынырнула ее хозяйка — молодая дама, одетая в безупречный черный костюм. Светски улыбаясь, она направилась ко мне.

Не секрет, что большинство людей, получив в свое распоряжение деньги, мгновенно начинают одеваться самым диким образом, покупают наряды «от кутюр» и ходят в этих костюмах и платьях на работу или в магазины. Обувь, предназначенную для вечернего выхода, запросто таскают днем и влезают в шубы, подолы которых волочатся за ними, словно шлейфы за особами королевской крови. Я уже молчу о драгоценностях. Бриллиантовые серьги стоимостью в годовой бюджет какой-нибудь африканской страны в ушах дамы, вышедшей в одиннадцать утра погулять со своей собачкой, так же уместны, как унты на пляже, но мало кто об этом знает.

Никогда не забуду, как мы отдыхали в Тунисе[1] и в первый день увидели у бассейна ярко переливающуюся толпу. Золотые цепи, перстни, ожерелья из весьма крупных бриллиантов.

— У вас карнавал? — растерянно спросила Зайка, хватая за рукав пробегавшего мимо официанта. Тот, естественно, принял мою невестку за француженку и зашептал:

— Нет, мадам. Это русские отдыхают, дикие люди, сплошная мафия.

Но дама, шедшая сейчас через крохотную площадь, выглядела безупречно. Элегантный черный костюм, ве-

---

[1] См.: Донцова Дарья. За всеми зайцами. Издательство «Эксмо».

ликолепные туфли, чудесно сочетающаяся со всем ансамблем сумочка, небольшая брошь и «естественный» макияж. Либо она пользуется услугами стилиста, либо обладает необыкновенным вкусом. Когда, продолжая мне улыбаться, дама приблизилась почти вплотную, до моего носа долетел изумительный аромат «Миракль» от «Ланком».

Чем ближе она подходила ко мне, тем лихорадочнее я пыталась вспомнить, откуда знаю эту безупречную красавицу. Вот сейчас она раскроет ротик и прощебечет: «Дашутка, сколько лет, сколько зим!»

И придется, бурно изображая радость от нечаянной встречи, старательно избегать называть ее по имени.

И точно. Дама остановилась у скамьи и нервно воскликнула:

— Стас!

Тут только я поняла, что она улыбалась не мне, а мужику, сидевшему слева. Тому самому, который пять минут назад весьма грубо прогнал тетку-меломанку.

— Арина! — воскликнул он и вскочил на ноги. — Ну наконец-то! Пошли, скоро начало, у нас...

— Стас, — мило улыбаясь, повторила дама, — я никуда с тобой не пойду!

— Не понял, — оторопел мужик. — У тебя изменились планы?

— Нет, — продолжала цвести улыбкой Арина, — просто я сообщаю, что не только в консерваторию не пойду, но и срать с тобой на одном поле не сяду.

Стас шагнул назад, наткнулся на скамейку и рухнул на нее. Арина очень спокойно стащила с правой руки кольцо, швырнула его на асфальт и со всей силы наступила ногой на золотой ободок. Стас молча смотрел на нее. Арина как ни в чем не бывало повернулась и пошла к машине. Шофер, стоявший у иномарки, быстро открыл заднюю дверь. Женщина села внутрь. Через секунду «Мерседес» исчез, за слегка тонированными стеклами невозможно было разглядеть: сидит Арина в салоне одна или там имеется еще кто-то. Стас продолжал молча смотреть на золотое кольцо, валяющееся на грязном асфальте. Честно говоря, мне было жаль мужика. Вероятно, он сделал какое-то, как говорят французы, «faux pas»[1]. Может, завел любовницу, но ведь это не причина, чтобы позорить его при всем честном народе. А Стас был явно супругом Арины, иначе при чем тут обручальное кольцо, брошенное в грязь. Я, между прочим, четыре раза разводилась и не скажу, что процесс расставания приятен. Но мне и в голову не приходило закатывать скандалы на людях, а тут такое демонстративное поведение!

— Девушка, — внезапно обратился ко мне Стас, — не хотите пойти на концерт? Теперь я имею лишний билетик. Или вы ждете кого-то?

— Нет, — улыбнулась я, — просто сижу, наслаждаюсь хорошей погодой. Честно говоря, я совсем не собиралась посещать никакие концерты и не одета соответствующим образом.

— Ерунда, — отмахнулся Стас, — по-моему, вы чудесно выглядите. Так как? Пойдемте, хороший концерт.

— Я не слишком люблю классическую музыку, лучше пригласите вон ту даму, видите, в зеленом платье. Кажется, ей очень хочется попасть на концерт, у всех лишний билетик спрашивает.

— Уж извините, но я не намерен провести два часа возле крашеной мочалки, закатывающей глаза от экстаза. Ну решайтесь! Послушаем музыку.

Я быстро сказала:

— Боюсь, не получится. Невестка с сыном хотели сегодня пойти в гости, мне придется сидеть с внуками.

Стас расхохотался:

— Смешно, ей-богу! Я не сексуальный маньяк, просто приглашаю вас на концерт, потому что моя дама устроила истерику и образовался свободный билет. Я не собираюсь звать вас потом в ресторан или тащить к себе

---

[1] Ложный шаг, то есть неправильное поведение *(фр.)*.

домой. Впрочем, если пожелаете, можем выпить в буфете шампанское.

Я побренчала в кармане ключами.

— Шампанское отменяется, боюсь, в ГИБДД унюхают запах.

— Тогда кофе с пирожными, — улыбнулся Стас. — Ну, пошли.

Но я еще колебалась. Вот так просто отправиться с незнакомым человеком в консерваторию? Ко мне уже давно не пристают на улицах, вернее, и вспомнить не могу, когда в последний раз лица мужского пола проявляли ко мне такой настойчивый интерес.

— Ну, Дашенька...

— Откуда вы знаете, что меня зовут Даша?

Стас удивился:

— Даша? Не знаю.

— Вы же только что сказали: Дашенька...

— Нет, я произнес: душенька. Кстати, ваше лицо мне отчего-то знакомо. Вы не в Мориса Тореза учились?

— Нет, в Инязе.

— А-а-а, значит, точно встречались. Наши мальчики постоянно бегали к вашим девочкам.

— Но это было страшно давно!

— Вы переводчик?

— Была преподавателем, французским владею свободно, немецким — посредственно.

— А у меня арабский и английский. Скорей всего, у нас полно общих знакомых. Вспомнил! Я видел вас на юбилее у Зырянова, в «Праге», на фуршете. Знаете Лешку?

— Очень хорошо, дружу с его бывшей женой Мариной.

— Ну вот! — обрадованно воскликнул Стас. — Мир тесен, плюнь — и попадешь в приятеля. Ну теперь согласны со мной пойти? Хотите сейчас позвоню Зырянову, и он вам скажет, что Стас Комолов вполне приличный человек? И потом, у меня такое скверное настроение. Сделайте милость, вставайте.

Внезапно я ответила:

— Ладно.

В конце концов, получается, что этот Стас мне и впрямь знаком, вечер тихий, солнечный, на улице тепло, домой ехать неохота... Отчего не сходить на концерт? Если будет очень скучно, то уйду в антракте. И потом, просто жаль мужика, его жена та еще штучка.

Стас ухватил меня крепкой рукой пониже локтя и буквально потащил к входу. Я покорно пошла рядом. Так кролик цепенеет перед удавом и на мягких, подламывающихся лапках приближается к пасти пресмыкающегося.

Глава 2

Билеты у Стаса оказались не простые, а контрамарки, причем в директорскую ложу. Мы вошли в крохотное помещеньице последними и едва успели занять места, как на сцене появилась женщина в черном платье и хорошо поставленным голосом завела:

— Начинаем концерт...

— Совсем не то, правда? — наклонившись ко мне, тихо спросил Стас.

— Что вы имеете в виду? — удивилась я.

Комолов улыбнулся:

— Вы, наверное, и правда редко ходите сюда. В консерватории работала конферансье Анна Чехова, для людей, любящих музыку, ее имя стало символом Большого зала. К сожалению, Анна не так давно умерла, а новая девочка решительно никому не нравится, выглядит отвратительно.

— Вы просто к ней не привыкли.

— Может быть, — пожал плечами Стас.

Мы прекратили разговор, потому что дирижер взмахнул палочкой, и оркестр заиграл Малера. Никакого трепета или восторга я не испытала и принялась, скучая, разглядывать интерьер.

Годы не властны над Большим залом. Если смотреть вверх, на потолок и стены, то создается полное ощущение того, что в машине времени я перенеслась назад, в славные 60-е годы. Вот я, девочка-школьница, отчаянно пытаюсь зевнуть с закрытым ртом. Сидящая рядом Афанасия толкает внучку локтем в бок:

— Не отвлекайся, они играют гениально.

Я покорно пытаюсь открыть слипающиеся глаза и упираюсь взглядом в сцену. Вид десятка мужчин и женщин, старательно размахивающих смычками, не вызывает у меня никакого энтузиазма, а пианист похож на большую ворону, склевывающую с клавиш крошки. Сзади оркестра высится торжественный орган. От тоски я начинаю пересчитывать блестящие трубы и каждый раз получаю другое количество никелированных железок, их то семьдесят, то восемьдесят две. За этим нехитрым занятием время идет быстрее, и наступает долгожданный антракт. Одна беда, бабушка никогда не ходит в буфет, она предпочитает прогуливаться по фойе.

— Что-то сегодня оркестр не звучит, — прошептал Стас. — Малер слишком шумный, ударные прямо по ушам бьют.

Я согласно кивнула, у меня тоже заболела голова. Пожалуй, в антракте следует с ним мило распрощаться и отправиться домой. Кстати, в директорской ложе оказались не удобные кресла, с мягкими спинками и широкими подлокотниками, а страшно некомфортные простые стулья, выкрашенные белой краской. Наверное, считается, что человек, попадающий сюда, настолько увлечен музыкой, что не должен замечать ничего вокруг. Но мне было жестко, а потом заболел позвоночник. Наконец пришло время перерыва.

Дождавшись, пока народ выйдет в фойе, я повернулась к Стасу и уже хотела сказать:

— Простите, мне пора домой, — но увидела его бледное до синевы лицо и испугалась:

— Вам плохо?

— Не очень хорошо, — слабо кивнул мужик, — прямо в глазах потемнело, наверное от духоты. Бога ради, Даша, принесите стакан воды. В буфете небось очередь, тут туалет есть, если выходить не в фойе, а в боковую дверь, можно и из-под крана налить, — и он протянул мне складной стаканчик.

— Сейчас, сейчас, — засуетилась я и выскочила в маленький предбанничек, который отделял директорскую ложу от общего коридора. Наверняка тут имеется капельдинер. Этакая женщина в форменном костюме и с пачкой программок в руке.

В крохотном тамбуре не было никого из лиц женского пола, только у окна стоял мужчина, одетый в темно-синий костюм не слишком хорошего качества.

— Простите, — обратилась я к нему, — вы не видели тут дежурную?

— Хотите программку купить?

— Нет, мне нужна женщина, которая смотрит за порядком в ложе.

— Здесь работаю я.

— Простите, где можно взять воду?

— В буфете.

— Тут где-то есть туалет.

— Вы собираетесь пить из-под крана?!

Я внимательно поглядела на парня. Странный какой, очень бледный, лоб потный, руки дрожат.

— Нет, конечно, просто моему спутнику плохо с сердцем.

Мужчина протянул мне маленькую бутылочку минералки, которую держал в руке.

— Держите, сейчас дам валокордин, он у нас тут на всякий случай рядом. — Не успела я моргнуть, как он сунул мне пузырек: — Вот, пожалуйста.

Я вошла в ложу и спросила:

— Сколько капель вы пьете обычно?

— Обычно я ничего не пью, — попытался улыбнуться Стас. — Здоров, как бык.

Ему явно было плохо. Цвет щек синюшный, на лбу выступили крупные капли пота, глаза обведены черными кругами. Я повертела в руках пузырек.

— Сколько вам лет?

— Больше сорока, а что?

— Просто я слышала, будто количество капель валокордина должно совпадать с числом прожитых лет. Давайте остановимся на четырех десятках?

Стас согласно кивнул и покорно выпил прозрачную пахучую жидкость, а потом залпом опустошил бутылку, на дне осталась пара капель. Я взяла пустую бутылочку, пузырек и вышла в предбанник, чтобы отдать служителю. Но мужчина в синем костюме словно испарился. Тут прозвенел звонок, маленькое пространство мигом наполнилось людьми, народ потянулся в ложу. Я сунула лекарство и пластиковую емкость в свою сумочку, верну капли после концерта, а бутылку выброшу в урну. Пробравшись на свое место, я хотела было спросить у спутника, не стало ли ему легче, но тут грянула бравурная музыка, и я уставилась на сцену. Второе отделение было намного лучше, потому что в нем принимала участие молодая певица с мощным меццо-сопрано. От девушки волнами исходила энергетика, чувствовалось, что она талантливый, яркий человек, поэтому зал замер, изредка взрываясь бурными аплодисментами.

Пару раз я бросала взгляд на Стаса. Наши места были последними в ряду, и мой спутник сидел, привалившись к стене с закрытыми глазами. Лицо его было спокойно, похоже, Комолову стало намного лучше, и он наслаждался чудесным пением. Сейчас, прокручивая назад ленту событий, я искренне удивляюсь: ну почему, увидав его, бледного, с сомкнутыми веками, я не подняла шум? Но справа от меня сидела дама, а чуть впереди покачивалась в такт пению пожилая пара, и все как один с закрытыми глазами. Отчего я не насторожилась, когда в перерыве между ариями Стас не начинал бурно хлопать в ладоши? Ведь зал заходился в овации, но люди, находившиеся в ложе, даже и не думали аплодировать. Наверное, среди тех, кто получает контрамарки в директорскую ложу, считается дурным тоном столь откровенно выказывать восторг. А главное, я не ждала ничего плохого, представьте теперь мое удивление, когда после окончания концерта Стас даже не шелохнулся.

Я подумала, что он все еще во власти мелодии, и тактично подождала пару минут. Но когда ложа опустела, не выдержала и осторожно коснулась плеча Комолова:

— Стас, кино закончилось.

Ноль эмоций. Я ухмыльнулась. Прикидывался ненормальным меломаном, не захотел пропустить концерт даже в день, когда его бросила жена, и, пожалуйста, заснул!

Я потрясла Стаса:

— Просыпайтесь, пора домой.

Ответа не последовало. Тут в ложу заглянула женщина, лет пятидесяти пяти, одетая в темный костюм.

— Прошу вас, — безукоризненно вежливо, но твердо сказала она, — толпа на лестнице рассосалась, можно пройти на выход.

Я улыбнулась:

— Понимаю, конечно, что глупо, но мой спутник заснул, вот я пытаюсь его разбудить.

Служащая мягко улыбнулась в ответ:

— Подобное случается чаще, чем вам кажется. Не так давно, например, один очень большой начальник, депутат из демократов, не стану вам называть его фамилию, заснул в этой ложе прямо во время концерта Плетнева. Представляете, за роялем гениальный пианист, за пультом не менее гениальный Спиваков, а из директорской ложи слышны раскаты молодецкого храпа. Уж жена его толкала, толкала, еле добудилась.

Она помолчала и добавила:

— Вообще принято считать, что интеллигентный человек обязан читать Достоевского и слушать классическую музыку. Но посмотрите в метро, что-то все держат либо Маринину, либо Головачева. А насчет музыки... Знаете, сегодня в этом зале больше половины сидело тех, кто пришел из-за престижности мероприятия.

Все-таки Анна Ветрова пела, она редко балует московских поклонников.

— Почему? — удивилась я.

Капельдинерша грустно ответила:

— Московский соловей, так зовут ее в консерватории, давно улетел на Запад. Анечка поет теперь на лучших сценах мира, наше государство не хочет платить денег талантливым людям, считается, что выступать в Большом зале огромная честь, но ведь людям хочется кушать! Вот и уезжают, кстати, я помню Анечку студенткой, бедной провинциальной девочкой, которая поставила перед собой цель взобраться на вершину музыкального олимпа. Следует признать, Аня преуспела, она фантастически трудолюбива. Талант, конечно, хорошо, только он должен идти рука об руку с усердием. Знаете, сколько я перевидала молодых людей с уникальными задатками, которые исчезли в никуда? Не хотели трудиться и сгинули, а Аня при довольно скромных возможностях превратилась в звезду. Впрочем, извините, разболталась, давайте будить вашего спутника.

Я тряхнула Стаса. Голова его упала на грудь, тело накренилось, и Комолов рухнул на стулья. Мы с капельдинершей завизжали, на звук мигом примчалось несколько теток, похожих, словно близнецы. Все одинаково причесаны, одеты в темные костюмы и светлые блузки.

Поднялась суматоха, прибыла «Скорая помощь». Врач, разводя руками, констатировала смерть, тут же появилась милиция, меня отвели в довольно просторную комнату, и молодой человек, одетый в джинсы и вытянутую трикотажную кофту, начал устало задавать вопросы. Имя, фамилия, год рождения, местожительство... Я старательно отвечала. Умершего совсем не знаю, зовут его Стас Комолов, в антракте жаловался на плохое самочувствие, накапала ему валокордин.

— Вы носите с собой лекарство? — уточнил дознаватель.

— Нет.

— Откуда тогда капли?

— Дежурный дал, тот, который следит за порядком в ложе, такой симпатичный человек лет тридцати в синем костюме. Он сходил за валокордином и водой. Кстати, вот.

Я раскрыла сумочку, вытащила лекарство, пустую бутылочку из-под воды и стаканчик.

— Хотела вернуть валокордин, но не нашла служащего. Вы же, наверное, станете говорить с сотрудниками Большого зала, передайте в аптечку. А бутылку некуда выбросить.

Парень ткнул пальцем в футляр из крокодиловой кожи.

— Это что?

Я быстро откинула крышечку.

— Это принадлежит Комолову. Видите, тут небольшой серебряный стаканчик, он помещен в «обложку» и почти герметично закрывается. Очень удобно, выпили, сунули назад в сумочку, и ничего не испачкается, не всегда же можно ополоснуть емкость, в которой был коньяк или кока-кола.

— Однако у них в консерватории дорогие прибамбасики дают зрителям, — протянул мент, — стаканчик серебряный, футляр, похоже, из настоящей кожи...

Я хотела было возразить, что в Большом зале не зрители, а слушатели, но не стала поправлять парня и просто еще раз повторила:

— Стаканчик принадлежит Стасу.

— Он носил его с собой? — удивился милиционер. — Зачем? Ну ладно раньше, когда стаканы граненые в буфетах стояли, но сейчас же кругом одноразовая посуда, за каким фигом лишнюю тяжесть таскать?

Я посмотрела на его потерявшую всякий вид, очевидно, купленную на дешевой барахолке трикотажную рубашку и подавила тяжелый вздох. Имея в приятелях полковника Дегтярева, всю жизнь служащего в органах МВД, я хорошо знаю, какие нищенские оклады получают те, кто борется с преступностью. Ну откуда этому юноше знать об игрушках, которыми балуют себя богатые мужики?

— Понимаете, — осторожно сказала я, — сейчас очень модно иметь при себе наборчик: фляжка, стаканчик и портсигар. Все выполнено в одном духе, обтянуто кожей, гладкой телячьей или фактурной, принадлежавшей при жизни крокодилу или другой рептилии... Ну фенька такая у обеспеченных людей. Еще бывает чехольчик для зажигалки, расчески, очечник и ключница.

Парень кивнул:

— Ясно, кошелек, органайзер...

— Нет, нет, эти вещи, как правило, иные.

— Почему?

Я растерялась:

— Не знаю, так принято. Портмоне должно отличаться от этого набора, а органайзер с собой вообще не носят.

Допрашивающий вздернул брови:

— Да? А как же записать нужную информацию? Мой «склерозник» всегда в портфеле.

— Видите ли, — замямлила я, страшно боясь, что юноша посчитает, что я намекаю на его нищенство, и обидится, — видите ли, в последнее время появилось новое поколение мобильных телефонов, с прямым выходом в Интернет. Кое-кто подключает свои аппараты к компьютеру секретаря и сообщает информацию.

— Это как?

— Ну набирает номер и диктует: «Завтра в десять утра встреча у Ивана Ивановича». Информация попадает на жесткий диск и сохраняется, нет нужды таскать органайзер, достаточно крохотного телефончика.

— Да уж, — хмыкнул парень, — если носишь с собой фляжку, стакан, портсигар, то органайзер точно лишний.

Я не нашлась, что возразить, и спросила:

— Мне можно ехать?

— Да, — сухо бросил юноша. — С вами свяжутся, если понадобитесь.

— Отчего умер Стас?

— Сейчас невозможно сказать, скорей всего, сердечный приступ, инфаркт, может, инсульт...

Я вышла на улицу и побрела в сторону паркинга. Радужное настроение было напрочь испорчено. До чего хрупка человеческая жизнь. Только что Стас улыбался, наслаждался музыкой, разговаривал, и вот, пожалуйста, не прошло и трех часов, как его неподвижное тело отправлено в морг.

Глава 3

В Ложкино я ехала, чувствуя себя очень плохо. Болела голова, отчего-то заныл под коронкой давно мертвый зуб, и в довершение всего разыгрался гастрит, заработанный в те времена, когда приходилось бегать по урокам, питаясь бутербродами и печеньем. Мечтая о кровати, я ехала по шоссе и была остановлена инспектором. Высунувшись в окошко, я крикнула:

— Ничего не нарушила, скорость не превышала, в чем дело?

Довольно молодой парень, поигрывая полосатым жезлом, лениво оглядел новенький серебристый «Пежо-206», окинул взглядом меня и ответил:

— Плановая проверка автомобиля.

— Но он новый, куплен недавно, техосмотр пройден, талончик на ветровом стекле.

— Огнетушитель имеется?

Мальчишка явно хотел заработать и искал повод, чтобы «обуть» обеспеченную тетку, которая нагло разъезжает в новехонькой иномарке. Надо было просто открыть кошелек и дать ему пятьдесят рублей. Но внезапно меня охватила злость. Это с какой стати я должна поощрять разбой на дороге? Между прочим, я совсем не виновата. Ладно бы нарушила правила, тогда и раскошелиться не жаль, но просто так совать наглецу рубли?! Знаю, знаю. Сейчас вы начнете говорить про то, что у сотрудников ГИБДД крохотные оклады и огромные, многодетные семьи, но ведь врачи, учителя, пожарные тоже не могут похвастаться огромными зарплатами.

Я вылезла из машины, открыла багажник и сунула красный баллончик парню под нос.

— Вот.

— Знак аварийной остановки, — мент решил просто так не сдаваться.

Я ткнула пальцем в железный треугольник:

— В наличии.

Скрипнув зубами от злости, гибэдэдэшник велел:

— Откройте капот.

— Не могу.

— Почему?

— Не знаю, как это сделать!

— Но ведь автомобиль, судя по документам, принадлежит вам!

— И что же? У меня нет никакой необходимости лазить в мотор.

— А если сломается?

Я пожала плечами:

— Вызову представителей сервиса «Пежо-Арманд», пусть ремонтом занимаются профессионалы.

Потерпев неудачу, мент отрывисто рявкнул:

— Аптечка.

Я вытащила черный чемоданчик:

— Пожалуйста.

Насвистывая, патрульный принялся перебирать содержимое, неожиданно глаза его радостно блеснули:

— Так! Презервативов нет, непорядок.

Я взвилась от злости:

— Молодой человек, в силу возраста и положения я не занимаюсь сексом на заднем сиденье. Или вы считаете меня путаной?

— Ну, для работы на дороге вы, пожалуй, старая, — схамил сержант, — но правила есть правила, индивидуальное средство защиты должно лежать между аспирином и валидолом, имеется список лекарств, могу показать! Квитанцию выписывать или как?

Я уже хотела ответить:

— Или как, — но тут же радостно воскликнула: — Погодите!

Через секунду парень уставился на небольшой пакетик и протянул:

— Ага, только что жаловались, что не занимаетесь сексом, а гондон в кармане таскаете!

Я поджала губы. Ну не объяснять же юному наглецу, что днем в кафе вместе со счетом мне подали и пакетик из фольги.

— Мы проводим сегодня день борьбы со СПИДом, — мило пояснила официантка, — это вам в подарок.

Не желая обижать девушку, я сунула в карман «сувенирчик» и благополучно забыла о нем, и вот, пригодился.

— Надеюсь, теперь я могу ехать?

— Нет, — отрезал мальчишка, — презервативов-то нет.

— Ты совсем с ума сошел, — не выдержала я, — а это что?

— Он один, а положено четыре.

— Что?! Сколько?!

— Четыре!

— Офигел, да?

— Я при исполнении, — налился кровью противный мальчишка, — попрошу вас...

— Что ты ко мне привязался, — заорала я, — пока ты тут в багажнике зря рылся, мимо десятки машин пронеслось, и половина из них нарушила правила. Вон, гляди, пересекают двойную, непрерывную осевую...

Но договорить мне не удалось, потому что около поста притормозила машина с европейским номером, из ее недр выбрались две всхлипывающие женщины и направились к нам. Одна из теток держала в руках нечто, оказавшееся при более детальном рассмотрении мертвым ежиком.

— O, das ist so traurig[1], — залопотала та, которая держала несчастного ежа.

— So traurig[2], — подхватила другая.

Милиционер уставился на немок, потом растерянно глянул на меня:

— Чего им надо?

Откровенно говоря, никакого желания помогать отвратительному парню я не имела, но меня саму заинтересовала ситуация:

— Погоди, сейчас. Was ist los?[3]

Фрау затарахтели, как пулеметы:

— Мы случайно раздавили в лесопарковой заповедной зоне на проезжей части это несчастное животное. Ей-богу, не нарочно. Он сам выкатился прямо под колеса.

— Да, — кивнула я, — ежики иногда пытаются пересечь магистраль, ночью их практически не видно, не расстраивайтесь так, проезжайте спокойно.

— Как же! — всплеснули руками законопослушные бюргерши. — А штраф? Сколько положено в вашей стране платить за такое нарушение? На сколько марок выпишут квитанцию?

Я подавила вздох. Действительно, примерно в полукилометре отсюда установлен огромный щит. «Водитель, будь внимателен, ты въезжаешь на территорию заповедной зоны, разведение костров и рыбалка строжайше запрещены». И висит международный знак Гринпис. Только никому из наших людей и в голову не придет подобрать сбитого ежика и обратиться к постовому.

— Сколько денег? — настаивали немки.

— Что они про марки говорят? — насторожился постовой.

— А ты откуда понял, что речь о валюте идет?

---

[1] О, это так грустно (*нем.*).

[2] Так грустно (*нем.*).

[3] Что случилось? (*нем.*)

— Так в школе дойч учил, — пояснил постовой, — кое-как изъясняюсь.

Узнав, о чем идет речь, сержант нахмурился.

— Так, переведите им, что за это преступление в России грозит тюрьма, но за триста марок я готов тихо похоронить несчастного в придорожной канаве!

— Даже и не подумаю! Как тебе не стыдно!

— Тогда уезжайте!

— Нет. Кстати, ты уже не считаешь отсутствие презервативов столь страшным преступлением, коли отпускаешь меня?

Постовой выругался сквозь зубы и поманил немок. Троица отошла в сторону и принялась размахивать руками. То ли мент и впрямь знал с десяток слов на немецком, то ли бюргерши владели зачатками русского языка, но минут через десять они договорились. Красивые бумажки перешли из кошельков «преступниц» в карман стража порядка, потом начали разыгрываться совсем невероятные действия.

Сержант рысью сбегал в маленький домик, стоявший у дороги, приволок саперную лопатку и мигом вырыл могилу, куда и был уложен несчастный ежик. Немки, утирая слезы, торжественно возложили на крохотный холмик букетик сорванных тут же чахлых темно-синих цветочков, патрульный торжественно снял фуражку. Очевидно, это был единственный еж на территории России, которого хоронила служба ГИБДД. Не хватало только прощального салюта и военного духового оркестра.

С чувством выполненного долга немки влезли в «БМВ» и укатили. Улыбаясь, словно кот, который от души нализался сметаны, мент пошел в будку. Я завела мотор и, не удержавшись, высунулась в окно:

— Эй, погоди!

— Чего надо?

— По-моему, ты продешевил. Мог с них все пятьсот марок содрать.

Патрульный притормозил, на его лице отразилась досада.

— Да? Каким это образом?

— Должен был им сказать, что ежей положено хоронить в презервативах, — с самой серьезной миной заявила я и, не дожидаясь ответа, унеслась.

Дома я рассказала всем о происшествии в консерватории.

— Меня это не удивляет, — пожал плечами Аркадий. — Стоит тебе куда-нибудь пойти, как мигом начинаются неприятности.

— Бедная мусечка, — заорала Маня, — представляю, как ты испугалась! Эх, жаль, дядя Саша уехал!

Действительно, полковника нет. Теперь он живет вместе с нами, в Ложкино, а Аркашка, чертыхаясь, возит его каждое утро на работу. Александр Михайлович машину не водит и учиться ремеслу шофера не собирается. По-моему, он просто боится. Всякий раз, когда я везу куда-нибудь приятеля, он делается меньше ростом, словно усыхает в объеме, и судорожно вздрагивает, если сбоку проносятся машины. На днях мы ехали по МКАД. Сначала Дегтярев стонал:

— Тише, тише.

— Успокойся, — ответила я, — тут нельзя ехать меньше восьмидесяти в час.

— Почему?

— Сметут.

— Ой, тише, — взмолился полковник, — ой, грузовик.

Впереди показался пешеходный переход. Если вы хоть раз оказывались на Кольцевой дороге, то должны знать: перейти магистраль можно, только воспользовавшись стеклянной галереей, вознесенной достаточно высоко над шоссе. Когда «Пежо» подлетел к такому переходу, Дегтярев мигом наклонил голову. Я чуть не скончалась от смеха.

— Однако у тебя гигантское самомнение! Боишься задеть макушкой сие сооружение!

— Лучше смотри на дорогу, — рявкнул приятель, — не болтай.

Больше всего на свете полковник любит посидеть с удочкой у реки. Есть у него старинный дружок, который живет в деревне, расположенной за Уральскими горами. Глухое место, абсолютный медвежий угол. Водопровода нет, надо таскать полные ведра из колодца, газ привозят в баллонах, сортир и душ во дворе, а электричество отключают с пугающей регулярностью. Естественно, ближайший телефон находится на расстоянии доброй сотни километров, а «Скорая помощь» как раз поспеет к вашим поминкам. Но полковнику наплевать на бытовые неудобства. Он согласен спать без белья на твердокаменной лежанке, накрываясь тулупом. Главное, что в этом богом забытом месте растут сплошняком одни белые грибы, в прозрачной речке плещутся рыбы, а на огороде вырастают потрясающе вкусные овощи.

Каждую осень Дегтярев выпрашивает отпуск в сентябре и на двадцать четыре дня отправляется в глушь, в такое место, где жители не запирают дома даже на ночь, потому что преступности в этом регионе просто нет. Да и откуда взяться бандитам? Со всех сторон деревеньку обступает плотной стеной лес, до ближайшего города немереное количество километров по бездорожью, и те, кто живут в покосившихся деревянных домах, знают друг про друга всю подноготную.

Александр Михайлович возвращается оттуда веселым, со свежим цветом лица и бородой. В качестве подарков нам вручаются трехлитровые банки с маринованными грибами и вареньем, связки сушеных боровиков да приготовленные в домашней коптильне рыбины.

— Господи, — стонет полковник, — ну почему я живу не там, а здесь? За что?

Ехидная Зайка не выдерживает и отвечает:

— Потому что это твоя родина, сынок.

Впрочем, Ольга может и не такое сказануть. Вот и

сейчас она наморщила хорошенький маленький носик и отрезала:

— Понятно! Вместо того чтобы искать садик для Аньки с Ванькой, ты отправилась шляться по магазинам. Безответственное существо!

Я обиженно пошла к себе и легла в кровать, подпихнув под бок мопса Хуча. Обрадованная собачка мигом принялась облизывать мне руки.

— Ты один меня любишь, — пробормотала я и заснула.

— Эй, Даша, вставай! — раздалось над ухом.

Я села и потрясла головой. Сквозь незадернутые занавески падали лучи солнца. На дворе восьмое сентября, а погода радует теплом.

— Что случилось?

Растрепанная Зайка приложила палец к губам:

— Тс-с-с.

Я удивилась. В нашем доме никто не соблюдает тишину. Мы громко разговариваем, включаем в любое время телевизор, музыкальный центр или радио.

— Ира! — орет со второго этажа по утрам Маня. — Куда подевалась моя школьная форма?

— Ща принесу! — вопит в ответ стоящая на первом домработница. — Юбку глажу.

В нашем доме всегда шумно, пятеро собак часто затевают возню, а иногда они открывают охоту на кошек и носятся с оглушительным лаем по лестницам и комнатам. При этом многокилограммовые Снап и Банди частенько не вписываются в повороты и роняют журнальные столики, напольные вазы и пуфики. Поэтому поведение Зайки изумило меня до предела.

— Что произошло?

— Тс-с-с, — повторила Ольга и поманила меня рукой. — Иди сюда, — прошептала она, — только тихо и молча.

Недоумевая, я подошла к окну и выглянула во двор. У входа стоял белый микроавтобус, около которого курили двое молодых людей.

— У нас гости?

— Это милиция, — свистящим шепотом ответила невестка, — приехали тебя арестовывать, у них есть ордер. Эх, Аркашка на работе, мобильный у него выключен, небось с подзащитным разговаривает.

— Меня арестовать? — попятилась я. — За что?

— Небось думают, что ты этого Комолова убила.

— Я?!

— Ага.

— Бред!!! Мы с ним практически незнакомы!

— Тебе надо бежать.

Я посмотрела на Зайку.

— С ума сошла! Куда? От кого? Очень глупо.

Ольга схватила меня за руку.

— Вот, тут я собрала чемоданчик, быстро одевайся и осторожно спускайся на первый этаж, выход на террасу открыт. Шмыгнешь через боковую комнату на шоссе, возьмешь такси, мобильным не пользуйся, его засечь легко, езжай на Курский вокзал, садись в зале ожидания, я потом туда приеду и скажу, где ты будешь ночевать.

Я натянула джинсы, футболку и сердито сказала:

— Что за глупости лезут тебе в голову?

— Не ходи вниз!

— Именно пойду и все выясню.

— Дашка! — вскрикнула Зайка. — Стой!

Но я уже бежала по лестнице, перепрыгивая через ступеньки.

В гостиной сидели двое мужчин, оба молодые, чуть старше тридцати. Я влетела в комнату и выпалила:

— Это вы собрались меня арестовывать?

Один из парней натужно улыбнулся:

— Нам просто нужно задать вам несколько вопросов.

— Начинайте.

— Для этого вам придется проехать с нами.

— Зачем?

— Надо.

— Хорошо, давайте адрес, сейчас выпью кофе, выгоню «Пежо»...

— Нет, — довольно невежливо прервал меня другой мужчина, — вы поедете с нами и сейчас.

— И не собираюсь, у меня другие планы.

Парни переглянулись.

— Придется их изменить.

— Вы с ума сошли?! Это что, арест? Тогда предъявите соответствующую бумагу и объясните, в чем меня обвиняют.

Внезапно один из парней, одетый в легкую светло-голубую рубашку, довольно зло заявил:

— Мы имеем право задержать вас на срок до трех суток без всяких объяснений и предъявлений обвинения, ясно? Закон один для всех, и для тех, кто, как я, живет с семьей на пятнадцати метрах, и для тех, кто, как вы, обитает в роскошном доме. Нам не хочется применять силу, поэтому собирайтесь побыстрей.

— Дарья Ивановна, — быстро сказал второй мужчина, явно недовольный грубостью своего коллеги, — ей-богу, не стоит волноваться, просто побеседуем немного.

— Почему мы не можем сделать это здесь, в гостиной?

— У нас нет времени, — рявкнул грубиян, — или хотите, чтобы мы вас выводили в наручниках?

— Сережа! — укоризненно воскликнул более вежливый милиционер. — Не волнуйтесь, Дарья Ивановна, он просто неудачно пошутил. Естественно, никаких наручников, съездим, поговорите с разными людьми, и вы, наверное, вернетесь.

Я бросила быстрый взгляд на Ольгу. Мы с Зайкой можем поругаться почти до драки. Зая не выносит курильщиков, и ее раздражает моя манера есть в кровати шоколадки, а при виде детективного романа она делает такую мину, словно наткнулась в чисто вымытом кухонном шкафчике на таракана. Еще Заюшка недовольна легкомыслием свекрови и критикует мою манеру одеваться, разговаривать, водить машину. Я же в свою очередь не понимаю, как она еще не скончалась, съедая в день по листику салата. Желание похудеть у Ольги трансформировалось в фобию, на весы она вскакивает после каждой еды и хватается за голову. Кроме того, меня просто бесит, когда утром в спальню влетает Ольга, швыряет мне на кровать одежду и приказывает:

— Живо, у меня есть два часа, едем в магазин.

К слову сказать, остальные члены семьи тоже не сахар, и милые вечерние трапезы частенько заканчиваются в нашем доме бурными скандалами.

Но в минуту опасности мы забываем распри и мигом сплачиваемся, понимая друг друга с полуслова и полувзгляда.

— По-моему, тебе надо ехать, — мило улыбнулась Ольга.

— Пожалуй, ты права, — подхватила я.

— Иди переоденься, нельзя же отправляться в домашнем, с ненакрашенным лицом, — лучилась Зайка.

— Вы разрешите переодеться, — обратилась я к ментам, — или потащите меня к машине волоком?

— Только быстро, времени нет, — буркнул Сергей.

— Дарья Ивановна, — покачал головой его коллега, — ну что вы такое говорите! Собирайтесь спокойно, никакой спешки.

— Сейчас велю подать кофе, — засуетилась Зайка, — вы какой предпочитаете, растворимый? Вот тут пирожки с грибами, угощайтесь, угощайтесь!

Она принялась суетливо хлопотать вокруг парней, я выскользнула за дверь.

За свою жизнь я прочитала горы, Эвересты и Монбланы, детективной литературы и сейчас, торопясь в свою комнату, очень хорошо понимала, что Сергей и его коллега разыграли передо мной классическую сценку. Она называется «Плохой и хороший следователь». Сначала на человека налетает наглый, по-хамски разговаривающий грубиян. Естественно, вы не собираетесь беседовать с таким человеком и всячески сопротивляетесь. Атмосфера накаляется, вам грозят тюрьмой, наручниками, расстрелом... И тут в дело вступает другой игрок. Милый, ласковый, интеллигентный.

— Ну что ты делаешь? — укоряет он коллегу и начинает вас утешать. — Не нервничайте, успокойтесь. Хотите воды? Сейчас недоразумение выяснится, и пойдете домой.

Естественно, вы переполняетесь благодарностью и мигом рассказываете «ласковому» дядечке что надо и что не надо.

Добежав до спальни, я схватила небольшой саквояжик, поставленный Зайкой у двери, и бросилась вниз, потом выскользнула через террасу в сад, открыла маленькую калиточку и побежала к шоссе. Сзади раздалось тихое повизгивание и сопение. Я обернулась. Толстенький мопс Хучик ковылял на своих кривоватых лапках с самым несчастным видом. Заметив, что хозяйка остановилась и глядит на него, Хуч сел на объемистую филейную часть и негромко гавкнул. Хучик терпеть не может пеших прогулок, и сейчас он явно ждал, что я возьму его на руки. Следовало вернуться назад и втолкнуть Хуча в дом, но у меня не было на это времени. Сейчас противные менты проглотят кофе, и поднимется дикий скандал, нужно быстро поймать машину. Подхватив собачку, я побежала туда, откуда слышался гул моторов.

Глава 4

Оказавшись на Курском вокзале, я сдала сумку в камеру хранения и обнаружила, что просто так попасть в зал ожидания нельзя. Пришлось купить билет до неведомого города со смешным названием Разливаево. Держа в руках серо-голубую бумажку, я с полным правом устроилась на жесткой скамейке и призадумалась. Что делать? Если бы Дегтярев сидел на месте, я тут же бы понеслась к нему, но Александр Михайлович удит рыбку и собирает грибочки, домой ему возвращаться почти через месяц. Ладно, скоро сюда приедет Зайка, и мы совместными усилиями придумаем, как следует поступить. У меня есть приятели в системе МВД, и можно попросить их разузнать, в чем дело. Я уже схватилась за телефон, но потом решила: нет, подожду Ольгу.

Время тянулось будто жвачка. Я купила газеты, прочитала их и чуть не заснула. Часы показывали полдень. В районе двух в душу начала заползать злость: где же Зайка? Она велела мне не пользоваться мобильным, и я послушно не трогала трубку. В пять я достигла точки кипения. Так, противная Ольга не приехала. Передача «Мир спорта», лицом которой является наша Заюшка, выходит в эфир в восемнадцать тридцать, значит, она сейчас в костюмерной, потом ее схватит гример. Раньше восьми вечера нечего и ждать ее на вокзале.

Чертыхаясь, я купила минералки без газа, напоила Хуча, вытащила из сумочки новую Маринину и попыталась сосредоточиться. Получалось плохо. Вокзал не лучшее место для отдыха. Тут и там на чемоданах и узлах спали измученные ожиданием люди, слышался детский плач, через каждую минуту оживало радио, гнусаво заводя:

— Граждане пассажиры, скорый поезд...

В придачу ко всему под потолком висело несколько телевизоров, вопящих на разные голоса. На одном экране мелькали мультики, на другом разрывался эстрадный певец, на третьем шли новости. Скамейка была жесткой, с жутко неудобной, вогнутой спинкой. На такой трудно просидеть больше часа, очень некомфортно. Интересно, кому пришла в голову идея установить такую мебель в зале ожидания? На мой взгляд, сюда бы лучше подошли мягкие, уютные диваны и кресла. От тоски я уставилась на один из экранов. Перед глазами возникла хорошо знакомая заставка. На голубом фоне вертится бело-черный мяч, сейчас появится Зайка и скажет: «Здравствуйте, вас приветствует передача «Мир спорта» и я, Ольга Воронцова».

Прозвучала бодрая музыка, и вместо задорно улыбающейся Зайки передо мной возникло лицо черноволосого, темноглазого мужика, который как ни в чем не бывало принялся читать спортивные новости. Интересное дело, куда подевалась Ольга? Что случилось? Зайка никогда не бросит работу. Она всегда будет вести программу, помешать Ольге не может ничто: ни высокая температура, ни головная боль, ни семейные обстоятельства. Что бы ни произошло, она возникнет в вашем доме в урочный час с обаятельной улыбкой на устах.

— К нам в студию без конца звонят зрители, желающие узнать, куда подевалась Ольга Воронцова, — неожиданно сказал ведущий, — кое-кто высказывает опасения, что она ушла с работы. Нет, Оля готовила сегодняшний выпуск, но провести его ей помешало несчастье.

Я вскочила на ноги. Боже! Что стряслось?

— Примерно около часа дня она попала в автомобильную аварию.

По моей спине потек холодный пот.

— Сразу успокою, — продолжал парень, — угрозы для жизни нет, у Ольги сломаны нога, рука и челюсть. Мы надеемся, что наша всеми любимая ведущая скоро появится и озарит экран своей неповторимой улыбкой. Желаем ей скорейшего выздоровления. А сейчас о матче...

Я плюхнулась на скользкую пластиковую скамью и, забыв о всех предосторожностях, набрала домашний номер.

— Алло! — заорала Ирка.

— Что с Ольгой?

— Ой, ой, ужас, жуть, — запричитала домработница, — слава богу, подушки безопасности сработали, иначе бы погибла...

— Говори по делу.

Ирка затараторила, из ее слов выходило, что Зайка унеслась из дома в начале первого, а около двух позвонила женщина и сообщила, что Ольга Воронцова госпитализирована в Институт Склифосовского. Непосредственной опасности для жизни нет, сломана правая рука, левая нога и челюсть в двух местах. Говорить Ольга практически не может.

— А вас тут ищут, — добавила в конце Ирка, — все звонят и интересуются: «Дарья Ивановна не вернулась?»

— Отвечай всем, что я улетела в Париж.

— Да ну? Вот так внезапно?

— Ира! Говори, что велю.

— Ладно, ладно.

— Теперь позови Аркадия.

— Так он у Ольги! Все дела отложил и в Склиф бросился.

— Хорошо, сейчас ему позвоню.

— Не получится.

— Почему?

— Он со мной только что говорил, предупредил, чтобы мы не волновались, он останется в больнице на ночь, а в реанимации велят мобильный выключать, он там какие-то приборы замыкает.

Я отсоединилась и уставилась на мирно сопящего Хуча. Так, пришла беда — отворяй ворота. Зайка в больнице, Аркадий при ней, Александр Михайлович, ни о чем не подозревая, наслаждается свежим воздухом, а Машка вчера вечером, почти ночью, укатила вместе с теми, кто занимается в кружке при Ветеринарной академии, в Питер, на научно-практическую конференцию. Дети долго готовились к этому событию, клеили какие-то макеты, писали доклады... И что мне теперь делать? Где ночевать?

Пойти к Оксане нельзя. Если меня начнут искать, то первая, к кому придут, будет она. Отправиться в гостиницу? Во-первых, я с Хучиком. Не всякий отель пустит к себе женщину с собачкой, даже такой маленькой и умильной, как мопс. Во-вторых, милиция элементарно вычислит меня, ведь придется показывать портье паспорт. Впрочем, у меня довольно много друзей, так сказать, второй очереди. Мы поддерживаем хорошие отношения, но общаемся редко, попробую-ка обратиться к Ленке Глотовой.

— О, Дашка, — заверещала Ленка, едва заслышав мой голос, — сколько лет, сколько зим! Как делишки? Страшно хочется пообщаться, да все недосуг.

— Слышь, Лен, можно мы к тебе придем?

— Прямо сейчас?

— Ну да.

Ленка замялась, потом старательно изобразила радость:

— Конечно, сейчас быстро кексик приготовлю.

— Не суетись, я куплю торт.

— И то верно. А ты с кем? С Маней?

— Нет, со мной Хуч.

— Мопс?!

— Ну и что?

— Нет, ничего, конечно.

— Кстати, можно остаться у тебя на ночь?

— На ночь? — ужаснулась Ленка. — Но в моей квартире повернуться негде. Сама знаешь, только две крохотные комнатенки. В одной мама с Ксюхой, в другой мы с Володькой. Извини, у нас нет огромного дома.

Я повесила трубку. Между прочим, я сама прожила большую часть жизни в блочной «распашонке». Ленка по тем временам частенько оставалась у меня, ей неохота было ехать к матери, которая безостановочно пилила неразумную дочь. Вот она и ночевала в Медведково, да еще не одна, а с Костей, своим первым мужем, из-за которого ругалась с маменькой. Правда, потом они разошлись, Ленка выскочила за Володьку, но это уже неинтересно. Главное — я никогда ей не отказывала. Более того, Ленка и Костя, как молодожены, ночевали в маленькой комнате, на моем диване, а я ютилась на кухне, на полу, на матрасе, голова под столом, ноги у плиты.

Тяжело вздохнув, я набрала номер Наты Ромашиной. Послышались частые гудки, спустя пару секунд я повторила попытку и услышала тоненький голосок Натки:

— Да ну?

Я хотела было удивиться, отчего она так отвечает на

звонок, но не успела, потому что прозвучала следующая фраза, сказанная другой женщиной:

— Вот тебе и ну. Полгода не разговаривали, а потом с бухты барахты звонит и собирается приехать с ночевкой, да не одна!

В ту же секунду я поняла, что Ната беседует с Ленкой Глотовой. Случается такое с владельцами мобильных телефонов довольно часто: пытаетесь соединиться с кем-нибудь и невольно влезаете в чужой диалог. В таком случае я немедленно вешаю трубку, но сегодня молча сидела на скамейке, прижимая к себе Хуча и слушая, как те, кого считала своими близкими подругами, перемывают мне кости.

— Ей башню капитально снесло, — ответила Ната, — живет в своем мире. Прикинь, что моей Люське на день рождения подарила?

— Ну? — жадно поинтересовалась Ленка.

— Духи приволокла. Вернее, набор, пузырек вонючий, браслетик и ожерелье, якобы из жемчуга. Хотя это я зря, жемчуг настоящий. Тут намедни по Тверской прошвырнулась, зашла в пару магазинчиков, увидела, сколько сей подарочек стоит, и чуть не скончалась. Лучше бы деньгами дала, Люська давно о музыкальном центре мечтает. За каким лядом четырнадцатилетней девке жемчуг с элитным парфюмом? Ва-аще головы никакой нет!

— Она свою дочурку с макушки до пяток брюликами обвесила, — влезла Ленка.

— Так ее Машка отвратительная толстуха, нос картошкой, глазки — щелочки, уши как ручки у кастрюли, — взвизгнула Ната, — ясное дело, надо же женихов приманивать, вот и старается. Да и что ей? Денег немерено, проблем никаких. Вон, видишь, от скуки с идиотским мопсом по людям таскается.

— Знаешь, — засвистела Ленка, — я люблю собак, но мопсы, ей-богу, такие уроды, а этот ее Хуч полный кретин, вечно жрет, морда в крошках, прямо с души воротит смотреть. А она его нацеловывает: «Ах, ах, Хучик, ах, ах, красавец».

— С другой стороны, — ехидно протянула Ната, — кого ей еще любить? Мужика-то нет!

— А полковник? Он теперь с ними живет.

— Да ты что, — воскликнула Ната, — разве не знаешь?

— Нет.

— Ну даешь, все уже и говорить давно на эту тему перестали, а ты не в курсе.

— Ну!

— Он любовник Ольги, близнецы от него. Вот приедешь в гости, приглядись, просто одно лицо.

— А Аркадий что?

— Ничего, он импотент!

Не в силах больше слушать весь этот бред, я зашвырнула трубку в сумку.

Да, действительно я подарила Люське набор от Шанель. Но за несколько дней до праздника Люся сама позвонила Машке и стала ныть: «Прикинь, какую штуку видела, с ожерельем».

Естественно, Манюня мигом помчалась в магазин и купила набор. У Машки развился комплекс, она чувствует себя виноватой из-за того, что намного богаче своих подруг, вот и пытается изо всех сил исправить несправедливость. К слову сказать, ни Сашка Хейфец, ни Ольга Чалова, ни Катя Иванова никогда не делают никаких намеков и страшно злятся, если Маня пытается купить всей компании билеты в кино, но кое-кто бессовестно пользуется Маруськиной добротой.

И потом, Манюня вовсе не толстая, у нее хорошенькая, свеженькая мордочка с большими голубыми глазами, роскошные белокурые волосы и аккуратный носик. Никаких бриллиантов у моей дочки нет, носит украшения, соответствующие возрасту: серебряные сережки и браслеты, бисерные фенечки, цепочки, кулончик из горного хрусталя. Может, это его Натка приняла за алмазный.

А уж насчет того, что полковник — отец близнецов! Я даже и не предполагала, до какой мерзости могут додуматься люди. Уж скорей Хуча можно посчитать сыном полковника, Анька и Ванька совсем не похожи на Александра Михайловича.

Я сидела на скамейке, отупев от духоты и шума. Мопсы противные? Да мой Хучик красавец! И ему никогда не придет в голову рассказывать мерзкие сплетни!

Ладно, теперь поговорим с Женькой.

— Да, — рявкнул приятель.

— Женечка...

— Ты где?

Я чуть было не сказала: «На Курском вокзале», но неожиданно соврала:

— В пиццерии «Мастер Итальяно».

— Это где? — не успокаивался Женька.

— На площади у Курского вокзала.

— Немедленно езжай сюда.

— Почему?

— Сейчас перезвоню.

Я уставилась на пищащую трубку.

Минут через десять прозвучал звонок. Из трубки доносился шум, очевидно, Женя вышел на улицу.

— Немедленно ехай сюда.

— Глагола «ехай» в русском языке не существует, — не утерпела я.

— Послушай, — взвился Женька, — грамотная ты наша! У Лени Максимова к тебе куча вопросов, неприятных!

— Каких, например?

— Стаса Комолова отравили.

Я чуть не упала.

— Да ну!

— Баранки гну! — заорал Женька. — Поднесли мужику лекарство в таком количестве, что хватило бы на половину населения Москвы.

— Как же так? — забормотала я. — Кто? Когда? Мы же два часа были вместе... Что же за отрава такая, которая столь долго действует?

— Очень даже быстро убивает, — отчеканил Женька, — только глотнешь — и пишите письма, он и охнуть не успел.

— Но кто...

— Ты! — рявкнул Женька. — У наших сложилось твердое мнение, что угостила парня ты.

— Я?! С ума сойти. Мы не знакомы совсем.

— А некий Алексей Зырянов сообщил, будто ты со Стасом на его дне рождения весь вечер проплясала и прохихикала, было такое?

Я вспомнила наш разговор со Стасом у входа в консерваторию и растерянно ответила:

— Ну да, вроде мы встретились у Лешки.

— Зачем тогда врешь, что не знакомы?

Я не нашлась, что ответить.

— Уж извини, — злился Женька, — но ты себя так глупо вела... Лучше признаться.

— В чем?!!

— Да все известно! Лекарство в большом количестве попало в организм Комолова во время концерта, а кто принес ему воду?

— Я.

— Еще вопросы есть?

— Женька, — заорала я, — ты с ума сошел? Мы столько лет дружим. Я похожа на убийцу? И зачем мне лишать жизни полузнакомого парня?

— Ты где взяла воду?

— В буфете купила.

— Не ври. Там продавали фанту, колу, шампанское и «Святой источник», а у тебя была «Аква минерале».

— Господи, у меня на нервной почве развилась идиотия! Извини, болтаю сама не помню что. Мне дали бутылку и валокордин.

— Кто?

— Мужчина.

— Какой?

— Ну служитель, в директорской ложе работает, программки продает, за порядком следит.

— Внешность описать сумеешь?

Я призадумалась.

— Достаточно молодой, в районе тридцати, в синем костюме.

— Блондин, брюнет?

— Ну, такой...

— Какой?

— Обычный.

— Цвет глаз?

— Не заметила, но, если увижу, должна узнать.

— Ты его не увидишь, — достаточно жестко отрезал Женька.

— Почему?

— В консерватории капельдинерами работают только женщины.

— Да?

— Да!

— Кто же тогда дал мне воду?

— Дарья, — вздохнул Женя, — ребята установили, что у Стаса Комолова были проблемы с бабами...

— Но он женат.

— С чего ты взяла?

— Разве у Комолова нет жены по имени Арина?

— Он убежденный холостяк.

Я растерянно замолчала, вспоминая элегантное золотое кольцо, сиротливо лежащее на тротуаре. С чего я решила, что оно обручальное?

— Женя, ты знаешь меня много лет...

— Дарья, — прервал приятель, — немедленно приезжай сюда. Есть еще кое-что, свидетельствующее не в твою пользу.

— Что именно?

— Стас имел дело только с богатыми женщинами, бедные его не привлекали. Так вот, он сказал Алексею Зырянову, будто свел знакомство с очень обеспеченной дамой, матерью двух взрослых детей. Женщина живет в загородном доме, у нее куча домашних животных, собаки, кошки... Встречается она с Комоловым тайком, потому что уверена: семья не одобрит ее выбора. Узнаешь типаж?

— Это не я!!!

— Еще Стас сообщил, что мадам ревнива и постоянно устраивает скандалы.

— Это не я!!!

— Но ведь чудо-водичкой Комолова угостила ты.

— Мне ее дали!

— Ага, парень, которого в природе нет. Дарья, я тебя жду. Мы во всем разберемся.

Я сунула телефон в карман. Да уж, старая истина: друзья познаются в беде. Сколько интересного я узнала за последний час! Ленка Глотова и Ната Ромашина на самом деле терпеть меня не могут, а Женька мигом поверил уликам... Ясно одно, домой возвращаться нельзя, и друзей, кроме Оксаны, у меня нет, а ей звонить опасно.

Глава 5

Я села у окна и стала смотреть на улицу. Прямо перед глазами простиралась площадь. Машины, люди, магазинчики. Справа виднелась вывеска «Пиццерия Мастер Итальяно». Может, и правда заглянуть туда, слопать кусок пиццы с сыром и помидорами? Интересно, впустят меня в забегаловку вместе с Хучиком? Впрочем, если суну секьюрити у входа десять долларов, он мигом начнет нахваливать мопса.

Я уже поднялась и хотела идти в харчевню, как на площади начали происходить интересные события.

Оглушительно воя, к пиццерии подлетели две милицейские машины. Парни в форме быстро вошли в закусочную.

Зрение у меня стопроцентное, плавно переходящее в легкую дальнозоркость, окна в «Пиццерии Мастер Итальяно» огромные, отлично вымытые, и было очень хорошо видно, как бравые менты проверяют документы у посетителей. Но не у лиц кавказской национальности, коих за столиками сидело довольно много. Нет, на этот раз правоохранительные органы интересовались паспортами исключительно у женщин, блондинок со стройной фигурой, одетых в джинсы и футболку. Таких в кафе нашлось всего трое. Потом патрульные вышли на площадь, коротко переговорили по рации, сели в бело-синие автомобили и уехали, на этот раз без воя и грохота.

Я плюхнулась на скамейку. Вот оно как! Не успела я соврать Женьке, что лакомлюсь пиццей, как он тут же предал Дашутку. Это меня искали сейчас менты. Недаром их интересовали блондинки. Ну Женька, ну гад! И этот человек считался моим другом.

В состоянии шока я повертела в руках мобильный, потом зашвырнула его в урну, подхватила саквояж и велела Хучу:

— Пошли, по залу пройдешь сам, а на выходе возьму тебя на руки.

Мопс послушно затрусил за мной. Я медленно плелась к двери. Значит, меня ищут, к Оксане нельзя, домой тоже. Куда идти? Внезапно в голову пришла отличная идея. Здесь на площади имеется квартирное бюро, можно снять на некоторое время жилплощадь, только небось потребуют паспорт, а мне нельзя его показывать.

Дойдя до двери, я хотела подхватить Хуча, наклонилась и увидела, что собачки нет. Обернувшись, заметила его почти посередине зала. Мопс присел, из-под задних лапок вытекала лужица, а с другого конца помещения спешила к безобразнику женщина в синем халате, со шваброй и ведром.

Испугавшись, что обозленная уборщица сейчас треснет описавшегося мопса палкой, я, на ходу вытаскивая кошелек, побежала назад. К Хучу мы приблизились одновременно, я и поломойка.

— Извините, бога ради, это моя собака, вот, возьмите, только не бейте Хуча.

Уборщица грохнула ведро о пол, устало откинула с лица выбившуюся прядь волос и тихо сказала:

— Мне и в голову не придет стукнуть такое милое животное.

Тетка была по виду старше меня, скорей всего, она недавно справила пятидесятипятилетие. Усталые карие глаза смотрели приветливо, а губы улыбались. Секунду уборщица изучала Хуча, потом сказала:

— Он не виноват, просто обалдел от шума, вон какой бедлам, у меня к концу дня голова кругом идет, чего уж от маленькой собачки хотеть?

И она, наклонившись, погладила пса.

— Вы собачница? — скорей утвердительно, чем вопросительно сказала я.

— И кошатница, — улыбнулась тетка, — впрочем, как говорил Шопенгауэр, чем больше я узнаю людей, тем сильней люблю собак.

Я уставилась на поломойку во все глаза. Та принялась быстро подтирать лужу. Когда кафельная плитка заблестела, я отмерла и спросила:

— Не подскажете, где здесь квартирное бюро?

— Что?

— Ну агентство такое, хочу квартиру снять.

— У вас есть регистрация? Там без нее не примут.

— Я москвичка.

Уборщица вскинула брови:

— Да? Правда?

— Вот, видите, паспорт с постоянной столичной пропиской.

— Почему же тогда квартиру ищете?

— Я была замужем, потом супруг умер, а свекровь велела убираться вон. Жила одно время с сыном, но не заладились отношения с невесткой, разругались вдрызг, вот и оказалась на вокзале вместе с необходимыми вещами и Хучем. Деньги есть, думаю пока снять квартирку, а там разберусь.

Поломойка оперлась на швабру.

— Хотите ко мне поехать? Живу в двухкомнатной квартире, одна, сто долларов в месяц устроит?

— Конечно.

— Еда сюда не входит.

— Естественно, только у меня собака.

— Ну и хорошо, у самой две.

Внезапно свинец в моей груди расплавился и горячим потоком стек в желудок. Дышать мгновенно стало легко, и меня покинуло чувство безысходности.

— Отлично, куда ехать?

— Ты посиди тут еще часок, — сказала уборщица, — сейчас смена закончится, и двинем, кстати, меня зовут Тина.

Дом, в котором мне отныне предстояло жить, выглядел не лучшим образом. Серая пятиэтажка из бетонных блоков, швы между которыми замазаны какой-то черной субстанцией. Ни домофона, ни кодового замка. По узкой лестнице мы взобрались на пятый этаж, и моя хозяйка вставила ключ в замочную скважину.

Я не всю жизнь провела в благополучии, богатство свалилось на нас не так давно. Долгие годы жила в Медведково, именно в таком блочном доме, и сейчас хорошо знала, какой интерьер скрывается за обшарпанной деревянной дверью.

— Входи, — велела Тина.

Я покорно шагнула в крохотную прихожую, споткнулась об обувницу и остолбенела. Из комнаты медленно выходила собака Баскервилей. Огромное серое животное с жуткой мордой.

— Мама, — пискнула я.

— Не бойся, — устало ответила Тина, — знакомься, это Альма.

Чудовище завертело длинным тонким хвостом и издало тихое «гав».

— Он не съест Хуча?

— Альма дама, — засмеялась Тина, — и она обожает всех, жутко любвеобильная особа, а уж по маленьким собачкам прямо сохнет.

— Гав, гав, гав, — донеслось из кухни, и в коридорчик выскочило нечто небольшое, лохматое, остроносое.

Я попятилась:

— Это кто? Крыса?

— Ты что, она же лает! — возмутилась Тина. — Собака, конечно, Роза фон Лапидус Грей.

— Прости, как ты ее назвала?

— Роза фон Лапидус Грей.

— Это порода или имя?

Тина засмеялась:

— Я ее породу точно не знаю, кажется, китайская лохматая ши-цу.

— Первый раз про такую слышу!

— Да какая разница, — отмахнулась Тина, — одна беда, эта мелочь откликается, только если ее называешь полным именем. Станешь орать: «Роза, Роза, Роза», все горло сорвешь, а она даже ухом не поведет. Ну представь, выхожу я во двор и торжественно вопрошаю: «Роза фон Лапидус Грей, ты пописала?» Соседи с ног валятся от хохота.

— Как же тебя угораздило так собачку обозвать?

— Она мне уже с именем досталась, — заявила Тина. — Да ты входи, объясню потом!

Я бочком пролезла в крохотную комнату и ахнула. Все стены были забиты книгами. Полки шли от пола до потолка, а тома в них стояли столь плотно, что не оставалось даже самой малюсенькой щелочки. Вальтер Скотт, Ромен Роллан, Бальзак, Гюго, Золя, Диккенс, Анатоль Франс, Генрих и Томас Манны, Шекспир, Чехов, Толстой, Бунин, Куприн... На самых крайних стеллажах виднелись яркие томики детективов и фантастики. Похоже, тут жил совершенно ненормальный книголюб, скупавший все содержимое лотков и магазинов.

— Твоя комната следующая, — пояснила Тина, — извини, придется через мою ходить, но я работаю сутками, в двух местах, часто сталкиваться не будем.

Я втиснулась в крохотную комнатенку. Именно в такой я прожила много лет и знаю ее размеры: ширина — метр девяносто, длина — два семьдесят пять. В каморке стоял раскладной диван, вернее, софа с подушками, ужасный гардероб, больше всего похожий на поставленный стоймя гроб, и ободранная тумбочка, царапины и потертости на которой чья-то рука аккуратно замазала йодом. Впрочем, в квартире было очень чисто: на полу ни пылинки, занавески хрустят от крахмала, а постельное белье, которое Тина вытащила из шкафа, было безукоризненно выглажено.

Поджидая, пока на газовой плите вскипит огромный, жутковатого вида эмалированный чайник, я пробормотала:

— Похоже, ты не всегда работала поломойкой.

— Правильно, — улыбнулась Тина. — Вообще говоря, я филолог, всю жизнь просидела в НИИ советской литературы, даже кандидатскую защитила, по Серафимовичу.

— Это кто такой?

— А, — отмахнулась Тина, — не забивай себе голову, писатель из соцреалистов, состряпал роман «Железный поток», сейчас про него все благополучно забыли.

— Как же ты оказалась на Курском вокзале?

Тина пожала плечами:

— Обычно.

— А все-таки?

— Когда грянула перестройка, — ответила хозяйка, — многие научно-исследовательские учреждения начали потихоньку умирать.

Да это и понятно. Служба в НИИ была синекурой, особенно в таких, которые не работали на военно-промышленный комплекс или народное хозяйство, а изучали театр, кино, литературу, поведение людей или животных. Сотрудники являлись на службу к десяти, а кое-кто и к одиннадцати, начинали пить чай, кофе, сплетничали... От них требовалось написать в год пару статей для публикации в узкоспециализированных журналах и отчитаться на Ученом совете об изученных книгах. Сами понимаете, такие условия никого не напрягали, и в отличие от учебных заведений тут не было никаких студентов, лекций и семинарских занятий. Раз в неделю сотрудникам полагался «библиотечный день», так что вместо двух выходных у них получалось три. Кстати, и зарплату по советским временам им платили вполне приличную: сто сорок, сто шестьдесят, сто восемьдесят рублей.

Естественно, попасть на такое сладкое местечко было трудно, но Тине повезло, ее пристроил в НИИ свекор, и долгие годы она провела в свое удовольствие, медленно поднимаясь по ступеням карьерной лестницы: лаборант, ассистент, младший научный сотрудник, старший...

Размеренное существование рухнуло в 1984-м. Сначала от инсульта скончался свекор, не успела на его могиле осесть земля, как заболел муж. Супруг сгорел буквально за пару дней от такой «простой» болезни, как грипп. Потом началось стремительное обнищание страны, головокружительный взлет цен, развал экономики, гражданская война... Кому, скажите, нужна в такой ситуации литература, да еще советская? НИИ стал тихо умирать, сначала сотрудников отправили в бессрочный отпуск, а потом и вовсе приказали двигать на биржу. Тина честно отстояла в очереди к наглой молодой девице, которая с кислым видом, словно выдавала деньги из своего личного кармана, оформила пособие и порекомендовала переучиться.

— Рабочих специальностей не хватает, — снисходительно вещала девчонка, — штукатуры, маляры, посудомойки всегда в дефиците.

Но Тине не хотелось бегать по стройке или работать сменами на хлебозаводе. Сначала она пристроилась в ближайшую школу. Директор принял ее с распростертыми объятиями, учителей русского языка и литературы не хватало. Целых два года Тина пыталась полюбить детей. Получалось плохо. Своих отпрысков ей господь не дал, а чужие раздражали до зубовного скрежета: наглые, крикливые, дурно воспитанные, постоянно жую-

щие жвачку. Да еще дети совершенно не хотели ничего
читать, с книгами великих писателей норовили познакомиться посредством брошюрки «Краткое изложение
ста произведений, включенных в учебную программу»
и сочинения писали просто ужасающие.

Тина не выдержала и ушла. Затем навалилась новая
беда: в груди обнаружилась маленькая, с горошину,
опухоль, районный терапевт отправил к онкологу, тот
мигом велел ложиться в больницу. Бедной Тине пришлось пройти все круги ада, уготованные таким больным: три операции, лучевая и химиотерапия, гормоны.
Дали инвалидность, пенсию в четыреста рублей и сказали:

— Вам нужны витамины, хорошее питание, отдых и
положительные эмоции.

Шатаясь от слабости, Тина принялась искать работу, но начальники, завидя ее хрупкую фигурку в парике, мигом заявляли:

— Простите, место занято.

Наше время жестоко. Больная женщина, справившая пятидесятилетие, никому не нужна. Потом подруга предложила ей поработать поломойкой у своей соседки, жены новорусского банкира. Тина недолго колебалась, прожить на четыреста рублей в наше время не
сумел бы и отшельник, питающийся сушеными кузнечиками.

Два года Тина бегала по бесконечной квартире, моя
полы, дра ванну с унитазами и подбирая вещи, которые повсюду расшвыривала тринадцатилетняя дочь хозяйки. Потом банкир то ли разорился, то ли притворился банкротом, но семья, спешно собравшись, умотала в Израиль. Тину, естественно, не взяли. Впрочем,
оставили ей и недавно приобретенную за бешеные деньги собачку Розу фон Лапидус Грей.

У Тины никогда не было животных, но, услышав,
как хозяйка, пакуя чемоданы, равнодушно обронила:
«Завтра отвезете Розу на улицу Юннатов, ее усыпят»,
пришла в ужас и попросила:

— Можно я заберу ее себе?

Хозяйка весьма холодно ответила:

— Берите, коли охота с ней возиться.

Глава 6

Вот так они стали жить вдвоем, впроголодь, не имея возможности купить ничего, кроме крупы, хлеба и кефира. Роза фон Лапидус Грей отощала и стала похожа на четвероногую мохнатую кильку, а Тина превратилась в тень. Радовало только одно: отчего-то перестали болеть послеоперационные швы, успокоился измученный лекарствами желудок, и онколог, к которому Тина явилась для профилактического осмотра, с удивлением заявил:

— Похоже, была ошибка. У вас нет рака.

— Может, я выздоровела? — робко поинтересовалась женщина.

— Такого не случается, — отрезал «добрый» доктор, — а вот ошибочки происходят. Живите и радуйтесь.

Другая женщина, услыхав подобное заявление, устроила бы дикий скандал. Как это ошибочка? А операции, искалечившие тело? А химия? А лучевая терапия? Но Тина просто ушла. Честно говоря, жить ей совершенно не хотелось. Во-первых, не для кого, во-вторых, незачем. Голодать больше не было сил, бороться за существование — тоже.

На последние гроши Тина приобрела в аптеке снотворное, потом помылась в ванной, высушила волосы феном, постелила новое белье на кровать, надела «парадную» сорочку, положила на стол записку «В моей смерти прошу никого не винить», рядом устроила деньги, собранные на похороны, позвонила одной из своих коллег, попросила: «Зина, приезжай завтра ко мне в гости, дверь будет открыта, звонок не работает», легла на диван, взяла стакан и наткнулась глазами на собачку.

Роза фон Лапидус Грей, очевидно, понимая, что хозяйка задумала недоброе, поставила маленькие лапки на софу и, отчаянно помахивая хвостом, изредка нервно поскуливала.

Тина отставила стакан. Бедное животное ни в чем не виновато, надо отдать его в добрые руки. Отчего-то ей подумалось, что хорошие люди роятся на вокзале. Держа под мышкой Розу, Тина приехала на Курский, и первый, кого она увидела, был мужик, вернее, обрубок, без нижней части тела, сидящий на деревянной подставке. Сама не понимая почему, Тина подошла к парню и спросила:

— Слушай, как же ты существуешь? Неужели никогда не хотел с собой покончить?

Парень поднял глаза и рассмеялся:

— Да ты чего, я семью кормлю, мать, отца и младшую сестру. Им без меня кранты придут. А потом, даже хорошо, что я в инвалида превратился.

— Почему? — совсем растерялась Тина. — Что такого замечательного в твоем положении?

— Все, что господь ни делает, все к лучшему, — философски изрек юноша. — Я до армии идиотом был, только по бабам носился, горело под хвостом, прямо пекло, ни до чего было. А теперь учиться поступил, на программиста. Я тут только днем побираюсь, вечером меня отец на занятия возит.

Тина смотрела на парня, чувствуя, как щеки охватывает огонь стыда. Очевидно, юноша что-то понял. Он улыбнулся и сказал:

— Не дрейфь, выход из безвыходного положения там же, где и вход, не падай духом.

Тина хотела было ответить: «Спасибо», но тут ее глаза наткнулись на объявление: «Требуется уборщица. Работа сутки через трое».

«Какая разница, где мыть полы, на вокзале или у хозяйки», — промелькнуло у нее в голове.

Стакан с растворенными снотворными таблетками она выбросила. Приехавшую назавтра подругу просто напоила чаем. Перед глазами стоял счастливый инвалид, получеловек, содержащий семью и желающий получить образование. Если уж он не пал духом, то ей вовсе стыдно нюниться.

Здесь же, на вокзале, Тина подобрала Альму. Голенастый щенок бегал по залу, изредка заглядывая в урны в поисках объедков. Дежурная по залу велела уборщице вывести животное на улицу. Тина послушно схватила веселую псинку за холку и отвела на ступеньки, ведущие к входу. Вечером, когда она шла домой, к ее ногам с радостным лаем кинулся изгнанный пес. Он явно выбрал Тину в хозяйки. Сидел все время и ждал у двери, потом довел до метро. Собираясь войти в подземку, Тина оглянулась. Собачка стояла, свесив голову набок. Боясь разрыдаться, уборщица уехала. Представьте теперь ее изумление, когда через два дня она нашла четвероногого на том же месте. Отчаянно скуля, двортерьер кинулся к Тине, а потом снова ждал ее у выхода. Ясное дело, она взяла щенка, назвала Альмой... Из крохотного умильного комочка выросла здоровенная лошадь — зверь неизвестной породы. Альма оказалась умной, интеллигентной, совершенно не шумной. Роза фон Лапидус Грей, не достающая ей даже до щиколотки, полностью держала подругу под каблуком. Она первая подходила к миске с едой, спала на диване и облаивала Альму, если та пыталась устроиться рядом.

Вот так они и жили втроем, Тина, Альма и Роза, пока женщина, решив подзаработать, не позвала к себе меня и Хуча.

Лежа ночью на непривычно узкой, бугристой софе, я не могла заснуть. Господь часто посылает нам испытания, и пройти их надо достойно. Тина не сломалась, не сложила лапки, победила тяжелую болезнь, спасла еще две живых души... Я тоже не имею никакого права падать духом. Остается только одно: самой найти убийцу, лишь в этом случае я смогу спокойно, не таясь, вернуться домой. Похоже, помощи ждать неоткуда.

Утром я едва сползла с неровного лежбища, спина просто раскалывалась от острой боли, противный остеохондроз, поразивший мой позвоночник после того, как я провела ночь не на ортопедическом матрасе, мигом поднял голову. Держась за поясницу, я добралась до кухни и обнаружила на столе записку:

«Ушла на работу, Хуча прогуляла вместе со своими, есть он отказался, чай, кофе и сахар в шкафу, бери, не стесняйся».

Я распахнула дверцы и обнаружила на полочке продукты, которые мы никогда не покупаем из-за их на редкость отвратительного качества: растворимую бурду, производимую в Питере, упаковку чая со слоном и турецкое печенье.

С тоской оглядев несъедобные продукты, я обозлилась на себя, насыпала в кружку ложку мелкого коричневого порошка и принялась ждать, пока засвистит чайник. Избаловалась ты, однако, Дашутка! Подавай тебе только натуральный «Лавацца Оро» и горячие круассаны на завтрак. Забыла, как радовалась в прежние времена, обнаружив в продуктовом заказе к празднику подобную баночку?!

Решив себя наказать, я выпила целых две чашки отвратительного пойла и сгрызла полпачки печенья, сделанного, очевидно, на цементном заводе.

У ножек стола лежал мрачный Хуч. Перед ним стояла полная миска овсянки, сваренной на воде, на скользкой горке лежал кусочек шкурки от «Докторской» колбаски.

Мне стало смешно, ей-богу, мы с Хучиком сладкая парочка. Мопс не выносит геркулес. Съесть эту страшно полезную кашу он может только в одном случае: если ее сварили на крепком мясном бульоне и перемешали с вкусной печенкой или говядиной. Шкурку от колбасы Хуч не воспринимает как лакомство, честно говоря, он ее до сих пор никогда не видел. Я обратила внимание, что ни Альма, ни Роза фон Лапидус Грей, уважая чужую собственность, не польстились на его наполненную миску, и довольно сурово сказала:

— Похоже, милый, тебе придется пересмотреть диету, не могу же я кормить вас, сэр, отборным мясом на глазах у двух интеллигентных собак, почитающих за радость получить на завтрак кашу с запахом колбасы?

Хуч вяло чихнул.

— Ничего, — успокоила я его, берясь за телефон, — тебе не вредно поголодать.

— Алло, — завопила Ирка, — слушаю!

— Как дела?

— Хорошо, — невпопад заявила домработница, — можете не привозить белье, хозяйка в Париж усвистела.

Я быстренько отсоединилась. Так, все ясно — в доме милиция, значит, до телефонной книжки мне не добраться. Впрочем, я бы на месте тех, кто занимается расследованием, конфисковала бы блокнот и начала прозванивать знакомых.

Ладно, не стану унывать, я хорошо помню, что Лешка Зырянов работает в Доме моделей у Олега Жердина. Мы с Алексеем вместе учились в институте, правда, он был на курс старше. Потом сталкивались на различных мероприятиях, когда пытались подработать переводами. Леша водил по Москве группы туристов, сидел в международном Шереметьево возле стоек, где работают пограничники, затем пристроился в издательство, получал разовые, нерегулярные заказы... На заре перестройки он попытался переводить импортные кинофильмы, потоком хлынувшие в Россию, но был быстро затоптан конкурентами. Одним словом, никаких успехов на службе он не достиг. Честно говоря, мне было его жаль. Лешка добрый парень, но немного лентяй, он из тех людей, которые всегда везде приходят на полчаса позже. В начале девяностых Зырянов года на два пропал из поля моего зрения, одно время я считала, что он, поддавшись моде, укатил на ПМЖ в Америку. Но затем Нюша Рукавишникова в день, когда наш бывший курс собирался на ежегодную традиционную встречу, явилась на сходку в сногсшибательном вечернем костюме и заорала:

— Глядите, какая шмотка!

— Где взяла? — налетели на нее наши девочки. — Небось целое состояние отдала!

— А вот и нет, — радостно пояснила Нюша, — Лешка Зырянов сшил, он теперь модельер и портной.

Все разинули рты. Информация оказалась правдивой, у Зырянова неожиданно обнаружился талант, из невостребованного, посредственного толмача он превратился в модного завсегдатая тусовок.

Потерзав телефон еще минут пять, я услышала слегка кокетливое:

— Аллоу.

— Можно Алексея Зырянова?

— Он занят.

— А когда освободится?

— Ах, — затараторила девица, — его сегодняшний день расписан по минутам: три примерки, два показа... Алексею Леонтьевичу даже кофе попить и то некогда. Если вы по поводу заказа, то в сентябре он клиентов больше не берет, ближайшее время, когда можете подойти, — октябрь.

Я повесила трубку. Так, значит, Лешка собирается весь день провести на работе, очень хорошо.

Едва переступив порог Дома моделей, вы попали в необыкновенное место, где тучами роятся люди, имеющие нетрадиционный взгляд на многие вещи. Начнем с того, что потолок тут был черным, стены белыми, а мебель красной. Подобное цветосочетание запросто может довести до нервного припадка любую впечатлительную личность, но особа, сидящая за столиком у входа, чувствовала себя вполне комфортно. Впрочем, она сама выглядела более чем оригинально.

Выкрашенные в розовый цвет не слишком густые волосы с правой стороны ниспадали на плечо, с левой они были неровно обрублены на уровне виска, а челка, прикрывавшая узенький лобик, походила на забор бедной крестьянки. Вы понимаете, что я имею в виду, небось не раз видели такие изгороди, в которых колья перемежаются с дырками.

Увидев меня, девушка встала. Я сглотнула слюну. Ростом администраторша оказалась, как Эйфелева башня, а объемом напоминала зубочистку. Тонкая-тонкая, без всяких неровностей и выпуклостей. Я со своим первым размером бюста смотрелась рядом с ней, как Памела Андерсон возле тинейджерки. Но окончательно доконал меня ее костюм, ярко-фиолетовый в зеленую клетку. Ей-богу, приди мне на минуту в голову дикая идея заказать в этом ателье обновку, я тут же бы убежала прочь, увидев эту «красоту» на служащей.

— Вы к нам? — защебетала зубочистка, кокетливо хлопая ресницами.

Очень хотелось ответить: «Нет, хочу купить два кило картошки».

На кретинские вопросы следует давать такие же ответы, но я удержалась.

— Да, где можно найти Зырянова?

— Алексей Леонтьевич в голубой травайне, — ответила девица.

Сначала я не поняла, что она имеет в виду, и чуть было не переспросила: «В каком трамвае?»

Но потом сообразила, о чем идет речь, и с огромным усилием подавила рвущийся наружу хохот. Существительное travail в переводе с французского — работа. Человек, плохо говорящий на языке трех мушкетеров, произнесет его как «травай». Следовательно, травайня — рабочая комната. Небось Лешка побывал в Париже, посетил местные точки, где шьют одежду на заказ, и увидел на дверях таблички.

— Алексей Леонтьевич дико занят, — верещала девчонка.

Но я, не слушая ее, уже шла по коридору, разглядывая двери, выкрашенные в разные цвета. Голубая оказалась последней.

Я поскреблась в створку.

— Чего надо? — весьма невежливо донеслось в ответ.

Я пролезла в кабинет.

— Добрый день.

— Сказал же, занят, — рявкнул стоящий к двери спиной Алексей.

— Ая-яй-яй, как грубо, а вдруг я пришла сделать очень выгодный заказ? Вдруг мне требуется сшить целый гардероб: платье, костюмы, пальто и прочее?

Зырянов обернулся и засмеялся:

— Ну, Дашутка, ты-то вряд ли захочешь носить мои модели. Что привело тебя в наши пенаты?

Я поискала глазами свободное кресло, но тщетно: все сиденья были заняты кусками материи, листами бумаги и бобинами с нитками. Лешка мигом сообразил, как поступить. Он сбросил на пол рулон ярко-голубого шелка и велел:

— Устраивайся как дома.

Внезапно мне стало грустно — когда я еще попаду домой.

— Ты слышал, что Стас Комолов погиб?

Алексей кивнул:

— Мне звонили из милиции, а потом приходил дурно одетый молодой человек и отнял кучу времени, задавая идиотские вопросы.

— Чего он от тебя хотел?

— Ну, с кем жил Стас, где работал...

— Ты так хорошо знал Комолова?

Зырянов хмыкнул, вытащил янтарный мундштук, изогнутый самым кретинским образом, выудил из кармана золотой портсигар, вставил тонкую сигаретку в мундштук и спохватился:

— Ты разрешишь?

— Кури на здоровье, если эта фраза не покажется тебе двусмысленной. Так откуда ты знаком со Стасом?

Алешка выпустил струю синеватого дыма и пожал плечами:

— Во-первых, его знали все, во-вторых, он шил тут костюмы, а в-третьих, Стас — это же jet-set. Кстати, хочешь кофе?

Я кивнула и стала слушать, как Лешка деловито отдает по телефону указания в отношении эспрессо.

Jet-set! Откройте и перелистайте любой яркий, глянцевый западный журнал, обязательно встретите там это словечко, термин, который изобрел в 70-е годы итальянский писатель Альберто Моравиа. Он назвал таким образом общество людей, жизнь которых состоит в поисках удовольствия. Найти в русском языке перевод этого слова довольно просто — это «тусовка», намного сложнее обнаружить само явление в нашей действительности. Я встречала в Париже этих людей, богачей, аристократов, плейбоев, авантюристов, охотниц за богатыми муженьками и жиголо. Круг их узок, туда не слишком охотно пускают посторонних. Лето эти люди проводят в Биаррице, осенью встречаются на скачках в Лондоне, весной уезжают в Марокко. Для того чтобы вести такой бездумный образ жизни, необходимо иметь хорошее состояние и соответствующий характер.

Для члена jet-set не составляет никакого труда, позавтракав в Париже, вечером оказаться в Лондонской опере, а ночью отправиться в Мадрид. Более того, если вы игнорируете светские развлечения и не появляетесь «на людях» как минимум пять дней в неделю, вас сочтут в тусовке персоной нон грата и перестанут приглашать на суаре и фуршеты. А для истинного тусовщика нет страшней наказания, чем обнаружить утром пустым поднос, на который кладут конверты с приглашениями.

Впрочем, для того чтобы быть своим в этом кругу, совсем не обязательно иметь в кармане «золотую» кредитку, достаточно появиться на вечеринке в качестве сопровождающего лица кавалера или дамы. Если понравитесь, члены тусовки начнут передавать вас по эстафете. Тут главное — не растеряться и постараться сбегать под венец. Естественно, через пару месяцев последует развод, но тусовка примет вас, и среди ее членов вы найдете второго супруга, третьего, четвертого.

В России долгое время не было по-настоящему богатых людей. Наши тусовщики кочевали с фуршета на фуршет, частенько имея в кармане аккуратно сложенный пакет, куда, оглядываясь по сторонам, сгребали с тарелок пирожки, бутерброды и фрукты. Согласитесь, это не настоящий jet-set, а пародия. Но потом положение изменилось. Сейчас я могу вам назвать с десяток москвичей, ведущих тусовочный образ жизни в европейском понимании этого слова.

— Что, он был так богат?

Любой другой на месте Алешки мигом бы задал вопрос: «А тебе какое дело? Зачем пришла?»

Но Зырянов слишком долго вертится в кругу светских лиц, поэтому самое приятное для него — это посплетничать о ближнем. Схватив крохотулечную чашечку кофе, модельер закатил накрашенные глазки:

— Богат? О, мой бог, он альфонс, жиголо. Хочешь расскажу, каким образом Стасик оказался на плаву? Впрочем, ты не торопишься?

— Абсолютно нет, но мне сказали на входе, будто у тебя несметное количество дел.

— Фигня, — отмахнулся Леша, — до семи я свободен, вечно Лола путает, вот завтра сумасшедший денек, прямо на части разорвут, а сегодня могу слегка расслабиться и получить удовольствие. Стасик — титан.

— В каком смысле?

— В прямом.

— Хочешь сказать, что он силен и благороден, как полубог?

Лешка тоненько захихикал:

— Вовсе нет, просто наш Стас ухитрился превратиться из шестерки в козырного туза. Ну, слушай.

Глава 7

Откуда Стас Комолов появился в Москве, не знал никто. Просто один раз на очередную премьеру, куда ломанулся весь бомонд[1], Анна Лапшина появилась в сопровождении безукоризненно одетого молодого человека. Народ, собравшийся в зале, глядел в основном не на сцену, а на парочку, устроившуюся в седьмом ряду партера, на самых лучших местах для тех, кто желает посмотреть балет. Анечка только-только отметила семидесятилетие, но после пяти или шести операций, проведенных лучшими косметологами Европы, дама выглядела максимум на пятьдесят. Злые языки поговаривали, что оборотистые доктора откачали у Лапшиной жир с задницы, а потом нарастили с его помощью бюст дамы. Кое-кто хихикал, видя, как Аня старательно сохраняет на лице серьезное выражение, потому что после всех подтяжек она не могла улыбаться. Некоторые дамы, злоязыкие, как все существа женского пола, ехидно замечали:

— Лапшина, конечно, косит под молоденькую, только, когда она садится, у нее приоткрывается рот.

Если услышавший это заявление человек был простоват, то обязательно следовал вопрос:

— Почему?

И тогда милейшие дамы охотно поясняли:

— Кожи на теле не хватает, все поотрезали и натянули.

Но сколько бы ни капал у сплетниц яд с языков, как бы ни кривились они при виде точеной фигурки Лапшиной, факт оставался фактом: она выглядела неприлично молодо. Еще она страшно злилась, когда кто-нибудь величал ее по отчеству, и, кокетливо протягивая незнакомцам тоненькую ручку с бледной кожей, чирикала:

— Рада видеть вас, меня зовут Анечка.

---

[1] Б о м о н д — высший свет; в наши дни слово приобрело слегка пренебрежительный оттенок.

Лапшина знала, что возраст дамы выдает в основном не лицо, а шея и руки. Поэтому без раздумий согласилась на процедуру сведения при помощи жидкого азота старческих пигментных пятен.

И еще, мужчины, которых Анечка укладывала в свою постель, были молоды, хороши собой и... бедны. Целый год Стас носил за Аней шаль, подавал ей пальто, открывал дверь автомобиля и танцевал на вечеринках. Но потом он, очевидно, надоел Лапшиной, и она передала мужика своей доброй знакомой Элен Войнович. Элен была любовницей Комолова чуть больше месяца, чем-то он не угодил Войнович, и в декабре Стас засветился в консерватории вместе с Ренатой Горской. С тех пор он то и дело маячил с разными дамами и стал достаточно обеспеченным человеком. Богатые, стареющие тетки делали ему подарки. Одна преподнесла машину, другая квартиру, третья — золотой «Роллекс».

— Он что, не работал? — прервала я Лешку.

Зырянов хитро прищурился:

— А то ты не знаешь!

— Откуда бы?

— Ой, Дашка, — погрозил мне пальцем Леша, — мне-то можешь не врать. Арина все рассказала.

— Кто?

— Да ладно передо мной Ваньку валять!

— Я никого не валяю, просто ничегошеньки не понимаю. Кто такая Арина?

— Сладкова, предпоследняя любовь Стаса, ой, целый роман.

— Почему предпоследняя? — удивилась я.

Лешка ухмыльнулся:

— Сколько мы лет знакомы?

— Лучше не считать, а то у меня испортится настроение!

— Ага, поэтому-то, Дашутка, не надо ничего из себя корчить! Уж мне-то известно, отчего Арина последние два месяца бесится!

— Отчего?

— От того, что Стасик от нее свильнул.

— Куда?

Секунду Зырянов вертел в руках мундштук, потом выпалил:

— К тебе.

— Ко мне! Ты с ума сошел!

— Вовсе нет, Арина мне все рассказала.

— А ты вывалил эту идиотскую версию милиции, ну, знаешь!

Плохо владея собой, я схватила длинную деревянную линейку и со всего размаха стукнула ею о журнальный столик. Раздался сухой треск, и у меня в руках остался неровный обломок.

— Эй, эй, — попятился вскочивший на ноги Зырянов, — ты того, поосторожней, ну сказал, и чего?

— А того, — заорала я, — что из-за твоей идиотской болтовни меня считают той женщиной, которая отравила Стаса из ревности! Ну, быстро выкладывай, что натрепал и отчего у тебя появилась сия кретинская мысль!

Алексей снова плюхнулся в кресло:

— Когда Арина принялась тут сопли развешивать, я сразу понял, что речь о тебе идет!

— Давай по порядку! Кто такая Арина?

— Сладкова.

— Фамилию я уже слышала. Чем занимается, где живет, давай-давай, выкладывай!

Зырянов забубнил:

— Арина манекенщица, из неудачливых, знаешь, про таких говорят, обе ноги левые. Пойдет по языку — споткнется, платье начнет снимать — и разорвет или каблук у эксклюзивной туфли сломает.

Поэтому карьера у Арины не задалась, ее попросту перестали приглашать на показы, да и кому нужна неуклюжая девица. Затем Арина стала любовницей Максима Реутова, стареющего плейбоя, вернее, плейдеда, позднее пару раз переходила из рук в руки. Особых денег у девицы не имелось, она жила за счет богатых любовников. Один из них и привел девчонку к Лешке Зырянову. Желая «пощипать» своего мужика, Сладкова не растерялась и заказала у Лешки целый гардероб. За время примерок они сдружились, и Арина стала прибегать к модельеру просто так, без всякого повода. Садилась в кабинете и, закинув одну на другую бесконечно длинные ноги, принималась жаловаться на жизнь. Больше всего неудачливой вешалке хотелось выйти замуж за богатого парня. Но судьба, издеваясь, проносила лакомые куски пирога мимо ее носа. Обеспеченные, реализованные, самодостаточные мужики были давно расхватаны другими, а те, что по недоразумению ходили в холостяках, с большим удовольствием проводили с Ариной время. Угощали шикарными ужинами в отличных ресторанах, покупали шубки и колечки, возили в роскошных машинах, но... Но когда им в голову взбредала идея обзавестись супругой, мигом женились не на Арине, а на ничем не привлекательных особах, серых мышках, которые и понятия не имели, какая в этом году обувь в моде и сколько шкурок несчастной норки идет на приличную шубку.

Когда Арину бросила «нефтяная скважина» Сулейманов, девушка только рассмеялась, затем от нее отделался «маргариновый король» Гриша Нефедов. Но и его женитьба на другой не слишком расстроила Арину. А вот когда от нее по очереди отказались телемагнат Базилевич и владелец сети закусочных Ларин, девушка насторожилась. Окончательно испугалась она, когда Никита Сотников, целый год буквально носивший девушку на руках и выполнявший любые ее прихоти, неожиданно прислал письмо. Аккуратно налакированными коготками Арина разорвала конверт, на колени выпали две бумажки. Одна, довольно большая, оказалась купчей на квартиру, вторая, маленькая, розовая, приглашением на свадьбу. Удивленная Арина развернула письмо, сопровождавшее купчую, и похолодела.

«Дорогая Риночка, — было там написано, — довольно долгое время нам с тобой было хорошо, но мама категорически настаивает на моей женитьбе. Приходится подчиниться. В качестве прощального подарка прими, пожалуйста, эту двухкомнатную квартиру. Я взял на себя смелость и обставил ее по своему вкусу, но, если мебелишка и занавески покажутся тебе пошлыми, обратись в салон «Абитаро», они мигом поменяют все по твоему вкусу. Надеюсь, мы останемся с тобой добрыми друзьями, поэтому посылаю приглашение на свою свадьбу».

Вне себя от гнева Арина разорвала письмо в клочки и вместе с бело-розовым прямоугольничком с изображением двух целующихся голубков отправила в мусорное ведро. Купчую, правда, она не тронула. Когда первая злоба прошла, девушка кинулась к телефону и призвала Никиту к ответу. Любовник сначала вяло сопротивлялся, пытаясь свалить все на маму, но Арина резко заявила:

— А то я тебя не знаю! Да хоть сто матушек станет талдычить о женитьбе, ты даже головы не повернешь! Как ты мог так меня обмануть, а? Что за невеста у тебя взялась? Где откопал ненаглядную? Она настолько красивее меня? И вообще, по-моему, твоей суженой считалась я!

— Дура, — неожиданно вскипел всегда корректный Никита, — идиотка! Ну ладно, сама напросилась. Честно говоря, я думал, что, получив квартиру и приглашение, ты воспользуешься моментом и станешь вести себя со мной как друг. Но если хочешь скандалить и выяснять отношения, пожалуйста, скажу правду. Человек моего возраста и положения обязан быть женат, я и так прохолостяковал до сорока лет, и пошли ненужные разговоры, ясно?

— Но я думала, — залепетала Арина, — я полагала...

— Что предложу тебе руку и сердце? — захохотал Никита. — Ей-богу, на самом деле ты еще дурее, чем кажешься! На таких, как ты, не женятся! Сама посуди, зачем мне супруга, которую половина знакомых отымела во все физиологические отверстия, а? Нет, моя милая, вторая половина Никиты Сотникова должна иметь безупречную репутацию, и потом, родятся дети, мне не надо, чтобы они получили со стороны матери набор генов проститутки.

Арина прорыдала два дня, потом съездила на новую квартиру, оглядела роскошно обставленные комнаты и утешилась.

Затем в ее жизни возник Стас. Вернее, они с Комоловым и раньше встречались на различных тусовках, но тут вдруг мужик неожиданно явился на день рождения Зырянова в одиночестве, а Арина тоже пришла без спутника, рассчитывая во время банкета найти замену Сотникову.

Произошло невероятное: Арина, которая, оглядывая мужчину, первым делом оценивала его кошелек, девушка, которая искренне считала, что лучшие цветы — это деньги, избалованная особа, превыше всего ценившая комфорт и благополучие, неожиданно влюбилась. С ее глаз словно слетела черная повязка. Арина, естественно, знала, что Комолов не миллионер. Вернее, кое-кому Стас мог показаться вполне обеспеченным: квартира, машина, дача, туго набитый кошелек... Кое-кто стал бы считать его даже богатым. Кое-кто, но не Арина, привыкшая к роскоши. Но вот удивительное дело, ей было все равно, сколько долларов лежит на счету у избранника. Впервые в жизни Арине расхотелось шляться по ресторанам и кататься ночью на машине. Она даже купила поваренную книгу и старательно приготовила суп.

Стас брезгливо выловил из гущи куски разваренной, слишком крупно порезанной луковицы и сказал:

— С чего тебе в голову взбрела идиотская идея кухарничать? Оставь процесс приготовления еды профессионалам.

Арина закусила пухленькую губку, но в глубине души решила больше не пить противозачаточные таблетки, ей захотелось простого семейного счастья, детей, тихих вечеров на кухне и спокойного супружеского секса. Даже стирка мужских рубашек не казалась ей теперь отвратительным занятием.

— Как она за ним бегала, — закатил глаза Лешка, — это было просто неприлично. Прикинь, носила с собой, как швейцар, маленькую щеточку для одежды. Стоило Стасу скинуть пальто, а девица тут как тут. Ах, ах, дорогой, дай пылинки стряхну. Ну и, думаешь, что получилось?

Я грустно улыбнулась. На мой взгляд, ничего хорошего. Мужики не слишком любят приводить путан, пусть даже и высококлассных, в свой дом в качестве жены, но еще больше представителям сильного пола не нравится, когда им вешаются на шею. Дама, таскающая в сумке одежную щетку и облизывающая языком любовника, не имеет никаких шансов на брак с ним. Хочешь заарканить мужика — дай ему понять, что он тебе абсолютно безразличен.

— Естественно, — хмыкнул Алешка, засовывая в мундштук новую сигарету, — он нашел себе другую.

Арина прибежала в Дом моделей и залилась слезами у Зырянова в кабинете. Модельер как мог постарался утешить девушку. Через неделю Сладкова вновь появилась на пороге с радостной улыбкой. Новая обоже Стаса оказалась страшно ревнивой особой, и Комолов вернулся к манекенщице. Зырянов помолчал и добавил:

— Стасик играл с ней, как кошка с мышкой. То бросит, то вернется. Арина извелась и даже подурнела. Честно говоря, я был на ее стороне. В конце концов, так себя не ведут, уходя — уходи. И потом, ну зачем Стасу нужна Рина? Он жиголо, жил лишь за счет богатеньких баб, а у этой дурочки в кармане пусто. На мой взгляд, непорядочное поведение.

Я ухмыльнулась. Ну уж, о такой мелочи, как порядочность, никто из альфонсов, как правило, не задумывается.

— И долго они так «любили» друг друга?

Зырянов махнул рукой:

— Целый год. Аришка столько сил прикладывала, чтобы дорогой и единственный был рядом... Но неделю тому назад у нее кончился завод, и будильник любви остановился.

Лешка вытащил из футлярчика замшевую тряпочку, старательно отполировал мундштук и продолжил:

— Она мне все рассказала. Оказывается, Стасик связался с очень богатой теткой, не из наших. Дама крайне редко посещает всяческие мероприятия, живет в загородном доме вместе с взрослыми детьми, мужа не имеет. Всеми делами в ее семье заправляет сын, который категорически запрещает матери вновь выходить замуж, оно и понятно, кому охота дробить семейный капитал. У тетки бездна домашних животных и куча свободного времени. Она влюбилась в Комолова, словно кошка, и ревнует его по каждому поводу. Примерно раз в неделю дамочка устраивает любовнику дикий скандал с битьем посуды, и Стас убегает к Арине. Но уже через два дня Комолов возвращается, и так все время. Понимаешь, каково приходилось девушке?

— А как зовут эту тетку?

Зырянов поднял правую бровь:

— Да ладно прикидываться. Я сразу понял, о ком идет речь. Загородный дом, дети, куча животных, не ходит на тусовки... Знаешь, передо мной не надо ничего изображать! Между прочим, Арина рассказывала...

Он замолчал и принялся опять полировать безукоризненно блестевший мундштук.

— Что, — прошипела я, чувствуя, что сейчас начнется истерика, — что тебе еще наболтала Арина?

— Да в свой последний визит к ней Стас рассказал, что эта баба выстрелила в него из пистолета. У нее в гостиной выставка оружия, там сыночек коллекционирует стволы, они в доме повсюду, в витринах лежат, на стенах висят. У всех картины, а кое у кого, не станем называть имен, «браунинги», «смиты-и-вессоны», «параболлумы», «магнумы», «бульдоги»... Едва не прибила Комолова, пуля в сантиметре от его виска просвистела.

— У нас нет коллекции оружия, в нашем доме как раз картины...

— Не знаю, — пожал плечами Алешка, — я у тебя не был, мы вообще ведь последнее время редко встречались.

— Ну ты и дрянь! — заорала я, теряя всяческое самообладание. — Ничего не знаешь, а натрепал глупостей в милиции.

Зырянов поджал губы:

— Охота тебе все отрицать, бога ради, мне, честно говоря, без разницы, убила ты Комолова или нет, в нашем кругу не принято никого осуждать, все-таки мы люди высшего света, сливки общества, но имей в виду, правоохранительные органы грубы и неделикатны. Я бы на твоем месте уехал из Москвы. У тебя же вроде имеется французское гражданство?

— Я не собираюсь никуда бежать и тем самым давать повод думать о моей виновности, наоборот, прямо сейчас поеду на Петровку, пусть допросят эту Арину! В моем доме никогда не было коллекции пистолетов.

— Не делай этого, — покачал головой Алешка.

— Почему?

— Видишь ли, Стас назвал Рине имя ревнивой богачки..

— Совсем хорошо, — обрадовалась я.

— Нет, совсем плохо.

— Почему?

— Ее зовут Даша.

Я подскочила на стуле.

— А фамилия? Знаешь, скольких женщин в Москве зовут Дарьями?

— Она мне не сообщила, — пробормотал Зырянов, — имя вот знаю, а фамилию нет.

— Немедленно говори телефон и адрес Арины, — потребовала я.

Глава 8

Выскочив на улицу, я принялась шарить в сумочке в поисках ключей от машины, потом вспомнила, что передвигаюсь теперь на метро, и начала искать телефон.

Крохотный аппаратик, как всегда, завалился в самый дальний угол сумочки. Можно сколько угодно класть «Нокиа» наверх, он все равно окажется, когда нужен, в самом низу. Отчаявшись найти трубку, я забежала в ближайший супермаркет, вытряхнула содержимое сумочки на столик, установленный у входа, и обнаружила, что «Нокиа» исчез. Секунду я молча перебирала расческу, носовой платок, пудреницу, губную помаду, две конфетки, паспорт... И только потом до меня дошло. Мобильный лежит на дне урны, стоящей в зале ожидания Курского вокзала. Если кто им и будет в дальнейшем пользоваться, то не я, следует позвонить в Би-Лайн и блокировать номер.

Часы показывали половину второго. Большинство людей уже отработало полдня и сейчас собираются обедать, но Арина небось еще спит. Особы, ведущие светский образ жизни, раньше трех дня не вылезают из кровати, потом они принимают ванну, делают маникюр. Впрочем, не стоит осуждать подобный сорт женщин, ведь безукоризненная внешность — это их способ заработать деньги. Тело и лицо для них такие же инструменты, как для ударника барабан, а для пианиста рояль.

До метро нужно ехать пару остановок на автобусе, поэтому я остановила бомбиста на раздолбанных, дребезжащих всеми своими частями «Жигулях». Вместо ключа зажигания водитель использовал отвертку, тормозные колодки горе-автомобиля пищали, и в салоне немилосердно воняло бензином. Поэтому, когда мы наконец подъехали к красивой башне из светлого кирпича, меня мутило со страшной силой.

На звонок домофона никто не спешил, поэтому я подождала, пока из двери вышла дама в кожаной куртке, и прошла в подъезд. Вопреки ожиданиям внутри не оказалось лифтера, наверное, жильцы считали, что домофон убережет их от всех неприятностей.

Впрочем, тут царила чистота, слегка пахло хорошими духами и стояла парочка искусственных деревьев в темно-зеленых кадках, а в лифте висело чистое зеркало и не торчали черными обломками подожженные кнопки.

На лестничную клетку выходило три двери, выглядевшие на первый взгляд деревянными, но я знала, что они на самом деле стальные, причем отличного качества. Оксана недавно сделала ремонт и поставила себе подобную. Я подошла к той, которая была украшена цифрами сто девяносто один, и прикусила губу. Вверху, примерно на уровне моих глаз, красовалась белая полоска бумаги с круглыми синими печатями.

Постояв в задумчивости пару минут, я позвонила в сто девяностую квартиру. Мигом над головой вспыхнул свет, и с потолка прозвучал голос.

— Вам кого?

— Простите, я пришла к Арине, а на двери странная бумажка.

Загремел замок, высунулась дама лет шестидесяти в элегантной светло-бежевой блузке и темно-коричневых брюках. Одного взгляда ей хватило, чтобы определить, сколько стоит мой летний костюм и в каком бутике приобретены туфли и сумочка. Полностью удовлетворившись результатами осмотра, женщина осторожно поинтересовалась:

— А зачем вам Арина?

Я ослепительно улыбнулась в ответ:

— Будем знакомы, преподаватель французского языка Жюли Сезам. Арина подписала контракт и собирается на работу в Париж, вот и решила слегка подучить язык, мы договорились сегодня заниматься, я пришла, а девушки нет.

— Вы француженка? — недоверчиво переспросила дама.

— У меня мать русская, а отец парижанин.

Москвичи любят иностранцев, что, в общем, глупо. В странах Европы преступность ничуть не меньше, чем в России, а в Париже, как и в Москве, хватает наркоманов, готовых ради вожделенного укола или кокаиновой дорожки на все. Но отчего-то, поняв, что видят перед собой гражданина другой страны, вернее, жителя дальнего зарубежья, обитатели нашей столицы мигом отбрасывают всякую бдительность и начинают улыбаться. Причем украинцы, молдаване, грузины и азербайджанцы подобной реакции не вызывают.

— Ах, дорогая, будем знакомы, меня зовут Марианна Максимовна, — затарахтела дама, — так вы не в курсе?

— А что случилось?

— Входите, входите, милая, — засуетилась Марианна Максимовна.

Меня буквально втащили в просторный, обставленный белой кожаной мебелью холл. На диване сидела девочка лет девяти, которая мигом заныла:

— Ну, бабуся...

— Потом, Наточка.

— Ну помоги...

— У нас гости!

— Ну буся!

— Ната, — сердито ответила Марианна Максимовна, — вот придет мама, она и напишет. Я ведь не владею французским.

— Ага, — шмыгнула носом девочка, — мамуся только отругает, а-а-а...

Я выхватила из ее рук до боли знакомый учебник Може и спросила:

— В чем проблема?

— Вот, — всхлипнула девица и ткнула пальцем в упражнение.

Так, понятно, следовало написать вместо точек вспомогательные глаголы. Вообще-то их всего два, «avoir» и «être», то есть «иметь» и «быть», но люди, только начавшие изучение французского языка, частенько впадают в отчаяние, отказываясь понимать, в каких случаях употребляют «avoir», а в каких «être».

— Давай карандаш.

— Держите, — всхлипнула девочка.

Если у Марианны Максимовны имелись какие-то подозрения на мой счет, то они разом все отпали после того, как ее внучка, радостно выкрикивая: «Ну спасибо, вот суперски вышло!» — убежала в детскую.

— А что, если нам хлебнуть чайку? — засуетилась хозяйка. — Надо же, как вы мигом разобрались с грамматикой. Кстати, мы давно ищем для Наточки репетитора. Не хотите походить к нам?

Я улыбнулась:

— Спасибо за приглашение, но я не беру детей, с ними требуется специальная методика, со взрослыми проще. Кстати, занятия со мной дорогое удовольствие, думаю, Арина сама бы не смогла оплатить курс, ей кто-то помог.

— Ах, Арина, — закатила глаза Марианна Максимовна и потянулась к чайнику, — знаете, когда мы покупали эту квартиру, то четко заявили в риэлторской конторе: «Нам нужно элитное жилье, с нормальными соседями». Агент заверил, что нет никаких проблем, мы въехали и обнаружили: дверь в дверь с нами проживает проститутка!

— Арина — манекенщица, — подначила я пожилую даму, — вас, очевидно, ввел в заблуждение яркий макияж и супермодные одеяния девушки.

— Девушки, — фыркнула Марианна Максимовна, — умоляю вас! На этой особе пробы негде было поставить. Домой она являлась, как правило, в пять утра, частенько подшофе, нередко вместе с кавалерами или шумными компаниями. Весь дом спит, а на нашей лестничной клетке кавардак, шум и гам. Как-то раз я ей сделала замечание. Ничего особенного, крайне вежливо. Столкнулась с ней в лифте и попросила: «Уважаемая Арина, не могли бы вы не так буйствовать по ночам. У нас девочка постоянно просыпается».

Арина наморщила хорошенький носик и процедила:

— Квартира моя собственная, что хочу, то и делаю.

— Но лестница-то общая, — нашлась Марианна Максимовна.

— А ты на меня в КГБ пожалуйся, старая жаба, — с милой улыбкой на лице отозвалась Арина...

— Ужасно, — покачала головой пожилая дама. — С тех пор все ее, так сказать, кавалеры и гости стали мусорить под нашей дверью и лепить на нее жвачку. Отвратительно.

Естественно, Марианна Максимовна прекратила всякое общение с Ариной, даже не здоровалась, случайно столкнувшись с наглой девицей на лестничной площадке. Впрочем, и девушка проходила мимо дамы с презрительно поджатыми губами.

Представьте теперь изумление Марианны Максимовны, когда позавчера, где-то около девяти вечера, в ее квартире раздался звонок. Бдительно глянув на экран видеодомофона, дама увидела Арину. Поколебавшись пару секунд, она все же отворила дверь. Арина сделала шаг, вытянула вперед руки, потом пошатнулась, из ее груди вырвался страшный, клокочущий хрип.

— Что? — перепугалась до обморока Марианна Максимовна. — Господи, Арина!

Но противная соседка, не говоря ни слова, свалилась на пол. Голова с крашеными кудрями оказалась в прихожей у дамы, ноги в шикарных туфлях на элегантной шпильке — у лифта.

Что пережила Марианна Максимовна, не описать словами. Во-первых, боясь, что ребенок испугается, она с трудом запихнула Наточку в детскую, пообещав внучке, что, если та не выйдет, сводит девочку в «Макдоналдс» — отвратительную американскую харчевню с холестериновыми котлетами и пирожками, жаренными на машинном масле. Затем явилась «Скорая помощь», сотрудники которой, разведя руками, констатировали смерть и мигом вызвали милицию. Визит служащих МВД довел Марианну Максимовну до приступа холецистита. Грубые, неотесанные дядьки, которые даже не подумали снять грязные уличные ботинки, вели себя словно хозяева. Громко разговаривали, курили и без конца задавали идиотские вопросы типа:

— Зачем она к вам пришла?

— Ну не знаю, — чуть ли не плакала Марианна Максимовна, — мы практически не общались, в голову не идет, что Арине понадобилось!

Промучив даму несколько часов, милиция уехала, опечатав Аринину квартиру.

Я аккуратно подергала за ниточку пакетик «Липтон» и поинтересовалась.

— И что, она ничего не сказала, просто упала?

Марианна Максимовна тяжело вздохнула:

— Нет, абсолютно ничего.

Глава 9

Домой я ввалилась около восьми, обвешанная пакетами, словно новогодняя елка игрушками. Когда несколько лет повсюду ездишь на собственном автомобиле, приобретаешь привычку не думать о сумках, просто запихиваешь покупки в мешки и засовываешь в багажник. Но сегодня пришлось тащить тяжести в руках.

Альма и Роза фон Лапидус Грей выказали при моем появлении самую бурную радость, которая при виде куска отличной телятины переросла в настоящий экстаз. Хучик вертелся у ног хозяйки, слабо повизгивая, словно говоря: «Мне тут не слишком нравится, хочу домой, в Ложкино».

Я вымыла миски, положила в них парное мясо и угостила собак. Еда исчезла в два счета. Потом я запихнула в шкафчик банку кофе «Лаваццо Оро», жестяную упаковку «Липтон», крекеры, насыпала в вазочку конфеты и плюхнулась на софу.

Продавленные подушки моментально разъехались. Пришлось вставать и поправлять их. Кое-как устроившись, я решила поразмыслить над ситуацией, но ноги, отвыкшие от длительной ходьбы по городу, гудели, словно закипающий чайник, глаза начали закрываться, сон подкрадывался неслышным шагом.

Вдруг чье-то тельце шмякнулось мне на грудь, и в ту

же секунду по лицу пробежалась мягкая, влажная тряпочка. С трудом разомкнув веки, я увидела прямо перед своим носом улыбающуюся Розу фон Лапидус Грей.

— Дорогая, ты пахнешь псиной. Если желаешь спать со мной, следует помыться. Кстати, где Хучик? Хуч, иди сюда!

Из кухни донесся тихий воющий звук. Испугавшись, что с мопсом стряслась неприятность, я побежала ему на помощь, забыв надеть тапки.

Хуч сидел у мойки, склонив голову набок.

— Что случилось, милый?

Мопс повернул ко мне недоумевающую морду:

— Вау!

— Что тебя так испугало?

— Вау, вау!

— Но тут никого нет.

Вдруг Хучик вскочил и спрятался у меня между ног. Не понимая, что заставило мопса задрожать от страха, я нагнулась и увидела рыжего прусака, преспокойно шевелившего усами на полу перед мойкой.

— Дорогой, это таракан. Понимаю, ты до этого никогда их не видел, но не следует впадать в панику. Эти насекомые, безусловно, противны, но совершенно не опасны. Осы намного хуже.

Хучик, которого в конце августа ужалила в бок оса, коротко взвизгнул.

— Ладно тебе, — рассмеялась я.

И тут в кухню вошла Роза фон Лапидус Грей.

— Вау, — жалобно сообщил Хуч.

Роза глянула на гостя, потом на таракана, потом вновь на мопса, затем подняла маленькую лапу. Бац! Таракан свалился без движения. Роза торжествующе посмотрела на Хуча. Весь ее вид говорил: вот так нужно расправляться с рыжими наглецами.

Хуч разинул пасть. До этого ему никогда не приходило в голову охотиться на насекомых. Впрочем, в доме в Ложкино нет ни муравьев, ни тараканов. Правда, мухи летают, но после того, как мопса тяпнула оса, он до паники боится всего жужжащего.

Из-под мойки преспокойно вылез еще один таракан и нагло пополз в сторону холодильника. Я вздрогнула. Странное дело, отчего эти, в общем, совершенно безобидные создания вызывают у людей омерзение и страх. Если вдуматься, это просто нелогично. Прусаки не кусаются, не сжирают продукты до такой степени, как мыши, не могут причинить человеку вред, как крысы, они маленькие, беззащитные, совсем непохожие на саблезубых тигров или рогатых муфлонов. А вот поди же ты, подавляющая часть населения при виде крохотного усача издает вопль и хватается за газеты и тапки. Комара мы спокойно бьем ладонью, а до таракана не способны дотронуться рукой. Чем они нам не угодили? Может, своей живучестью? Наверное, люди просто завидуют, поэтому и пытаются извести всеми доступными способами, а бойкие таракашки живут назло нам. На мой взгляд, отличный пример для подражания. Может, заказать себе печатку с изображением тараканчика и девизом «Меня бьют, а я не плачу»?

Роза фон Лапидус Грей явно не разделяла человеческой боязни к насекомым. Вновь вверх взметнулась крохотная мохнатая лапка. Бац!

Хучик пришел в полный восторг, в такой интересной забаве ему еще ни разу не приходилось участвовать. Мопс очень игрив и дома, в Ложкино, без конца предлагает остальным членам стаи побегать по комнатам. Если Снап, Банди, Черри и Жюли отказываются принять участие в предлагаемых забавах, Хучик начинает приставать к кошкам, а когда те, шипя, взлетают на книжные полки, мопс принимается хватать домашних за тапки. Хуча переполняет энергия, несмотря на толстенькое, неповоротливое тельце, мопсы очень подвижны.

Но сегодняшний день у Хуча прошел плохо. С утра угостили несъедобной кашей, а потом вообще ушли, бросив одного в чужом доме. Нашим собакам незнакомо чувство одиночества. В Ложкино постоянно есть люди. Даже когда все члены семьи разъезжаются на работу или учебу, в доме остаются кухарка, домработница, садовник. Поэтому собаки не скучают. Очевидно, сегодня бедному Хучику было совсем плохо, но сейчас он оживился и принял боевую стойку.

Из щели между стеной и мойкой показался очередной таракан. Коротко взвизгнув, Хуч долбанул по нему лапой и не попал. Напуганное насекомое с бешеной скоростью кинулось назад, но тут в кухню влетела Альма, и от некстати решившего прогуляться прусака осталось мокрое место.

Альма глянула на мопса и коротко сообщила:

— Гав.

В переводе на человеческий язык это, очевидно, означало: «Вот так надо».

— Гав-гав-гав, — подхватила Роза фон Лапидус Грей, словно говоря: «Не расстраивайся, научишься».

И тут из-под плиты выкарабкался очередной усатый гость. Роза подняла было лапку, но Альма буркнула:

— Вау.

Маленькая собачка отступила и глянула на Хучика, весь ее вид говорил: «Давай!»

— Вау, — приободрила гостя Альма. — «Бей прицельно».

Мопс нахмурился. Бац! Поверженный таракан перевернулся на спину. Хучик осел на задние лапки и завизжал. Так кричит от восторга ребенок, обнаруживший рано утром около своей кроватки пакет с подарком, положенный туда просто так, без всякого повода.

Роза и Альма залаяли. Я пошла в свою спальню, оставив троицу охотиться на кухне. А еще некоторые люди сомневаются в разумности собак, считают их чем-то вроде оживших плюшевых игрушек. Да они умнее многих представителей человеческого рода. Только что на моих глазах Роза и Альма обучали Хуча замечательной игре и полностью преуспели. Из кухни периодически доносилось счастливое повизгивание мопса, мерные шлепки и короткий лай «педагогов».

В дверь позвонили около четырех утра. Я села на софе, спящая у меня на груди Роза фон Лапидус Грей свалилась на пол, но тут же вскочила и, оглушительно лая, бросилась в прихожую. Я, зевая, выползла в большую комнату. Тина подняла растрепанную голову:

— Звонили?

— Ага.

— Кто это?

— Понятия не имею.

— Может, соседям соль понадобилась?

— В четыре утра? — хмыкнула я.

— Не открывай, — испугалась Тина, — вдруг бандиты.

— У тебя дома спрятана парочка миллионов?

— Нет, — пробормотала Тина, — откуда им взяться, но все равно страшно, сейчас народ за копейку удавит.

Мы вышли в коридорчик, я глянула в «глазок», увидела две маленькие фигурки и крикнула:

— Вам кого?

— Открой, Валечка, — донесся снаружи женский голос, — это я, Галя.

— Какую-то Валю ищут.

— Меня по паспорту Валентиной зовут, — пояснила Тина, — ладно, давай откроем, все-таки там бабы, не мужики.

Я хотела было возразить, что женщины бывают иногда более опасны, чем лица противоположного пола, но ничего не сказала и открыла дверь.

На пороге стояли женщина и подросток.

— Валюша! — воскликнула баба и повисла у меня на шее. — Сколько лет, сколько зим, а ты не изменилась, все такая же.

Я попятилась в глубь квартиры, пытаясь оторвать от себя тетку, отвратительно воняющую потом и немытой головой. Но гостья цепко держала меня, и вырваться удалось только после того, как она наградила «Валечку» слюнявым поцелуем. Едва выпутавшись из ее липких объятий, я попала в другие. На этот раз мне на шею кинулась молоденькая девица, по виду чуть старше Машки.

— Тетя Валя, — взвизгнула она, — ну клево, наконец-то встретились!

Слава богу, от нее только одуряюще пахло жвачкой. Оттолкнув девчонку, я резко сказала:

— Ошибочка вышла. Ваша обожаемая тетя там.

На секунду девица оторопела, потом спросила:

— Да? А вы тогда кто?

Я хотела было ответить: «Жиличка», но выражение глаз Тины заставило меня сказать совсем иное:

— Ее сестра, Даша.

— Дашенька, — завопила старшая гостья и вновь повисла на моей шее, — прости, перепутали, да и немудрено, похожи-то как! Прямо одно лицо!

Я прикусила нижнюю губу, старательно сдерживая хохот. Тине, очевидно, тоже стало смешно, потому что она закашлялась. Женщины терпеливо ждали, пока хозяйка перестанет давиться. Наконец Тина справилась с приступом и пробормотала:

— Уж извините, не припомню вас никак, откуда мы знакомы?

— Тиночка, — взвизгнула старшая, — я — Галина Протопопова.

Судя по лицу моей хозяйки, эти имя и фамилия ей ни о чем не говорили.

— Аллочку узнаешь? — тарахтела Галя. — Впрочем, небось нет. Да и неудивительно. Когда в последний раз виделись, ей и годика не было, а теперь вон какая выросла, в институт поступает.

Тина помолчала и решительно ответила:

— Никак не вспомню.

Галя всплеснула руками:

— Господи, неужто я так изменилась? А Володя-то где? Или спит?

— Мой муж давно умер, — пояснила Тина.

На глазах у Гали появились слезы.

— Скажи пожалуйста! Такой молодой, вот горе, вот горе.

Не слишком чистой рукой она расстегнула допотопный ридикюль, вытащила оттуда мятый донельзя, устрашающе огромный клетчатый носовой платок и принялась причитать, старательно вытирая глаза:

— Ну несчастье, золотой человек был мой двоюродный брат. Как же так! Вот горе.

— Так ты дочь Елены? — догадалась наконец Тина.

— Да, — радостно взвизгнула Галя, — узнала? А то я уж взгрустнула, неужто так постарела, что и опознать нельзя?

— Мы же с тобой только на моей свадьбе и виделись, — протянула Тина, — сколько лет-то прошло, целая жизнь, где же узнать!

— А ты все такая же, — льстиво сообщила Галя, — и сестричка твоя не изменилась.

Тина хмыкнула:

— Чего по ночам в гости ходите?

— Так только с поезда.

— С какого?

— Ну, Валюша, — заголосила Галя, — или позабыла, мы же с Узловой, в Тульской области проживаем, не москвичи, вот, поезд прибыл в два, на такси разориться пришлось, метро уже не везло, целых сто рубликов отдала, не копеечку.

— Так вы в гости, что ли? — дошло наконец до Тины.

— Скажешь тоже, — фыркнула Галя, — зачем бы нам без дела по железной дороге кататься да деньги тратить!

— Может, у вас отпуск? — невпопад влезла я.

— Мы люди простые, — занудила Галя, — полуграмотные, отдыхать возможностей не имеем, чай, не москвичи. Коли выдается пустая минутка, на огород идем, сорняк полоть, а то он всю морковь со свеклой задушит.

— Так чего явились? — отбросив всякую вежливость, поинтересовалась Тина.

Галя принялась снимать разбитые, не слишком чистые туфли.

— Так Алка поступать в институт решила.

— В какой? — изумилась я. — Сентябрь на дворе, вступительные экзамены давным-давно закончились, учебный год начался.

— Это на дневном, — пояснила до сих пор молчавшая Алла, — а я на заочное хочу, в педагогический.

— А-а-а, — протянула Тина, — ясненько.

— Между прочим, — по-хамски заявила я, — на период вступительных экзаменов любой вуз предоставляет иногородним общежитие.

— Э, — отмахнулась Галя, — небось и было такое при советской власти, только теперь за все платить требуется. Месяц нам с Алкой в столице жить придется, и по пятьсот рубликов с носа отдать надо, вместе целая тыща выходит, это ж какие деньги. Вот, подумали...

Я перестала вслушиваться в ее торопливую речь. Все понятно. Сама очень часто оказывалась в Тининой ситуации. Кое-кто не желает тратиться на гостиницу и сваливается вам на голову. Правда, в Ложкино у нас двухэтажный дом, комнат в нем предостаточно, и незваные гости не слишком обременяют, но в крохотной хрущобе?!

— Вы очень рисковали, — заявила я, глядя в простовато-хитрое, крестьянское лицо Гали, — а если бы Тина переменила место жительства? Вдруг бы ее не оказалось по старому адресу!

— Так ведь вот она, — парировала Галя, — чего зря говорить. Ты нас где устроишь?

— Идите в комнату, — безнадежно ответила Тина, — сейчас подумаем, как быть.

Распространяя удушливый запах пота, Галя с Аллой вошли в «зал» и мигом заорали:

— Ой, мамочка!

— Это наши собаки, — быстро сказала я и с надеждой осведомилась: — Может, у вас аллергия на шерсть? Тогда никак нельзя тут оставаться.

— Мы здоровы, — отбила удар Галя, — как ломовые

лошади, просто испугались от неожиданности. У нас у самих собака была, Диком звали, во дворе бегала.

— Ее папка спьяну трактором задавил, — пояснила Алла.

Галя бросила на дочь быстрый взгляд.

— Так не нарочно же, Дик сам виноват, видел же, что хозяин не в себе, убежал бы подальше, а он под гусеницы полез. Ладно, дело давнее, а спать-то мы как будем?

Я наклонилась к Тине и шепнула:

— Может, их в маленькую комнату поселить, а мы с тобой тут перекантуемся?

— Еще чего, — прошипела Тина, — ты, между прочим, деньги за отдельную площадь заплатила. Койка в общем зале тридцать баксов стоит. Ничего, на полу полежат, родственнички фиговы.

Глава 10

Утро началось с бурного лая Хуча.

— Тише ты, — шипела Тина, — давай, гулять пошли.

Но мопс упорно гавкал, глядя на храпящих на полу Галю и Аллу.

— По-моему, они ему не слишком нравятся, — зевнула я, выходя в прихожую, — оставь, сейчас выйду с псами.

— Так я оделась уже, а ты голая, — улыбнулась Тина.

Я вошла в санузел, сшибла локтем рулон туалетной бумаги, стоящий на бачке, стукнулась другой рукой о ванну, уронила полотенце, потом опустила крышку и села на унитаз. И как поступить? В голове вертелась только одна версия: Стаса убила любовница, та самая ревнивая особа по имени Дарья, которая уже, по словам Зырянова, стреляла в Комолова из пистолета. И где прикажете ее искать?

В полной тоске я принялась вертеть в руках непонятную пластмассовую конструкцию с зеленой кнопкой, пальцы сами собой нажали на дно, послышалось шипение, резко запахло сладким — неизвестная вещица оказалась освежителем для туалета, стреляющим струей ароматизированного воздуха.

Я поставила дезодорант на бачок. Минуточку, Лешка уверял, что старший сын дамы коллекционирует оружие, якобы все стены в загородном доме увешаны пистолетами, ружьями и прочей стреляющей атрибутикой. А вот это уже ниточка, за которую можно потянуть. Я вскочила с унитаза и, забыв умыться, рванулась к телефону. Олег Назаров, вот кто мне сейчас нужен.

Году этак в 93-м Олег, тогда простой компьютерщик, додумался торговать такой несерьезной вещью, как галантерея. Нитки, иголки, тесьма, пряжа для вязания, пуговицы, кнопки... Начинал с крохотного лотка. Отработав день в своем НИИ, Олег ехал домой, прихватывал раскладной столик и устраивался в подземном переходе у метро. Иногда его прогоняла милиция, но чаще всего удавалось распродать товар. Потом он съездил в Германию и приволок оттуда несколько сумок фурнитуры, особенно хорошо пошли особые термостойкие картинки. Их не надо было пришивать, аппликацию требовалось просто прогладить горячим утюгом, и она «налипала» намертво на ткань. Копеечная детская футболочка, украшенная таким образом, смотрелась просто восхитительно, и товар разлетелся вмиг. Олег скумекал, что напал на золотую жилу, и велел своей жене Надьке собираться в путь. На этот раз, в четыре руки, они приволокли шесть под завязку набитых баулов, наклейки в них были не только детские. Олег прихватил рокерский «репертуар» и то, что пришлось по вкусу тинейджерам. Вот так завертелся бизнес.

Сейчас у Олега парочка больших магазинов и куча выносных ларьков, торгующих у метро. Но меня он интересует не как удачливый бизнесмен. Назаров обожает оружие, даже собрал небольшую коллекцию. Правда, его приводят в восторг только старинные образцы: всякие дуэльные пистолеты, мушкеты, винтовки с шомполом — в общем то, что давным-давно не используется по прямому назначению, а служит украшением музейных экспозиций.

— Двадцать девятая, слушаю, — прозвучало из трубки.

— Дайте телефон магазина «Мир ниток».

Послышался шорох, потом девушка спросила:

— Вам какой нужен, на Кутузовской или на Смоленской площади?

— Давайте оба, — велела я, от души надеясь, что Олег окажется в какой-нибудь из своих торговых точек.

Фортуна решила мне улыбнуться, через несколько секунд секретарь соединил меня с Назаровым.

— Слушаю! — рявкнул Олег.

— Привет, это Даша.

— Какая? — весьма невежливо отозвался Назаров.

— Васильева, твоя бывшая соседка по Медведково.

— О, — загрохотал Олег, — ну ничего себе! Как дела?

— Хорошо, — я решила не вдаваться в подробности, — лучше некуда, прямо восторг. Мне нужна твоя помощь!

— Только не говори, что хочешь одолжить денег.

— А что, не дашь?

— Тебе? Сколько угодно, — заржал Олег, — под залог той небольшой картинки, что висит у вас в гостиной.

Я тихо усмехнулась.

— А если я предложу иной холст? Из детской?

— Ты всерьез, что ли? — пришел в окончательное изумление Назаров. — В детской не слишком хорошая вещь, кажется, Вилов?

— Точно.

Когда близнецам исполнился год, Аркадий заказал модному художнику Вилову портрет детей. На мой взгляд, вещь вышла неудачная, чересчур помпезная. Младенцы одеты в парчовые костюмчики. Анька красуется в розовом, Ванька в голубом, на головах у них круглые беретки, украшенные перьями, на крохотных пальчиках тяжелые перстни. Мои внуки не носят драгоценностей, Вилов пририсовал их потом, для пущей красоты. Честно говоря, портрет не понравился никому, этакая жутковатая смесь из того, что делали Рембрандт, Гойя и наш Шилов. Однако Олег разбирается в живописи, если хочет в качестве залога пейзаж из гостиной. В этой комнате у нас висит Констебл, восхитительное полотно английского художника.

— Спасибо за готовность помочь, но деньги не нужны.

— Ну и хорошо, — заявил Олег, — в чем тогда вопрос?

— Видишь ли, я хочу продать пистолет.

— Какой?

— Коллекционный.

— Да ну? — оживился Назаров. — Ну-ка расскажи поскорей, что за штучка?

— Называется «питон».

— А-а-а, — Олег сразу потерял всякий интерес ко мне, — это из современных, мне такой и даром не нужен. И потом, с чего ты взяла, будто он коллекционный? Ступай на Лунинскую улицу, в магазин «Вильгельм Телль», там такого добра как грязи! За копейки!

— Из этого пистолета расстреляли Берию! — ляпнула я, сама не зная почему.

— Да ну?

— Точно.

— Этот факт меняет дело, — забубнил Олег, — только мне он все равно ни к чему. Знаешь что, позвони Модестову.

— Кому?

— Сан Санычу Модестову, не слыхала?

— Нет.

— Действительно, это я глупость спросил, ты же оружием не увлекаешься. Модестов крупный коллекционер, как раз занимается современным вооружением, но не простыми револьверами, а всякими прикольными или такими, у которых занимательная история. Пистолет, из которого шлепнули Берию, это прямо для него!

— Слышь, Олег, — прервала я его, — никто не говорил тебе о молодом человеке, который живет в загородном доме вместе с достаточно молодой матерью по имени Даша?

— Слышал.

— Дай его адрес и фамилию.

— Издеваешься, да? Это же твой Аркадий. Знаешь, у тебя стало странное чувство юмора. Хочешь, чтобы я назвал местоположение Ложкино?

— Другого такого не знаешь?

— Нет.

— Парень собирает пистолеты.

— Современные?

— Вроде да.

— Тогда позвони Модестову, скажи, что от меня, Сан Саныч определенно в курсе, пиши телефон.

Чувствуя, что из желудка к голове начинает подниматься холодная волна, я принялась ожесточенно тыкать пальцем в кнопки, затем услышала густое:

— Алло, Модестов слушает.

— Здравствуйте, мне ваш телефон дал Олег Назаров.

— Слушаю, голубушка.

— Имею пистолет на продажу.

Сан Саныч тихо засмеялся:

— Очень интересно. Какой?

— «Удав».

— Простите, я про такой никогда не слышал.

— Извините, «питон».

— А-а, это меня не интересует.

— Коллекционный, раритетный.

Сан Саныч снова засмеялся:

— И в чем уникальность ствола?

— Из него расстреляли Берию.

Модестов закашлялся:

— Деточка, простите, откуда у вас сия вещица?

Я замялась, потом ляпнула:

— Купила пару лет назад у полковника КГБ, исполнителя приговора, между прочим, отдала немаленькие денежки. Сейчас же мое материальное положение изменилось, вот и приходится расставаться с ценностью.

Модестов крякнул:

— Ладно, душенька, приезжайте. Пистолет «питон», выстрелом из которого был убит Берия... На это стоит взглянуть. Пишите адрес: четвертый Рощинский проезд, дом четыре. Вам надо будет обойти дом справа, увидите шесть штук черных ворот, мои вторые.

— Справа или слева?

Сан Саныч издал смешок:

— Лучше всего сказала диспетчер такси, когда я вызвал машину: «Да вы проще объясняйте, вторые от помойки». Ладно, скажем более мягко, рядом с мусорными баками.

Не чуя под собой ног от радости, я бросилась одеваться. Так и знала, что он клюнет. Нет, какая я все-таки молодец, и откуда только в моей голове всплыло это название — «питон»? Небось прочитала в каком-нибудь детективе.

Всю дорогу до Рощинского проезда я пребывала в эйфорическом состоянии. Настроение было прекрасным, чудесная погода совершенно не походила на осеннюю, теплое солнышко ярко светило с голубого неба. Такси я поймала сразу, машина оказалась совсем новыми «Жигулями», в салоне которых абсолютно не пахло бензином. Сан Саныч Модестов, наверное, любит поболтать и с удовольствием расскажет мне о своих коллегах-коллекционерах.

Когда автомобиль доехал до Серпуховского Вала, мне в голову вдруг пришло, что никакого пистолета у меня нет, а Модестов небось сначала захочет взглянуть на оружие.

На какую-то секунду я приуныла, но тут же сообразила, как поступить. Велев шоферу разворачиваться, я доехала до «Дома книги» на Даниловской улице, влетела в зал и схватила невероятно дорогую, каменно-тяжелую книжищу «Все пистолеты мира». Теперь я была полностью готова ко встрече с коллекционером.

Дом номер четыре выглядел более чем странно, это было не одно здание, а несколько построек типа коттеджей, старых, довольно обшарпанных, стоявших автономно друг от друга. Не успела я дойти до входа, как что-то загремело, открылась калитка, и послышался рокочущий бас:

— Входите, детка, что-то вы долго ехали.

— Простите, — затарахтела я, разглядывая хозяина, — пробки кругом.

Огромный, импозантно седой мужчина выглядел словно оживший персонаж картин Рубенса. Очевидно, в молодости он был большим любителем вкусной еды, качественной выпивки и красивых женщин. Лет ему на вид около семидесяти, но назвать стариком такую мужскую особь язык не поворачивался. Спина у него была абсолютно прямая, речь четкая, а взгляд, которым он меня окинул, без слов объяснил: Сан Саныч еще о-го-го какой ходок, женский пол ему небезразличен.

— Идите сюда, дорогуша, — пророкотал хозяин и ухватил меня совсем не старческой, крепкой рукой.

Мы быстро пересекли маленький квадратный двор, попали в узкий, длинный, темный коридор.

— Осторожно, не споткнитесь, — предостерег Модестов.

— Хорошо, — ответила я и пребольно ушиблась о какой-то ящик.

— Секундочку, сюда давайте, — велел Сан Саныч, толкнул дверь, и я ахнула.

Перед глазами простирался огромный зал, залитый ярким солнечным светом. Занавесок на окнах не было, а сами окна походили на громадные витрины, они простирались от пола до потолка, занимая две стены. Тут и там стояли фигуры, головы, лежали руки и ноги, сделанные то ли из гипса, то ли из глины.

— Вы скульптор? — воскликнула я.

— Сан Саныч Модестов к вашим услугам, — улыбнулся мужчина.

Он явно ждал восхищенного вскрика, и я, решив не разочаровывать дядьку, всплеснула руками:

— Боже, сам Модестов! Быть такого не может.

— Отчего же, душенька! Кстати, как вас величать?

Закончив процедуру знакомства, мы сели в углу за обеденный стол, и Сан Саныч сказал:

— Ну, показывайте.

Я вытащила из пакета книгу. Модестов страшно удивился:

— А где пистолет?

— Извините, побоялась везти с собой, покажу на картинке.

Скульптор закашлялся, достал из кармана белоснежный носовой платок и приложил к губам. На мизинце у него ярко сверкнул бриллиант, вделанный в золотой перстень.

— Ладно, давайте посмотрим иллюстрацию.

Я принялась перелистывать страницы, нещадно ругая себя за глупость. Нужно было в машине просмотреть энциклопедию и найти фото «питона». Модестов спокойно ждал. Я ткнула пальцем в один снимок:

— Вот.

— Но это же «вальтер», — сказал Сан Саныч.

— Извините, перепутала, похоже, вон тот.

— Нет, милая, перед вами «наган».

Вспотев от напряжения, я пробормотала:

— Я не слишком хорошо разбираюсь в пистолетах, они все на одно лицо.

— Вовсе нет, голубушка, — ласково приободрил меня скульптор, — револьверы как люди. Согласен, уйдя из рук оружейника, пистолеты одной марки походят на близнецов. Но как только из них сделаны первые выстрелы, все! Каждый обретает характер и соответствующий внешний вид. Есть благородные разбойники, хладнокровные убийцы и честные охранники. У «наганов» и «парабеллумов» судьбы как у людей, оружие интересно не тем, что это железка, из которой вылетает кусочек металла, способный лишить жизни дышащее существо. Нет, меня в первую очередь волнует, у кого в руках побывал «ТТ», что с ним связано. Ну-ка, дайте сюда книжицу.

Он быстро перелистал страницы и пальцем с безукоризненно наманикюренным ногтем ткнул в одну из фотографий:

— Вот «питон». У вас такой?

Я окинула взглядом ничем не примечательный револьверчик и быстро закивала:

— Да-да, совершенно верно, — потом, для пущей убедительности добавила: — Только со светлой ручкой.

Сан Саныч расхохотался:

— Ну, милая. И где вы его откопали, со светлой ручкой?

Я принялась самозабвенно врать. Жила в коммунальной квартире, соседом был страшно противный, занудный дядька, бывший полковник КГБ. Однажды, напившись, дедок разболтался, сообщил, что долгие годы служил палачом, тем самым человеком, который приводил в действие приговоры, короче говоря, расстреливал преступников.

— Я тот, кто отправил на небеса самого Берию, — расхвастался он.

Естественно, я ему не поверила. Тогда полковник сбегал в свою комнату, принес пистолет и торжественно заявил:

— Смотри, вот из этого «питона» я и хлопнул начальника. Цены данному оружию нет.

— Почему? — удивилась я.

— Так коллекционеры с руками оторвут.

Короче говоря, я уговорила его продать мне «питон» на черный день, мне показалось, что хорошо вкладываю свои деньги. К сожалению, тяжелые времена наступили намного раньше, чем я рассчитывала, вот теперь приходится расставаться с раритетом.

Помолчав немного, я добавила:

— Если сами не интересуетесь ничем подобным, может, подскажете кого из молодых, кто собирает коллекцию? Вот Олег Назаров обронил, что есть какой-то парень, живет в загородном доме вместе с матерью по имени Даша. Вроде он вообще все подряд скупает...

Модестов вытащил из кармана бархатный мешочек, выудил оттуда трубку, потянулся к железной яркокрасной банке и спросил:

— Если закурю, вам это не помешает?

— Бога ради, — ответила я и вытащила «Голуаз».

Брови Сан Саныча взметнулись вверх.

— Однако у вас не дамское курево.

— Как-то привыкла к этим сигаретам.

— Мои знакомые в основном балуются ментоловыми.

Я усмехнулась:

— Попробовала как-то, давным-давно, «Салем». Честно говоря, не пошло. Сложилось впечатление, что пытаюсь курить жвачку, все-таки табак должен быть похож на табак. Ну к чему ароматизировать его, допустим, запахом виски? По мне, так лучше выкурить хорошую сигарету и опрокинуть рюмочку.

Модестов улыбнулся:

— Вот тут я с вами совершенно согласен. А как относитесь к чаю со всяческими добавками? Знаете, лимонный, персиковый...

Я скорчилась:

— Отрава. Чай должен иметь, простите за тавтологию, чайный вкус. Даже самый отвратительный натуральный лист, тот, который растет у подножия куста, намного лучше элитного сорта «с запахом».

— А что? — удивился Модестов. — Те листочки, которые расположены у корней, плохие?

— Их никто не собирает, — пояснила я, — срывают только верхушки, максимум четыре листика, хотя на самом деле положено два.

— И сколько вам денег надо? — неожиданно спросил Модестов.

От неожиданности я сморозила глупость:

— Вообще-то десять тысяч долларов, но «питон» стоит дороже.

Сан Саныч захлопнул книжку:

— Дорогая моя, ваш револьвер стоит копейки.

— Вы с ума сошли, — подскочила я, изображая полное негодование, — из него убили Берию! Если сами не хотите купить, дайте мне координаты молодого человека с мамой Дашей. ·

Модестов преспокойно раскурил трубку:

— У вас никто не купит этот пистолет.

— Почему?

— Деточка, вы хорошо знаете историю?

— Ну, не слишком...

— Оно и видно. В каком году был расстрелян Берия? Помните? Хотя вас, скорей всего, еще не было на свете. Вы явно не знаете ничего, связанного с «отцом народов» — Сталиным.

Вот тут Сан Саныч не прав. Я просто отлично выгляжу.

Хорошо помню, как мы с бабушкой едем по эскалатору вверх, кажется, это выход со станции «Новокузнецкая». Мне лет пять, может, чуть меньше. Я стою, задрав голову, наблюдая, как быстро приближается потолок верхнего вестибюля. Наконец ноги сходят с чудо-лестницы на гранитный пол, а перед глазами предстает картина: на фоне ярко-красного знамени мужское лицо с усами.

— Кто это, бабушка? — спрашиваю я.

Фася, ничего не отвечая, вытаскивает меня на улицу и там, одергивая пальтишко, шепотом сообщает:

— Сталин, ирод проклятущий, столько народу погубил, чтоб ему на том свете гореть в аду. Везде портреты посшибали, а про этот забыли небось. Ты больше так не кричи, если где еще эту морду увидишь, лучше шепотком, тихонечко поинтересуйся.

— Почему? — удивилась я.

— На всякий случай, — отвечает Афанасия, — уж поверь мне, не стоит вопить...

— Так в каком году расстреляли Берию? — повторил Модестов.

— Кажется, в 64-м.

— Ну, милая, вы и хватили! В 1953-м.

— И что из этого? Какая разница.

— Ох, молодежь, — покачал головой Сан Саныч, — вам не понять, что испытали люди моего возраста, узнавшие о смерти Лаврентия Павловича. Была такая песенка: «Цветет в Тбилиси алыча не для Лаврентий Палыча, а для Климент Ефремыча и для Никит Сергеича...» Понимаете, о ком речь?

— В общем, да. Никита Сергеевич Хрущев и Климент Ефремович Ворошилов, только какое отношение они имеют к моему пистолету?

— Деточка, вас обманули. Берия расстрелян в 1953 году, а пистолет «питон» появился тоже в 1953-м. Понимаете, кисонька? Наши органы в то время использовали отечественные модели, уж точно не «питон». Сосед воспользовался вашей наивностью и продал втридорога самую обычную вещь.

Я удрученно молчала. Кажется, придумала не слишком хороший повод для встречи с коллекционером.

— Если, конечно, он был, — неожиданно добавил Сан Саныч. — Хотите кофе?

— Да, спасибо, только я не поняла, что вы имеете в виду?

— Кофе, такой напиток, который любят во многих странах, неужели никогда не слышали? — ехидно прищурился Сан Саныч.

— Я не об этом. Что значит «если он был»?

— А был ли мальчик, — протянул Модестов, включая кофеварку.

— Произведения Горького я читала, — обозлилась я, — хоть и не люблю буревестника революции, а фразу про мальчика помню. Перестаньте говорить загадками.

— Ангел мой, — спокойно сообщил Сан Саныч, —

уж извините, но у меня сложилось впечатление: пистолета у вас никакого нет, соседа тоже.

— Зачем тогда я сюда пришла? — попыталась я сопротивляться.

Скульптор поставил на стол чашки:

— А вот это, душенька, надеюсь, вы сейчас расскажите. Не томите старика, знаете, с возрастом я стал жутко любопытен. Ей-богу, не засну, пока не пойму, зачем вас Олег сюда прислал.

Я отхлебнула прекрасно сваренный кофе и неожиданно сказала:

— Очень нужен адрес этого парня из загородного дома.

— Ради такой ерунды придумали целую историю и потратили деньги на энциклопедию?

— Книгу я взяла из дома, — на всякий случай соврала я.

Модестов хмыкнул:

— Милая, сегодня не ваш день. Видите, вот тут, между первой и второй страницами, лежит чек. На нем четко пробито нынешнее число и время покупки.

Черт возьми, этому Модестову следует не скульптуры лепить, а в ФСБ работать.

— Ну так как, ангел мой?

Я набрала полную грудь воздуха:

— Понимаете, меня обвиняют в убийстве.

Глава 11

Модестов молчал, слушая меня, только изредка покачивал головой. Потом поинтересовался:

— А что он собирает?

Я пожала плечами:

— Все.

— Так не бывает.

— Ну не знаю тогда.

— Ладно, посидите спокойно.

Достав из ящика буфета пухлую растрепанную книжку, Сан Саныч схватился за телефон.

— Слышишь, Николай, кто у нас...

Переговоры затянулись. От тоски я принялась разглядывать скульптуры и пришла к выводу, что дамы моей субтильной конституции не по душе Модестову. Все его «венеры» и «нимфы» были полногруды, толстозады и стояли на крепких, поленообразных ногах. Примерно через час Сан Саныч удовлетворенно сказал:

— Ну что ж, кажется, нашел. Есть у нас один богатый молодой идиот, хватающий абсолютно все. На мой взгляд, у него не коллекция, а кошмар, но, в конце концов, каждый живет как хочет.

— Адрес! — закричала я. — Дайте скорей!

— Коттеджный поселок Беляево.

— Где же такой?

— Погодите, — отмахнулся Модестов, — сейчас все узнаем.

И он быстро набрал номер.

— Арсения можно? Добрый день, вас беспокоит...

Слушая неторопливую, подчеркнуто интеллигентную речь Сан Саныча, я тряслась от нетерпения. Наконец переговоры завершились.

— Значит, так, душенька. Арсений Петров проживает в поселке, расположенном на двадцатом километре Киевского шоссе. В отношении маменьки, сами понимаете, было бы неудобно спрашивать, но тут господь помог. Это она подошла к телефону. Сначала сказала, что сын на работе, и собралась отсоединиться, но, когда услышала мое имя, заинтересовалась. Знайте, в среде коллекционеров оружия фамилия Модестов на слуху. В общем, все устроилось наилучшим образом. У этого Арсения скоро день рождения, и мать не прочь купить для него игрушечку, вот и встретитесь завтра, в час дня, в кафе «Манеръ», оно находится...

— Знаю, в подземном комплексе «Охотный Ряд» на Манежной площади.

— Вот и чудненько. Теперь погодите.

Сан Саныч встал и вышел. Минут через пять он вернулся, держа в руках коробочку.

— Смотрите, что это?

— Авторучка, похоже, «Паркер».

— Нет, милая, это пистолет.

— Да ну? — удивилась я. — И как он работает?

— Нажимаете тут, а отсюда вылетает пулька.

— Наверное, крохотная...

— Вполне достаточно, чтобы отправить на тот свет неугодную личность. Самое интересное, что вы можете использовать сей сувенирчик и как обычный пишущий предмет, видите? А пули малокалиберные.

— Здорово.

— Понравилось?

— Да, прикольная вещичка.

— Вот и хорошо, думаю, даме, матери этого Арсения, она тоже придется по вкусу. Держите.

— Не понимаю, вы мне даете «ручку»? Зачем?

Модестов хмыкнул:

— Сказал, что придет моя племянница, у которой есть оригинальная штучка. Или вы собрались опять тащить с собой энциклопедию? Смело продавайте мадам эту игрушку, мне она не нужна, а у вас есть хороший повод, чтобы затеять разговор. Здесь пули. Одна беда, вещичка однозарядная, такие «сувенирчики» обычно используются для одного выстрела, рассчитанного на внезапность.

— А деньги? Сколько стоит такой прибамбас?

— Начинайте с двух тысяч и спускайтесь до одной. Главное, не волнуйтесь, насколько я понял, мадам разбирается в оружии так же, как и вы, не дрейфьте.

— И вы доверяете мне, совершенно незнакомой женщине, дорогую вещь? А вдруг я обману, присвою деньги и скроюсь?

Модестов прищурился:

— Дашенька, вы ведь были женой удачливого бизнесмена Макса Полянского?

Я безмерно удивилась:

— Да, только во времена нашего супружества он не торговал яйцами, а пытался писать стихи.

— Не помните нашу встречу?

— Мы виделись раньше?

Модестов развел руками:

— Примерно три месяца назад. Макс купил пистолет и попросил меня научить его, как им пользоваться. Мы съездили в тир, а потом он повел меня пообедать в клуб «Джамбо», и тут пришли вы, такая хорошенькая, веселая. Как сейчас помню, покупали в баре пирожные, увидели Макса и подсели к нам. А после вашего ухода Полянский и рассказал мне об этой удивительной истории с наследством. Знаете, он вами восхищается.

Еще бы, я спасла ему жизнь и репутацию[1].

— Что же вы молчали, когда я рассказывала про коммунальную квартиру, соседа и безденежье?

— Деточка, вы так вдохновенно врали, мне было просто интересно, чем закончится история, — спокойно ответил Сан Саныч.

Выйдя на улицу, я не стала ловить такси, а, пользуясь хорошей погодой, пошла спокойно по тихому Рощинскому проезду. Кажется, расследование закончено. Завтра возьму свою тезку за мягкое брюшко и вытрясу из нее всю правду.

Внезапно взвизгнули тормоза, и раздался голос:

— Дарья! Иди сюда!

Я резко повернулась и увидела в двух метрах от себя разбитые, ржавые «Жигули», за рулем которых сидел... Женька. Тот самый, коллега Дегтярева, Женя, которого я называла своим добрым приятелем, Евгений, считающий меня убийцей, заклятый друг, приславший в пиццерию ментов. От ужаса у меня сначала земля поплыла перед глазами, но ноги оказались умней головы. Пока мозг судорожно соображал, как поступить, нижние конечности уже вовсю работали.

— Эй, стой! — кричал Женька, двигаясь на машине. — Ну не идиотничай!

----

[1] См.: Донцова Дарья. Жена моего мужа. М.: Эксмо.

Потом он обогнал меня, затормозил, вышел и потрусил по тротуару мне навстречу. Ощущая себя загнанной мышью, я прижалась к забору, затем вдруг мигом перескочила через изгородь и понеслась вперед, не разбирая дороги, перепрыгивая через помойки, поломанные лавочки и детские песочницы. Поверьте, ни разу в своей жизни я не носилась с такой скоростью, даже когда мы в детстве с ребятами залезли в колхозный сад за яблоками и на нас, оглушительно лая, накинулась огромная косматая собачища с оскаленными клыками.

Остановилась я только у метро, не понимая, каким образом оказалась на шумной площади. По проспекту туда-сюда носились машины, но ярко-оранжевых «Жигулей» с черным крылом не было. Тяжело дыша, я спустилась по эскалатору и плюхнулась на скамейку, еле дыша. В правом боку кололо, воздуха не хватало, сердце с такой силой билось о ребра, что я прижала к груди левую руку. Только не хватало прямо тут завалиться в обморок. Вот ведь как бывает на свете, идешь себе преспокойно по улице и налетаешь на знакомого. Ну какой черт понес Женьку в Рощинский проезд, что он там делал? Боль в боку утихла, я задышала в полную силу, и сердце больше не пыталось выпрыгнуть из груди. Однако точно так же я могу налететь и на других знакомых, и не факт, что мне удастся от них столь удачно удрать. И как поступить?

Внезапно мне на глаза попалась смуглая брюнетка с ярко накрашенными губами. О, вот оно! Я вскочила в поезд, доехала до нужной станции и пошла по улицам, разглядывая дома. Все, что мне надо, — это парикмахерская. Наконец попалась вывеска «Салон Белла».

В просторном зале среди шести пустых кресел скучали мастерицы. От тоски они разгадывали кроссворд. Услыхав звон колокольчика, девушки подняли головы, окинули меня оценивающим взглядом и разом оживились.

— Вы что-то хотели, дама? — поинтересовалась рыженькая парикмахерша.

— Да, — бодро ответила я, — краску, химию, косметику, все по полной программе.

Истомившиеся от безделья девицы забегали, словно вспугнутые муравьи. Меня торжественно усадили в кресло.

— Значит, так. Сначала красим волосы в темно-каштановый цвет.

У меня перед носом оказалась «раскладушка» с хвостиками.

— Какой желаете?

Поколебавшись, я ткнула пальцем в прядку, похожую по цвету на благородный коньяк «Багратион». Если вы его никогда не пробовали, от души советую. Стоит дешевле «Хеннесси», а по вкусу превосходит последний. Нежный, мягкий напиток, и после того, как вы выпили рюмку, не остается дурного послевкусия.

— На мой взгляд, оттенок темноват для вас, — робко попыталась высказаться мастер.

— Нет, — ответила я.

— А после химзавивки ваши волосы приобретут не лучший вид. Давайте выполним щадящую химию, не завиток, а крупную волну.

На самом деле парикмахерша давала мне совершенно дельные советы. В иной ситуации мне бы и в голову не пришло сотворить со своей головой всю эту жуть, но сейчас я должна была стать неузнаваемой.

— Только химия, — отрезала я, — на мелкие палочки.

— Дама, — не вытерпела другая мастерица, чуть старше рыженькой, — так давно не носят! И потом, ваши волосы очень хорошо выглядят.

Еще бы, я стригусь у великолепного мастера.

— Может, чуть-чуть подправить челочку, и все? — с надеждой предложила рыженькая.

Я встала:

— Жаль, что вы не хотите обслужить меня, наверное, я не пришлась вам по вкусу.

— Садитесь, — со вздохом ответила парикмахерша, — желание клиента для нас закон.

Я провела в салоне почти четыре часа и, взглянув наконец в зеркало, чуть не шарахнулась в сторону. Обычно я вижу перед собой блондинку с хорошей стрижкой, такой, которая кажется чуть растрепанной. Сейчас же я увидела незнакомую мне женщину, имевшую всклокоченные волосы темно-каштанового цвета, стоявшие почти дыбом, издали сильно смахивающую на больную овцу или на нашу пуделиху Черри.

На моем бледном лице ярко выделялись выкрашенные в тот же тон брови и ресницы. Парадоксальным образом мое лицо стало шире, щеки словно надулись и приобрели нездорово-синюшный цвет. Вот уж не думала, что, слегка изменив прическу, можно добиться такого сногсшибательного эффекта.

— Оно ничего получилось, — дрогнувшим голосом сообщила мастерица, — вон какие глаза яркие стали.

Это она права! Надо купить контактные линзы, чтобы скрыть голубизну, и сменить макияж и одежду.

Следующие два часа я провела в торговом комплексе. Сначала обзавелась карими линзами, затем прикупила тональный крем цвета загара, зеленые тени и темно-вишневую помаду. Устав от беготни по магазинчикам, я дошла до кафе, залпом выпила бутылку минеральной воды, слопала отвратительный салат из крабовых палочек, потом пошла в туалет и накрасилась. В качестве завершающего штриха я купила темно-коричневую узкую юбку, едва прикрывающую колени, светло-бежевую шелковую блузку и туфли на толстом, но достаточно высоком каблуке. Шмотки были довольно хорошего качества, украшенные ярлычками «Сделано в Италии», они не выглядели безвкусно. Но ни при каких обстоятельствах я не надела бы их еще неделю назад. Вообще не люблю юбки, облачаюсь в них в крайне редких случаях, а уж шелковые блузки не носила с юности. Честно говоря, предпочитаю брюки, свитера и мокасины.

Для того чтобы бегать по парикмахерским и одежным лавкам, требуется лошадиное здоровье. Устав донельзя, я доплелась опять до кафе и попросила:

— Бутылочку «Аква минерале» без газа.

— Четырнадцать рублей, — равнодушно обронила продавщица.

Я открыла кошелек и растерянно пробормотала:

— У меня осталась одна десятка.

Тетка окинула меня безразличным взглядом:

— Возьмите стакан за семь рублей.

— Нет, спасибо, мне еще деньги на метро нужны.

Торговка неожиданно проявила человеколюбие:

— Хочешь дам пустой стаканчик? Напьешься в сортире бесплатно.

— Не надо, — бормотнула я и быстро ушла.

Вот как интересно: поняв, что у посетительницы кончился «золотой запас», буфетчица мигом стала фамильярной и отбросила церемонное «вы».

На заплетающихся ногах я вошла в квартиру, повесила сумку на крючок и хотела погладить Хуча. Мопс шарахнулся в сторону.

— Милый, да ты никак меня испугался?

Хучик сел и осторожно вильнул скрученным толстым хвостиком. Весь его вид говорил: «Нет, ты меня не обманешь, хоть говоришь и пахнешь, как моя хозяйка».

— Иди сюда!

Хуч тихонько зарычал. Из кухни высунулась Тина.

— Эй, вы как сюда попали, а?

— Это я.

— Кто?

— Неужели не узнала? Даша.

— Господи, — всплеснула руками Тина, — что ты с собой сделала!

— Плохо?

— Не то слово! Ужасно.

— Так отвратительно?

— Слов нет. Постой, постой, вроде же у тебе утром были голубые глаза.

Я вытащила линзы.

— Ну как?

— Прямо и не знаю, что сказать, — затрясла головой Тина, — ну зачем ты себя испоганила! Узнать нельзя, даже собака прибалдела.

У Хуча и впрямь был остолбенелый вид. Впрочем, Роза фон Лапидус Грей и Альма тоже не подбежали ко мне с радостным визгом.

Узнать нельзя? Да это же здорово.

— Понимаешь, — завела я, — познакомилась с мужиком, всем хорош, но... предпочитает брюнеток. Вот, подумала, что в таком виде я имею больше шансов.

— А-а-а, — протянула Тина, —ясненько. Кстати, ты только с первого взгляда жутковатое впечатление производишь, со второго уже вроде и ничего.

Галя и Алла тактично промолчали. Но по тому, какими взглядами обменялись гостьи, сразу стало понятно: мой новый имидж не произвел на них положительного впечатления. Мне же было плевать, что думают обо мне тетки, главное — основная цель достигнута, в таком виде даже родная мама прошла бы мимо меня, не повернув головы.

Я вползла в свою комнату, закрыла дверь и полезла в саквояж. Так, сколько же у меня осталось денег? В кошельке, как всегда, лежит кредитка, но пользоваться ею опасно, любой платеж очень легко проверяется, и милиция мигом выйдет на мой след.

Я достала кошелек и удивилась. Вот странно, как у всех людей, у меня есть определенные привычки, я люблю есть перед сном в кровати шоколадки, всегда сплю с открытым окном, практически не употребляю мясо, не ношу обувь на каблуках, иногда чрезмерно обливаюсь духами... и деньги в портмоне обычно раскладываю в строгом порядке. В одном отделении держу крупные купюры, в другом сотенные, а мелкие складываю в третье. Сейчас же все ассигнации лежали вперемешку. Посмотрев повнимательнее на саквояж, увидела, что пакет с документами оказался на самом верху, а я хорошо помню, что вчера вечером он лежал на дне сумки. Значит, в мое отсутствие Тина поинтересовалась вещами жилички.

Что ж, вполне понятное любопытство, только ничего интересного она не нашла. Французский паспорт я ношу с собой, а денег в саквояже совсем немного. И, честно говоря, больше всего меня волнует этот факт.

Посидев с полчаса, я взяла телефон, поплотнее затворила дверь и позвонила в Ложкино. Раздался звонкий голосок Мани:

— Алло!

Я зажала пальцами нос и прогундосила:

— Это Мария Константиновна?

— Да, — ответила не узнавшая меня дочь.

— Вы заказывали в салоне «Риволи» перламутровые запонки и зажим для галстука, просили сделать до двадцать девятого сентября.

Только бы Машка сообразила, в чем дело! На секунду повисла тишина, потом девочка тихо ответила:

— Да, совершенно верно. У моего брата день рождения, я хочу сделать ему подарок.

— Мы выполнили ваш заказ, можете забрать завтра, в любое время, после трех часов дня.

— Хорошо, приду в семнадцать ноль-ноль в «Риволи».

Я повесила трубку и перевела дух. Пару дней назад мы с Маней забрели в «Риволи» и увидели очень красивый набор, предназначенный для тех мужчин, которые не любят манжеты на пуговицах. А поскольку у Кеши двадцать девятого сентября день рождения, мы решили купить ему этот комплект. Но, увы, он был из золота, а сын терпеть не может ничего блестящего.

— Бывают такие перламутровые? — поинтересовалась Маня.

Продавщица помотала головой:

— Ни разу не видела.

Мы ушли из «Риволи» и долго вздыхали по поводу набора.

Я очень надеялась, что умненькая Манюня не заорет во все горло: «Мусик, чего ты прикидываешься?!» — а поймет, в чем дело.

Полная радужных планов, я шмыгнула под комковатое ватное одеяло и вытянулась на бугристой софе. Отлично, одна проблема решена. Маня имеет право снять деньги со своей кредитки, поедем в банк, и девочка получит для меня необходимую сумму.

Глава 12

Я всей душой люблю кафе «Манеръ», пожалуй, даже больше, чем «Макдоналдс». Тут играет приятная музыка, подают отличный кофе со взбитыми сливками, а официанты любезны и улыбаются не заученно, а вполне искренне. Им и впрямь приятно принести для вас пирожное.

Обычно я сажусь за угловой столик у окна, который обслуживает хорошенькая Алена, но сегодня забилась к стенке. Алена, радующаяся при моем появлении, сейчас вежливо поинтересовалась:

— Хотите пообедать или только сладкое?

Девушка не узнала постоянную клиентку, и я с удовольствием заказала:

— Мороженое «Тропический пляж».

Официантка кивнула и ушла. Минут десять я сидела, разглядывая столики, пока не убедилась, что ревнивой любовницы Стаса нет. У стен ворковали парочки, у входа устроилась большая семья, окруженная разновозрастными детьми, а сидящая в самом центре девушка лет двадцати никак не могла быть матерью взрослого сына.

Часы подобрались к половине второго, я уже подумала, что мадам расхотела покупать сыну подарок, но вдруг стеклянная дверь распахнулась, и в кафе вошла дама, довольно высокая блондинка, чуть полноватая, а может, просто крупная, одетая в серый брючный костюм.

Остановившись на пороге, она принялась озираться.

Я крикнула:

— Дарья!

Женщина поспешила к моему столику.

— Вы от Модестова?

— Да.

— Извините, опоздала. На шоссе повсюду пробки, если и дальше так пойдет, придется покупать вертолет.

Потом она улыбнулась и добавила:

— Очень милое местечко, никогда тут не бывала, что, и кофе хороший варят?

— Закажите «Латте», — посоветовала я, — правда, его подают с восхитительным по вкусу, но ужасно калорийным печеньем под названием «Смерть фигуре».

— Жизнь так коротка, — ответила собеседница, — не стоит портить ее диетами.

Какое-то время мы вели светскую беседу, обсуждая качество поданного кофе, потом Дарья спросила:

— Модестов говорил, у вас нечто необыкновенное?

Я вытащила «авторучку». Мадам пришла в полный восторг. Сначала она попробовала нарисовать на салфетке чертиков, потом воскликнула:

— А как проверить работу пистолета?

— Нажимаете сюда, и вылетает пулька.

— Хочу увидеть, как это происходит!

— Но в кафе нельзя стрелять!

— Значит, поедем в парк или лес. Не могу же я приобретать кота в мешке, небось дорого стоит!

— Две тысячи.

— Вот видите. Надо все посмотреть.

— Но Модестов гарантирует качество.

— Продаете-то вы, — резонно заметила Дарья, — впрочем, если не хотите никуда ехать, пожалуйста, только придется вам искать другого клиента, я куплю «ручку» только после испытания.

Я пожала плечами:

— Хорошо.

— Вот и отлично, — повеселела Дарья, — я знаю изумительное местечко недалеко от МКАД, часто хожу туда гулять, знаете, люблю одиночество. Вы на машине?

— Нет.

— Не волнуйтесь, даже если не куплю игрушечку, то непременно доставлю вас назад, в «Манеръ».

Однако она вполне милая, без всяких новорусских закидонов.

«Изумительное местечко» оказалось на Киевском шоссе, в пяти минутах езды от МКАД. Дарья запарковала машину на площадке и предложила:

— Давайте пройдем чуть вглубь.

Мы свернули влево, прошагали пару десятков метров по просеке, и я сказала:

— Очень уютная опушка.

Перед глазами простиралась не слишком большая полянка, вдали виднелась темно-красная стена из огнеупорных кирпичей, но она не портила вида. Высокие березы окружали лавочку и небольшой столик.

— Нравится? — спросила моя спутница.

Я кивнула.

— Очень, тут тихо.

— Вы курите?

— Да.

— Может, посидим минут пять с сигареткой?

Сами понимаете, что я мгновенно согласилась.

— Там, за забором, наш дом, — пояснила Дарья, — я часто прихожу сюда.

Я в душе удивилась. Имеет хороший загородный особняк, наверное, с ухоженным садом, а ходит гулять в лес.

Вдруг Дарья вздохнула:

— Знаете, мы разбогатели внезапно. Долгие годы жили, считая копейки, я преподаватель русского языка и литературы, оклад был мизерный. На руках двое детей при полном отсутствии мужа и алиментов. Приходилось носиться по частным урокам, сбивая каблуки. Работа репетитора ужасна, чаще всего попадались отвратительные дети и не менее мерзкие родители. Эх, да что там...

Она махнула рукой и затянулась.

— Очень хорошо вас понимаю, — сочувственно подхватила я, — мы с вами словно близнецы. Тоже поднимала двух детей без всякой помощи от лиц мужского пола и бегала по урокам, но в отличие от вас я преподавала французский.

Дарья улыбнулась:

— Ну не зря вы мне сразу понравились, родственные души видят друг друга издалека. Вы никуда не торопитесь? Простите, но вы не назвали своего имени.

— Даша.

— Надо же! Мы тезки. Давайте посидим тут чуть-чуть, извините, не могу позвать вас к себе.

— Конечно, понимаю, хотите сделать сыну сюрприз.

Носком элегантной темно-серой туфельки Дарья поковыряла мягкую землю.

— Нет, мне запрещено приводить гостей, мне вообще почти все запрещено, поэтому я и убегаю сюда. Если сказать честно, это единственное место на свете, где я чувствую себя комфортно. Дома я постоянно в напряжении.

— Но почему?

Женщина тяжело вздохнула:

— Даже поговорить не с кем, так хочется иногда просто поплакаться...

— Неужели нет подруг?

— С друзьями сложно.

— Почему?

— Мы стали обеспеченными людьми за три года, — спокойно начала Дарья, — мой сын Арсений занялся бизнесом, он по образованию архитектор, ну и решил от полного безденежья делать ремонты богатым людям. Сколотил бригаду из своих однокурсников и дал объявление в газету.

Сначала парню не везло. Но потом вдруг он получил выгодный заказ. Не слишком интеллигентный дядька, обладатель роскошного «мерса», золотой цепи на шее и парочки бриллиантовых перстней на пальцах, позвонил Арсению и поинтересовался:

— Ты, чисто конкретно, без закидонов? Можешь отделать фатеру, чтобы красиво было?

Арсений, отнюдь не глупый парень, мигом смекнул, с кем имеет дело, и ответил:

— Базара нет. Все обзавидуются.

Таким образом он и очутился в восьмикомнатных апартаментах. Хозяин выглядел экзотично. Полное тело обтягивал тренировочный костюм, на ногах красовались ботинки из кожи кенгуру, на шее, естественно, сверкала золотая голда толщиной в палец.

— Ты этот, как его, дизайнер? — поинтересовался дядька.

— Нет, — ответил Арсений.

— Слава богу, — оживился браток.

— Почему?

— Да я тут обратился в фирму, — ответил мужик, а помолчав немного, добавил: — Дизайнерскую. Явился такой ферт, весь из себя, из пидорасов, и завел: стены белые, мебель на гнутых ножках.

Браток попытался высказать свои требования:

— Хочу красоты.

— Вы ее получите, — сообщил дизайнер, — настоящую, интеллигентную, лаконичную простоту. Минимум мебели, все легкое, максимум свободного пространства.

Хозяин велел сделать проект. Через неделю, рассматривая яркие картинки, он недоуменно спросил:

— Это чего же выходит, в гостиной только диван и два кресла? Не понимаю, да все подумают, что у меня на мебель денег не хватило.

— Комнату делает объем, — загадочно ответил художник.

— А на стенах что за черные капли?

— Картины, абстракция, разнообразные фигуры.

— Мне ваще-то другие нравятся, — попробовал изложить свою концепцию уюта хозяин, — с собаками, еще с лошадьми...

— Фу, — наморщил нос дизайнер, — может, и торшер хотите? Такой в виде аквариума с пластмассовыми рыбками?

Хозяин насупился. Как раз вчера он видел такую вещь в магазине и пришел в полный восторг. Короче говоря, они расстались страшно недовольные друг другом.

Арсений не повторил ошибок своего коллеги. Через четыре месяца браток восхищенно цокал языком, а его молоденькая жена визжала от восторга.

Квартира выглядела замечательно. Повсюду позолота, бронза, хрусталь и цветное стекло. В ванной розовый кафель и «золотые краны», унитаз стоял на львиных лапах, а супружеская кровать, белая с голубым, пряталась под балдахином, шторы горели парчой, велюровые диваны и кресла были покрыты ковровыми накидками, в гостиной нежно журчал фонтанчик, в столовой стоял тот самый пресловутый торшер-аквариум, на стенах висели полотна с изображением кошечек, собачек и лошадей, а у самого входа, перед встроенным зеркальным шкафом, красовалась фигура милиционера из пластика с подносом для визиток в руках.

— Ну с ментом ты круто придумал, — ржал донельзя довольный заказчик, — да кореша обзавидуются и сами того же захотят!

Что правда, то правда. Заказы хлынули рекой. Арсений научился ловко управляться с идущим к нему специфическим контингентом.

— Эта краска не годится, — сообщал он, — очень дешевая, надо съездить в «Бауклотц», там есть похожая, но по триста долларов банка.

Через три года Арсений стал богатым человеком, имевшим свою контору и большое число сотрудников, деньги потекли к парню бурным потоком. Он выстроил собственный дом, женился и велел матери бросить работу.

— Хватит, — заявил сын, — набегалась по чужим

людям, сиди отдыхай. Родятся у нас с Наташкой дети, станешь их пестовать.

Дарья сначала с огромной радостью отказала всем ученикам и легла на диван. Жизнь казалась прекрасной.

В доме убирала домработница, готовила кухарка, можно было день-деньской читать любовные романы, до которых Дарья большая охотница. Целый год она провела в эйфории, потом заскучала, огляделась вокруг и поняла, что сидит в тюрьме, правда золотой, но легче от этого ей не стало.

Как-то быстро ее покинули подруги. Кое-кто, побывав в загородном доме Дарьи, быстро сообщал: «Сама ремонт собираюсь делать».

Другие молча оглядывали бесконечные комнаты и вздыхали, не в силах справиться с завистью. Вот и вышло: первым Дарья не хотела звонить, а вторые не звонили ей. В конце концов с ней осталась только Нина Константинова. Она стала приезжать в Беляево на субботу и воскресенье. Дарья была рада, хоть с кем-то можно поговорить. Арсений и Наташа целыми днями на работе. От тоски хоть волком вой. Но однажды разгорелся скандал. На правах старой подруги, почти родственницы, Нинуша сказала за завтраком:

— Что-то ты, Арсюша, потолстел, ешь много, наверное. Последи за весом, а то молодой да закабанелый.

Парень посерел и железным тоном отрезал:

— Уезжайте.

— Ты меня гонишь? — растерялась Нина.

— Именно, — отчеканил Арсений, — надоела! У нас семья, хочется в выходные без посторонних побыть.

Нина ушла, хлопнув дверью.

— Арсюша! — возмутилась мать. — Как ты можешь...

— Помолчи, мама, — обронил парень. — Мне тут приживалки не нужны. Имей в виду. Зарабатываю деньги и хочу жить спокойно. Запрещаю звать в гости дур.

Пришлось подчиниться и прервать все отношения со знакомыми. В дом теперь ходили лишь приятели Арсения и Наташи, но с ними Дарье было не о чем поговорить. От тоски она сблизилась с домработницей, приветливой, смешливой Катенькой. Днем, когда сын с невесткой горели на службе, Дарья и Катя пили кофе и смотрели очередной «мыльный» сериал. Но потом Наташа в неурочный час заявилась домой и увидела парочку. Вечером Катю уволили, а сноха налетела на свекровь:

— Что за дурь пришла тебе в голову? Слуги не ровня хозяевам.

Дарья проплакала всю ночь и решила выйти на работу, но Арсений сурово велел:

— Нет!

— Да, — попыталась сопротивляться мать.

— Тогда живи отдельно, — заявил любимый сын, — уезжай в свою квартиру.

После просторного дома в зеленом пригороде не очень хотелось вновь оказаться в блочной башне, стоящей на пыльном проспекте. К тому же безбедная жизнь совершенно разбаловала Дарью. Пришлось смириться. И это было основной ошибкой, потому что дальнейшее существование Дарьи превратилось в сплошное «нельзя». Нельзя курить в доме, включать в спальне музыку, смотреть вечером сериалы, есть геркулесовую кашу... Ее не подпускали к родившемуся внуку, Арсений хотел, чтобы о нем заботилась жена. Наташа, большая любительница животных, развела в доме шесть персов, и Дарья, страдавшая аллергией на шерсть, бесконечно глотала кларитин.

Единственно, в чем ее не ограничивали, это в деньгах. Частенько Арсений протягивал матери толстую пачку и предлагал:

— Съезди в город, прошвырнись по бутикам.

Первое время Дарья ловила невероятный кайф от ощущения того, что может приобрести все: шубу, дубленку, косметику... Но настал день, когда покупать стало незачем. Ну не нужно ей шестое по счету манто и сотая пара туфель. Из всех радостей жизни у нее осталась только одна: прогулки. Дарья набрела на полянку за забором, попросила поставить там скамейку, столик и частенько сидела в укромном месте допоздна, до тех пор, пока в сумочке не начинал трезвонить мобильный и не раздавался требовательный голос сына:

— Хватит прятаться, ну сколько можно по углам хорониться, делаем для тебя столько хорошего, денег даем без ограничений, а ты норовишь удрать на задворки.

Дарья отбросила окурок и замолчала. Я подождала пару секунд и спросила:

— И поэтому вы завели роман со Стасом Комоловым?

Женщина отпрянула в сторону:

— Откуда вы знаете? Мы никогда не ходили вместе на всякие мероприятия. Кто вам сказал?

— Сладкова.

— Кто?

— Арина.

— Ах эта... — Дарья осеклась, потом все же добавила: — Отвратительная особа. Представляете, она пыталась подмять под себя Стаса, без конца ныла: «Женись на мне». Полная дура. Если бы она только знала, как Стасик смеялся над ней, обзывал «липучка, рубль штучка» и «чудовищная красавица». Стас никогда не думал соединить с ней судьбу. Знаете, он предложил мне руку и сердце. Только...

— Только что?

— Арсений никогда бы не разрешил нам пожениться.

— Почему?

— Стас не богат, он не нуждается, но и только. Капиталом не обладает, работает в туристической фирме, одним словом, совсем не тот человек, который мог понравиться Арсению.

— Простите, где работает Стас? — удивилась я. — Я всегда считала его бездельником, живущим за счет богатых женщин.

— Неправда, — с жаром воскликнула Дарья, — глупые сплетни. Да, Стасу нравятся женщины старше его, но он рано остался без матери, рос сиротой, такое пристрастие понятно, ему не хватает материнской любви и ласки. Стасик очень нежный, ранимый, тонко чувствующий...

Она продолжала нахваливать мужика, я слушала дифирамбы вполуха. Дарья говорит о Комолове только в настоящем времени, значит, до нее не дошла весть о его смерти.

— Да, женщины делали Стасу подарки, — горячилась Дарья, — порой дорогие, но отчего не порадовать мужчину, с которым делишь постель? Я сама его баловала, пока...

— Пока что?

Женщина вытащила сигареты и только сейчас догадалась спросить:

— А вы дружите со Сладковой?

Я улыбнулась:

— Нет, конечно, у нас с ней большая возрастная разница. Арина собиралась поехать на работу в Париж и наняла меня в качестве репетитора, отсюда и знакомство. Пару раз я встречала у нее в квартире Стаса, такой красивый, холеный мужчина!

— Стасик очень следит за собой, — кивнула Дарья, — не то что некоторые, по неделе в одной рубашке ходят, и в ванную пинками загонять надо.

Конечно, для альфонса внешний вид первостатейное дело.

— Однажды, — продолжила я, — прихожу на урок, а Арина в слезах по комнате мечется. Естественно, занятие побоку, она стала жаловаться, будто Стас ей изменяет с некоей дамой старше себя, которая совершенно неуправляема. Поработила мужика, наступила ему каблуком на голову, а он и рад! Даже вроде стреляла в него из ревности, но промазала.

Дарья сухо рассмеялась:

— Ну уж я бы точно попала. Кстати, давайте «ручку».

Я протянула ей пистолет. Женщина прищурилась:

— Видишь вон тот красный лист?

Я кивнула. Раздался легкий щелчок, листик упал, пробитый пулькой.

— Здорово, — воскликнула я, переходя на «ты», — ты — Вильгельм Телль, да и только!

Дарья довольно улыбнулась:

— Знаешь, откуда у Арсения страсть к оружию?

— Нет, конечно.

— Я мастер спорта по стрельбе, в молодости очень этим увлекалась, ходила в секцию, даже выигрывала какие-то соревнования. Арсения иногда брала с собой, ему нравилось смотреть на оружие, и он тоже начал заниматься, правда, высот не достиг, но стрелять хорошо научился, ну а некоторое время назад, после того как купил дом, начал собирать коллекцию. Давай заряжу «игрушку».

Потом она отшвырнула окурок и резко закончила:

— Боже, чего только не придумают озлобленные бабы! Я стреляла в Стаса! Да убила бы его моментально, у меня рука не дрогнет!

— Кто же тогда в него целился? — я решила направить разговор в нужное русло. — Кому не угодил Комолов? На мой взгляд, он интеллигентный, мягкий...

Дарья пожала плечами:

— Это Сладкова все придумала, она меня ненавидит, вот и несет глупости, обычное дело. Придется сегодня позвонить Стасу и рассказать, какие дурацкие сплетни ходят. Честно говоря, мне подобные разговоры совсем не нравятся, еще до Арсения дойдут. Правда, мы со Стасом всегда соблюдали крайнюю осторожность, ходили в такие места, куда люди нашего круга не суются, вели себя как студенты. Представляешь, обедали в «Макдоналдсе» или ели пиццу в «Сбарро», я чувствовала себя просто восемнадцатилетней девушкой, которая прячется от сурового папы. — Она засмеялась: — Я прятала машину в нескольких километрах от дома. Тут есть гигантский хозяйственный магазин, около него не менее огромная парковка. Загоняла «Форд» и шла к шоссе, а там уже ждал Стас. Даже если бы сын с невесткой тоже решили прогуляться, что маловероятно, по этому комплексу и увидели машину, всегда можно отговориться, что ходила по подвальному помещению, там мобильный не берет. Но меня ни разу не хватились... — Она снова вытащила пачку «Парламента» и тихо добавила: — Мы с ним провели много счастливых минут. Мне никогда не было так хорошо, как в те дни...

— Почему было?

— Мы расстались.

— Давно?

— Второго мая, — грустно сказала Дарья, — так вышло.

Мне стало жаль слабохарактерную тетку, полностью задавленную наглыми родственниками.

— Забудь, Стас не жил подолгу с одной женщиной, он, как мотылек, перелетал с цветка на цветок. Ты молода, красива, еще найдешь свое счастье.

— Стас меня любит, — тихо ответила Дарья, — это я от него ушла.

— Почему? — удивилась я.

— А какой смысл в нашем романе? — грустно покачала головой собеседница. — Отношения были обречены с самого начала, у них нет будущего. Мы поговорили и решили, что лучше разбежаться.

Стас не скрывал своих намерений. Он сказал:

— Мне надо жениться, больше жить холостяком не могу. Охотней всего пошел бы по жизни рука об руку с тобой, но, как я понимаю, это невозможно?

Дарья кивнула.

— Тогда не обижайся, но я заведу роман с другой.

На этом они и расстались, решив сохранить хорошие отношения. Но бывших любовников редко связывает потом дружба. Последний раз Стас звонил Дарье в ее день рождения, первого июня, больше они не общались.

— И он нашел вам заместительницу?

— В августе я купила газету «Листок» и прочла там

объявление... «Вчера в гостинице «Палас» состоялась помолвка известного плейбоя Станислава Комолова с Анастасией Полищук, дочерью владельца компании «Сибалмазпром».

— А вы говорили, что Стас любит дам старше себя, — не утерпела я.

Дарья тяжело вздохнула:

— Стасик не скрывал от меня, что намерен жениться по расчету. Позвонил, поздравил с днем рождения и грустно так сказал: «Ну, не передумала? Не хочешь стать госпожой Комоловой? — А потом сообщил: — Значит, придется жениться на мешке с бриллиантами, после тебя не смогу никого полюбить, поэтому найду выгодную партию. Намечается тут одна особа, страшная, как смертный грех, и богатая, как Крез. Тебе не жаль меня?»

Расстроенная Дарья ответила:

— Сам понимаешь, что жаль, но альтернативы-то нет! Арсений никогда не разрешит нам пожениться.

Все, больше они не встречались.

Внезапно меня охватила злость. Да эта Дарья просто переваренная макаронина, никакой силы воли и решительности. Не зря она призналась, что обожает любовные романы!

— В конце концов, кто кому мать, а? Почему ты позволила Арсению так с собой обращаться? — налетела я на тетку.

— Он зарабатывает деньги...

— Подумаешь! Это еще не повод устанавливать дома крепостное право. Тебе же не нравится сидеть в благоустроенной тюрьме?

— Нет.

— Прояви решительность, возьми вещи и уйди.

— Куда?

— Есть же квартира.

— Да, в Кузьминках, маленькая «двушка», без ремонта и бытовой техники, да и мебель жутковатая.

— Наплюй на удобства, зато сама себе хозяйкой станешь!

— Но у меня нет денег!

— Неужели Арсений не даст?

— Если уйду, то ни копейки не предложит.

— А раньше, пока твой сынок не разбогател, кто вас кормил?

— Я.

— Где же деньги брала?

— Зарабатывала.

— Что сейчас тебе мешает? Кругом полно детей, желающих поступить в вуз, да ты через три месяца обрастешь учениками и заживешь спокойно. Пусть твой Арсений подавится своими доходами. Главное — проявить настойчивость, продемонстрировать характер, поверь, если решительно хлопнуть дверью, сын с невесткой начнут тебя уважать. Проявишь слабохарактерность, будут вытирать о тебя ноги, как о тряпку. Знаешь, я убежала от четырех мужей.

— Ну и что? — промямлила Дарья. — Что хорошего вышло?

— Зато живу как хочу, и никто не смеет мне указывать, чем когда и с кем заниматься.

— Нет, я так не могу... надо подумать... потом, работать тяжело...

Все понятно, она мямля, лентяйка и мазохистка.

— Да и после случая с Петечкой Арсений сам не свой, нет, не сейчас.

— Кто такой Петя и что с ним произошло?

Дарья порозовела, потом осторожно спросила:

— Насколько понимаю, мы больше не увидимся?

— Скорей всего, нет, мне хочется только продать «ручку».

— Вообще-то, они просили никому не рассказывать, но больше нет сил в себе все таить. Петечка — мой двухлетний внук. Совсем недавно его похитили.

— Как?! — пришла я в ужас. — Кто?

Дарья пожала плечами:

— Не знаем... Его Наташа оставила на пару секунд в детском кресле, в запертой машине. Отошла за сигаретами, вернулась — Петечки нет. Наверное, похитители специально ждали подходящего момента.

— Мальчика нашли?

— Ужасно, — всхлипнула Дарья, — нет. Сначала мы ждали звонка от похитителя.

И впрямь через день телефон ожил, и приятный, интеллигентный голос позвал Арсения. Трубку сняла Дарья, зная, каково сейчас приходится сыну, она ответила:

— Арсения Дмитриевича нет.

Мужчина мягко засмеялся:

— Он дома. Спросите у него, хочет ли получить назад Петю?

Дарья оторопела. Она думала, что киднепингом занимаются отвратительно грубые хамы, но с той стороны трубки был явно человек ее круга.

— Арсюша! — заорала мать.

Парень не спешил на зов. Измученный бессонной ночью и нервным хождением вокруг телефонного аппарата, Арсений выпил снотворное и сейчас спал.

— Вы можете позвонить позже? — пролепетала Дарья. — Или оставьте свой номер.

В трубке послышались звуки, похожие на хрюканье, и женщина поняла, что похититель борется со смехом.

— Значит, так, — наконец произнес он, — два миллиона долларов, и ребенок вернется домой.

— Но у нас нет таких денег! — в ужасе воскликнула Дарья.

— Хотите получить Петю целиком, а не по частям — ищите, — сообщил негодяй и отсоединился...

— И что?

— Потом позвонил еще раз, через неделю, к телефону подошла Наташа, сказала, что может найти миллион...

— Ну?

— Тот мужик ответил: «Хорошо, положите деньги в

чемоданчик и идите по Тверской от Манежной к Елисеевскому. Только выкуп должна нести мать, никакой милиции и посторонних мужчин, если замечу слежку, обмен не состоится».

Перепуганная Наташа выполнила указания, она умоляла Арсения остаться дома, но муж ответил:

— Нет, я буду медленно двигаться в машине вдоль тротуара.

Ровно в полдень Наташа пошла по указанному маршруту. Около книжного магазина «Москва» к ней подошла сгорбленная старушка и занудила:

— Деточка, подай бабушке на хлебушек.

Ничего необычного в этой ситуации не было. К сожалению, центр Москвы переполнен попрошайками. Наташа, поджидавшая мужчину, нервно ответила побирушке:

— Отвяжись!

В ту же секунду немощная старушонка выхватила у нее из рук кейс и влетела в магазин. Если вы когда-нибудь покупали в «Москве» книги, то знаете, что эта торговая точка хороша всем, кроме одного: залы, где выставлена литература, тут узкие, к стеллажам трудно подобраться, в проходах снуют покупатели. Секунду Наташа растерянно смотрела на пустые руки, потом кинулась следом за бойкой бабкой, вдогонку за женой понесся и Арсений, наблюдавший за сценой из окна автомобиля.

Расталкивая локтями ворчащих покупателей, супруги пронеслись по залам, но никаких старух не нашли. «Москва» имеет два выхода, оба расположены на шумной Тверской, по которой в любое время дня и ночи течет густая толпа. Рыдающая Наташа и бледный Арсений добежали до вторых дверей, выскочили на улицу, и тут несчастная мать увидела на тротуаре скомканную нежно-голубую курточку Петечки.

— В тот день, когда его похитили, — объясняла Дарья, — на мальчике была толстовочка на пуговках, цвета летнего неба, очень красивая и приметная, на

груди вышит заяц, карманчики украшены изображением морковок. А еще на него надели шапочку, тоже го-
лубенькую, наверху пришиты два ушка, а спереди она украшена вышивкой: на лесной опушке пляшут зайча-
та...

Наташа схватила курточку и нашла в одном из кар-
манов письмо, отпечатанное на лазерном принтере:
«Вы нарушили договор, пришли на встречу вдвоем,
поэтому получили только одежду. Ждите дальнейших
указаний. Не советуем больше хитрить». Наташа забилась в истерике, обвиняя Арсения.

— Я говорила, — захлебывалась она слезами, — я
просила тебя остаться дома. Если бы не ты, Петечка
сейчас был бы у нас.

Арсений как мог пытался успокоить жену, но та пошла вразнос и кинулась на мужа с кулаками.

— Знаю, — вопила она, — знаю, ты никогда не любил сына!

Целую неделю в особняке царил ад. Наташа заявила:
— Не могу быть дома.

Она уходила утром рано, возвращалась вечером.

Дарью посадили у телефона, и она не отходила от
трубки, но звонок раздался лишь в пять утра.

— Миллион долларов, — завел мужчина.

Наташа прервала его:
— Наличных денег нет, но есть фамильные драгоценности, антиквариат, бесценные вещи, подарки мужа.

— Кладешь все в пакет и едешь на Липецкую улицу,
выходишь возле дома десять и поднимаешься на чердак.

— Когда?

— Прямо сейчас, и смотри, без глупостей. Не дай
бог опять не одна придешь.

Наташа кинулась к сейфу и вытряхнула содержимое
всех коробочек в пакет. Проснувшийся Арсений потре-
бовал объяснений. Узнав, в чем дело, он потянулся к
одежде.

— Нет! — словно полоумная закричала жена.

Трясущимися руками она схватила ключи от машины и ринулась в гараж. Но Арсений привык всегда поступать так, как считает нужным, поэтому он мигом оделся и отправился на Липецкую улицу, решив подстраховать супругу.

Наташина машина стояла у нужного дома. Здание оказалось заброшенным, с выломанными рамами. Арсений спрятал свой автомобиль за углом. Сначала он ждал, потом спустя полчаса вылез и направился в подъезд. По разбитым ступенькам мужчина поднялся на чердак и нашел лежащую без сознания жену, около которой валялись темно-синие брючки Петечки.

Кое-как Арсений довез Наташу до дома. Было видно, что ее чем-то одурманили. Она не могла говорить и пришла в себя только к полудню. Увидев Арсения, Наташа тихо сказала:

— Ты виноват! Зачем поехал за мной?

— Но, — растерялся Арсений, — я боялся за тебя...

— Уйди, — велела жена, — уйди прочь!

Парень вышел. Дарья попыталась успокоить невестку:

— Арсюша тебя любит.

— Он сделал все, чтобы Петя не вернулся!

— Да зачем ты такое говоришь! — воскликнула свекровь.

— Знаешь, что произошло на чердаке? — зарыдала Наташа. — Вот слушай.

Когда она поднялась наверх, под крышей стояла тишина, потом в дальнем углу что-то зашуршало. Наташа подалась на звук. Вдруг две крепких руки схватили ее сзади за плечи, и ровный голос произнес.

— В кошки-мышки играть вздумала? Не хочешь мальчишку получить? Какого черта опять вдвоем явились!

Потом в лопатку ей впилась иголка, и все. Пакет с драгоценностями исчез.

— Если бы не Арсений, — сухо говорила Наташа, — я сейчас бы обнимала Петю.

Супруги поругались и разъехались по разным комнатам, слово «развод» витало в воздухе.

Прошла неделя, потом другая, похититель затаился. Наташа похудела, посинела и упорно старалась не бывать дома. С Арсением она не разговаривала, а вчера заявила Дарье:

— Все, больше не могу, похоже, Пети нет в живых. Если киднепер не объявится через неделю, уеду.

— Куда? — испугалась свекровь.

— А без разницы, — ответила невестка, — лишь бы не под одной крышей с ним! С твоим сыном!..

— Почему же вы не обратились в милицию? — удивилась я.

— Так похититель пообещал убить ребенка.

Я удрученно молчала. Насколько я знала, так всегда и поступают, старательно запугивая родителей, но только правоохранительные органы способны помочь в данной ситуации. Причем действовать следует крайне оперативно, любое промедление чревато тяжелыми последствиями.

— Вам немедленно следует бежать в милицию, попробуйте уговорить сына!

Дарья помотала головой:

— Нет, Наташа сказала, что моментально покончит с собой, если узнает об обращении к профессионалам. Она боится, что негодяй убьет Петю.

Я только вздохнула. Скорей всего, несчастный ребенок уже мертв. Похититель получил большую сумму денег и драгоценности, вероятно, он более не станет звонить.

Глава 13

В лесу, несмотря на теплую солнечную погоду, было сыро. Внезапно зазвонил мобильный. Дарья взяла трубку.

— Уже иду.

Потом она встала.

— Теперь понимаешь, какая обстановка у нас дома?

Наташа где-то пропадает, Арсений ходит темнее тучи, прислуга, хоть ей и сказали, что Петю отправили в санаторий, перешептывается и переглядывается... Вот, хотела чуть-чуть порадовать сына, купить ему «ручку», он при виде этой вещи должен хотя бы улыбнуться.

Я кивнула:

— Мне жаль тебя, но чем помочь, не знаю.

— Уже помогла, — сказала женщина, — спасибо, что выслушала. Мне очень тяжело, на сердце словно свинцовая плита лежит, а поделиться не с кем. Уж извини, задержала тебя.

Дарья взглянула на изящные часики.

— «Ручку» покупаю, она мне нравится. Можешь посидеть тут, на скамеечке, минут пятнадцать? Схожу домой за деньгами, не люблю носить с собой наличные, обычно пользуюсь карточкой!

— Хорошо.

Дарья кивнула и пошла по узенькой тропинке вдоль забора. Я осталась на скамеечке. Вот ведь какой поворот: устав таить в себе беды, Дарья выплеснула информацию на незнакомую женщину, раскрылась перед ней. Впрочем, многие из нас, оказавшись в купе скорого поезда, мигом выкладывают попутчикам о себе всю правду, вываливают такие факты, которые бы никогда не рассказали ни близким знакомым, ни родственникам. Парадоксальное на первый взгляд обстоятельство легко объяснимо. Зная, что больше никогда не встретятся с собеседником, люди делаются откровенными и даже беззащитными. Уж так устроен человек, ему трудно таить в себе все, информация ищет выход и падает на голову того, кто потом не сумеет ею воспользоваться.

Одно время, еще до замужества, я пристроилась на работу в фирму, и приходилось мотаться два раза в неделю на поезде в Питер. Платили хорошо, но я ушла, потому что было очень трудно не спать по ночам. Стоило сесть в купе на полку, как попутчики начинали исповедоваться и пить водку. Чего я только не наслушалась! В каких только преступлениях не признавались люди! Правда, утром они хватали сумки и, пряча глаза, убегали по перрону, боясь, что я увяжусь с ними до метро. Раскрывшись перед кем-либо, человек потом старается избавиться от свидетеля собственной слабости как можно быстрее.

Вот и Дарья разболтала семейную тайну. В конце концов, ведь именно для того, чтобы облегчить душу, люди во всем мире и ходят к психоаналитикам и психотерапевтам. Только в нашей стране у народа подобной привычки нет, поэтому и кидаемся на незнакомцев.

Минуты летели быстро. Четверть, полчаса, сорок пять минут... Когда большая стрелка, обежав круг, вновь замерла на цифре двенадцать, я встала и пошла по тропке вдоль кирпичного забора. Скорей всего, узенькая дорожка выведет к воротам, наверное, там имеется будка с охранником и телефон, попрошу, чтобы мне разрешили позвонить. Может, Дарья передумала или ей не хватает денег... Не сидеть же мне тут до ночи? Кстати, несмотря на теплую погоду, в лесу становится сыро и не слишком уютно. Все-таки наступила осень.

Разгребая ногами упавшие листья, я медленно брела вдоль казавшейся бесконечной ограды. Интересно, сколько у них соток? Похоже, целый гектар. Вот уж не думала, что фирма по ремонту квартир может принести такой доход!

В лесу было тихо-тихо, только изредка вскрикивала испуганная птица, остро пахло умирающей листвой, уходящим летом. Внезапно мне стало грустно, в Ложкино сейчас, наверное, Ирка накрывает в столовой чай. Банди и Снап, набегавшись по саду, дрыхнут у камина, Черри и Жюли зарылись в пледы на диванах. В нашем доме уютно, хорошо и комфортно. Боже, как здорово, что Аркашка и Зайка совершенно не похожи на этих Арсения с Наташей. Ведь, если разобраться, денег-то у меня нет, капитал принадлежит детям, но никто из них ни разу не дал мне почувствовать себя нахлебницей.

Ноги вынесли меня на небольшую опушку, и я встала как вкопанная. Чуть поодаль от тропинки, справа, виднелась длинная клумба, засаженная неизвестными мне серыми цветами. Впрочем, приглядевшись, я поняла, что один край цветника темно-бордовый. Непонятно, однако, откуда тут... В то же мгновение я зажала себе рот руками. Кричать нельзя, мигом прибегут охранники, и тогда беды не миновать.

Серо-бордовые цветы — это не длинная, странно вытянутая клумба, а тело Дарьи, лежащее на спине в пожухлых листьях. Еле-еле передвигая ноги, я дошла до женщины и сразу поняла — помочь ей уже нельзя.

Из сине-желтого лица ушла жизнь, если вы хоть раз видели покойника, то поймете, о чем я говорю. Большие глаза не мигая смотрели в осеннее небо, рот был чуть приоткрыт, щеки странно ввалились. В полном ступоре я сделала пару шагов вперед и поняла, что бордовые растения — это кровь, вытекшая из головы несчастной. Ее было много, густой, чуть подернувшейся пленкой. Значит, Дарью убили достаточно давно, может быть, сразу после того, как она пошла за деньгами. Приглядевшись повнимательней, я увидела, что мочки ушей несчастной разорваны, сережек нет, как, впрочем, часов, цепочки с кулоном и колец тоже. Значит, бедняжка, идя по лесу, наткнулась на бандита, который, недолго думая, решил поправить свое материальное положение. А вот и орудие убийства! Чуть в стороне валялась окровавленная коряга.

Увидав палку, я развернулась и бросилась к шоссе. Красивая иномарка Дарьи стояла на том же месте.

Я пошарила трясущейся рукой под задним бампером. Очень многие рассеянные автомобилисты прячут там запасную «открывашку». У самой на всякий случай, в этом месте висят на специальном крючочке ключики. Пальцы нащупали железку. Я открыла дверь, взяла с сиденья мобильный и набрала «02».

— Милиция, двенадцатая слушает.

— На Киевском шоссе, пятый километр от МКАД, с задней стороны коттеджного поселка Беляево, в лесу на тропинке, идущей вдоль красного кирпичного забора, лежит труп женщины, жительницы одного из домов Дарьи Петровой, на обочине припаркована ее машина.

— Ваши данные? — потребовала диспетчер.

Но я уже отсоединилась. Потом встала около машины и подняла руку. Тут же затормозил «Фольксваген», из него высунулся дядька лет сорока:

— Что стряслось?

Я глупо хихикнула:

— Идиотство, конечно! Отошла в лесок и посеяла ключи.

— Запасные под бампером не прячете?

— Увы, — развела я руками, — сделайте милость, подбросьте до ближайшего метро.

Мужчина окинул взглядом иномарку, потом меня и кивнул головой:

— Садитесь!

Я влезла внутрь салона, вытянула дрожащие ноги и тупо уставилась в окно. Хоть бы добрый самаритянин не начал приставать с разговорами. Но мужчина включил радио, и под бодрую музыку мы полетели по шоссе.

Перед тем как подойти к салону «Риволи», я забежала в туалет, глянула в зеркало и шарахнулась в сторону. Оттуда пялилась брюнетка со смуглой кожей и пурпурно-алыми губами. Посмотрев на незнакомку пару секунд, я оглянулась, наверное, сзади стоит какая-то женщина, но в помещении было пусто, только тихо жужжал вентилятор. Я еще раз посмотрела в зеркало. Минуточку, а где же мое изображение? И тут только до меня дошло: Дашутка, ты в гриме, существуешь в образе страстной брюнетки, не забывай об этом.

С глубоким вздохом я вытащила косметичку, подмалевала щеки и губы, потом вышла и села на скамеечку у «Риволи».

Мимо текла толпа, Машки не было. Часы показывали пять, но у входа в «Риволи» стояла лишь крепко сбитая, грудастая бабенка лет тридцати, одетая в темно-зеленый брючный костюм с золотыми пуговицами в виде огромных кораблей. У дамы было явно плохо со вкусом. Темно-рыжие волосы копной падали на плечи, лоб прикрывала длинная челка. Глаза, рот, брови, щеки — все было ярко раскрашено, а огромные очки, красовавшиеся на носу, совершенно не шли к щекастому круглому лицу. На мой взгляд, ей следовало купить иную оправу, тоненькую, почти незаметную.

Тетка сначала переминалась с ноги на ногу непосредственно у дверей, потом принялась нервно вышагивать туда-сюда по тротуару. При каждом движении ее бюст, размера эдак шестого, не меньше, угрожающе подпрыгивал и слегка съезжал в сторону, наверное, дама из кокетства купила лифчик слишком маленького размера, и теперь огромная грудь вываливалась из чашечек.

Через пятнадцать минут я встала, купила в киоске «Союзпечать» телефонную карточку, затем подошла к висящему у входа в «Риволи» таксофону и позвонила Машке на мобильный. Сначала я услышала гудки, потом сбоку послышалась знакомая мелодия. Грудастая тетка порылась в сумке и вытащила сотовый, в трубке раздался голос Маруськи:

— Да.

— Салон «Риволи» беспокоит. Вы обещали приехать за запонками. В чем дело? Мы ждем уже давно!

— Так я стою у входа, — сердито выкрикнула Маниным голосом размалеванная бабища, — уже почти полчаса прыгаю! Вы где, а?

— Тут, — еле сдерживая смех, ответила я, — за вашей спиной у таксофона!

Грудастая тетка сунула мобильник в отвратительную, потрескавшуюся лаковую сумищу и повернулась. Потом, потряхивая грудью, она приблизилась ко мне и свистящим шепотом спросила:

— Муся, это ты?

— Я, детка, впрочем, тебя тоже не узнать. Послушай, где ты взяла такой бюст?

Маруська хихикнула:

— На кухне. Это мешочки с гречкой. Помнишь, мы в колледже на Новый год ставили спектакль?

Я кивнула. Конечно, помню, «Госпожа Метелица». Машке досталась роль противной старухи-мачехи, и дочка расстроилась. Ей-то хотелось сыграть умную и трудолюбивую падчерицу, а пришлось изображать злобную бабку. Но не в Манюниных принципах долго унывать. Через час Машка, полная энтузиазма, принялась придумывать костюм, и вот тогда-то ей и пришла в голову идея сделать накладной бюст из пластиковых мешочков, набитых гречневой крупой.

— Лифчик взяла у Ирки, — пояснила Маня, — маловат чуть-чуть, пару шагов сделаешь, а «грудь» набок сваливается, приходится ее все время поправлять.

— Откуда у тебя такие толстые щеки?

— Подложила ватные тампоны, надела парик, очки, здорово вышло, да? А костюмчик одолжила у Ольги.

— У нее есть подобная вещь? — изумилась я. — Зеленая с жуткими золотыми пуговицами?

— Ага, неужели не помнишь? Ей его Кешка купил, а Зайка сказала, что никогда не будет его носить, они еще жутко поругались в тот день. Висел в шкафу два года, теперь пригодился. Что мы тут сидим? Пошли в кафе.

Мы оглянулись по сторонам и увидели на углу вывеску «Максима пицца».

— У тебя глаза карие, — сказал Маня, когда мы сели за столик, — круто!

— Зачем ты так загримировалась?

— А ты? — парировала Манюня, разглядывая меня.

— За мной охотятся. Небось вся милиция в ружье поднята.

— Так и за мной могли проследить! — довольно сообщила Маруська. — Я хитрая, словно братец Кролик. Из Ложкино уехала в нормальной одежде, на заправке, в туалете, переоделась. Прикинь, шофер чуть не умер, когда меня увидел.

— Какой шофер?

— Ну, мусик, — снисходительно улыбнулась дочь, — сама подумай, как из Ложкино выбраться? Такси заказала.

— Представляю, что теперь будет болтать водитель!

— Ну, — хмыкнула Маня, — обычное дело, я ему все объяснила.

Мне стало интересно.

— Что же ты сказала?

Манюня отхлебнула кофе и сморщилась:

— Ну, блевотина! Никогда не думала, что можно так изгадить эспрессо. Еще хорошо, чизкейк не заказала, небось он у них из картона! Шоферу я просто объяснила: «Еду к любовнику, боюсь, что на мужа наткнусь, вот и переоделась на заправке».

Я чуть не подавилась отвратительным пойлом.

— Ты? К любовнику?!!

— А что, — пожала плечами Маня, — никто же не знает, сколько мне лет? Выгляжу-то я старше!

Я посмотрела на ее ножку, одетую в красивую темно-коричневую туфельку сорокового размера, и внезапно с тоской поняла: мой теленочек вырос. Это лишь в моих глазах она маленькая, наивная, бесхитростная девочка, другие видят перед собой хорошенькую молоденькую блондинку. Ей-богу, трудно понять, сколько лет Машке, то ли пятнадцать, то ли двадцать...

Примерно полчаса Маня выливала на меня домашние новости. Зайке стало лучше, но она, естественно, в больнице, Кеша сидит около жены, забросив все дела. От Александра Михайловича ни слуху ни духу, и каждый день звонит злой Женька.

— Представляешь, — тарахтела Маня, ковыряя ложечкой кофейную жижу, — он прямо шипит в трубку: «Ну, где твоя мать?» А позавчера в одиннадцать вечера неожиданно приехал в Ложкино и пошел во все комнаты заглядывать, небось думал, что мы с Иркой врем и ты на самом деле дома.

Мои руки сжались в кулаки: «Ну, Женя, погоди, я никогда не прощаю предателей».

— Близнецы здоровы, собаки с кошками тоже, Ирка с Катериной целый день стонут: «Господи, что же это делается!» Еще они рыдают по Хучику. Все решили, что мопс потерялся, но я сразу поняла, что ты его с собой прихватила. А зачем я тебе понадобилась?

— Деньги кончились.

— Молодец, мусечка, — одобрила Маня, — лучше я со своей карточки сниму, поехали.

В банке Манюня решительным шагом подошла к служащей, взяла листок бумаги, ручку, написала пару цифр и сказала:

— Мне нужны эти суммы, срочно. Верхняя — в валюте, нижняя — в рублях.

Девушка в темно-синем костюме и белой блузке улыбнулась, взяла карточку, ввела код, потом неожиданно спросила:

— Ваше имя?

— Воронцова Мария Константиновна.

— Подождите минуту.

Мы спокойно сидели, наблюдая, как кассир идет куда-то в глубь служебных помещений, никого, кроме нас, в зале не было. Вдруг раздался негромкий короткий звонок. Охранник, стоявший возле дверей, мигом задвинул огромную щеколду и встал у выхода, расставив ноги. Кассиры как по команде подняли руки вверх, дернули какие-то веревки, и перед ними в мгновение ока упали решетки, только перед нами с Манюней оказалось свободное окошко. Я посмотрела на часы. Они решили закрываться? Однако странно, этот банк обычно прекращает работу в 21.00, а сейчас нет и семи.

Не успела я удивиться, как в зале показался управляющий Геннадий Филиппович. Я великолепно знаю парня. Как правило, приезжая за деньгами, поднимаюсь в его кабинет и жду заказанную сумму в комфортных условиях, испивая ароматную арабику. К слову сказать, кофе, который подают в банке, намного вкуснее того, каким балует своих посетителей кафе, где мы побывали полчаса назад. Увидав, что Геннадий, одетый, как всегда, в великолепный костюм и отглаженную сорочку, пересекает зал, я прикусила губу. Вовсе ни к чему, чтобы управляющий сейчас издал радостный вопль и закудахтал:

— Ах, ах, ах, Дарья Ивановна, отчего же вы тут сидите, почему не у меня в кабинете?

Потом я вспомнила, что превратилась в брюнетку, и слегка успокоилась. Надеюсь, Геннадий Филиппович скользнет по мне равнодушным взглядом, одарит дежурной улыбкой, предназначенной для клиентов, и исчезнет в служебных помещениях. Но вышло не так. Он быстрым шагом подошел к нам и резко, без всяких улыбок и приветствий спросил:

— Кто из вас Мария Константиновна Воронцова?

Я ликовала в душе. Здорово загримировались.

— В чем дело? — поинтересовалась Манюня.

Глава 14

— Вы Воронцова?

— Я, — ответила Машка, — а что произошло?

— Карточка чья?

— Моя.

— Не врите, — неожиданно заявил Геннадий Филиппович, — давайте решим дело миром, тихо и спокойно. Ни нам, ни вам шум не нужен, милицию вызывать не станем. Будем считать, что вам не повезло. Воронцова Мария Константиновна наша постоянная клиентка, естественно, я великолепно знаю ее и могу сказать, что вы похожи на Машу, как я на самаркандского верблюда. Ну-ка, говорите быстро, где взяли карточку, как узнали данные владелицы и код?

— Но... — завела Маруська.

Геннадий Филиппович поднял руку и упер в Машкину грудь золотой «Паркер».

— Лучше ничего не врите! Если сейчас расскажете правду — отпущу с миром, начнете лгать — вызову службу безопасности, и разберемся с вами сами, без милиции.

— Я Маша, — шепотом сказала девочка, — а это моя мама.

Очевидно, от злости на наглых воровок управляющий нажал на «Паркер», послышался шорох. На пол быстро-быстро побежал ручеек гречневой крупы.

— Это что? — оторопел Геннадий Филиппович.

— Гречка, — сказала я, — каша такая, неужели никогда не пробовали?

Банкир, не говоря ни слова, ткнул Машку в другую «грудь». Кучка серо-коричневых зернышек на безукоризненно вымытом полу стала больше.

— Ясненько, — голосом, не предвещающим ничего хорошего, протянул управляющий.

Кассиры прильнули к зарешеченным окошкам. Геннадий ухватил Маню за рукав.

— Геннадий Филиппович, — попыталась я исправить ситуацию, — успокойтесь и прикажите своим людям приниматься за работу. Это и впрямь Машка.

— Ой, — совершенно по-бабьи взвизгнул управляющий, — что это у вас с глазами? Только что карие были, а теперь один голубой!

Я растерянно поморгала, очевидно, выпала линза, такое случается.

Геннадий Филиппович вытащил из кармана маленькую черненькую коробочку с антенной. Понимая, что он сейчас вызовет охрану, я ухватила мужика за рукав:

— Не надо.

Но управляющий уже ткнул пальцем в кнопку. Словно джинны из бутылки, в зале материализовалась тройка крепко сбитых парней с мрачными лицами. Мы с Манюней переглянулись, в голову нам двоим, очевидно, одновременно пришла одна и та же мысль. Выход блокирован, но вход во внутренние, служебные помещения — нет. Если сейчас побежать не на улицу, а в длинный коридор, ведущий к кабинету Геннадия Филипповича, то можно оказаться в дамском туалете, в нем имеется окно, не зарешеченное. Этим санузлом пользуются только сотрудницы и, так сказать, почетные посетительницы. Для обычных клиентов предусмотрена другая «точка», вход в которую ведет непосредственно из зала.

— Рвем когти через коридор, — шепнула Манюня и, издав вопль команчей, понеслась в глубь банка.

Холодея от ужаса, я побежала за ней. Растерявшиеся на секунду охранники бросились следом. Но именно этих двух-трех мгновений, пока парни поджидали «преступниц» у перекрытого выхода, хватило нам с Манюней, чтобы оказаться в служебном помещении.

Дрожащими руками я задвинула щеколду на внутренней стороне двери, ведущей из зала в служебный коридор. Незамедлительно понесся стук и гневные крики:

— Немедленно откройте!

Мы порысили в туалет, выглянули в окно и отшатнулись. По тротуару нервно расхаживали двое охранников.

— Делать-то что? — испугалась я.

— Идти сдаваться.

— Куда?

— Давай умывайся, — велела дочь, стягивая парик.

Я принялась послушно удалять с лица грим. Спустя некоторое время раздалось оглушительное «бум», секьюрити таки удалось сокрушить дверь...

Спустя полчаса управляющий, опрокинувший в себя пару стопок коньяка, совершенно непрофессионально заметил:

— Ну вы даете! Чуть инфаркт не заработал! Кассирша прибежала перекошенная и вопит: «Ой, ой, там с карточкой Воронцовой другая явилась, код знает!» Естественно, я поднял охрану в ружье! Ну зачем же так!

— Извините, — проблеяла я, — не хотели доставить вам неприятности, объяснили же, за нами следят.

— Имейте в виду, — вмешалась в разговор Маруська, — недоразумение выяснится, естественно, мусечка никого не убивала. Но если вы сейчас после нашего ухода стукнете в милицию, мы закроем у вас счет!

— Машенька, — улыбнулся Геннадий Филиппович и ловко проглотил очередную порцию коньяка, — ну как вам могла прийти в голову подобная мысль? Мы вообще стараемся не иметь дел с правоохранительными органами. Следовало просто позвонить мне и, вкратце объяснив обстоятельства, попросить привезти требуемую сумму в любое место.

— Нам это не пришло в голову, — пробормотала я, — и потом, почти все приятели мигом поверили в мою виновность...

Геннадий Филиппович лучезарно улыбнулся:

— Друзья могут предать, но я никогда не брошу такого клиента, как вы. Деньги — это святое. Сколько снимать будете?

Получив необходимую сумму, я попросила:

— Можно как-то пресечь разговоры сотрудников о двух воровках, решивших воспользоваться чужой кредиткой?

— Без проблем, — пообещал управляющий, — сейчас объявлю, что проводилась проверка бдительности работающих и готовности охраны. Кассирше, которая не стала выдавать деньги, выпишем премию, а малоповоротливых секьюрити уволю. Ишь, тоже мне, спортсмены-полковники, двух баб схватить в зале не сумели, допустили, чтобы криминальные личности ворвались в служебное помещение и заперлись!

— Из-за нас сломали дверь, — запоздало огорчилась Маня, — мы оплатим ремонт.

— Или покупку новой, — быстро добавила я.

— Не думайте о такой ерунде, — сиял Геннадий Филиппович, — выломали дверь, и хорошо! Если душа просит, можете и стекла в моем кабинете переколотить. Для дорогих клиентов все, что угодно!

Ночью, лежа на бугристой софе и прижимая к себе мерно сопящего Хучика, я попыталась кое-как привести мысли в порядок. Так, что же теперь делать? Ну, во-первых, вернуть Модестову «ручку»! Ладно, с этим понятно, а затем?

Из большой комнаты раздался оглушительный всхрап. Я вздрогнула. Бедная Дарья! Ужасно умереть вот так, одной, в лесу. Хотя, если подумать, уходить на тот свет вообще неприятно, даже находясь в окружении судорожно рыдающих родственников. А еще хуже болеть годами, лежать в кровати и понимать, что обречена. Ой нет, уж лучше сразу! Попасть, к примеру, лет этак в сто двадцать под троллейбус, и все. Скончаться в момент, не мучая ни себя, ни близких. «Легкой жизни я, дурак, просил у бога, легкой смерти надо бы просить». Кто из великих литераторов написал эти строки? Совсем забыла!

Отогнав мрачные мысли, я попыталась переключиться на иной сюжет. Значит, моя бедная тезка была любовницей Стаса, но она не стреляла в него. Я вспомнила хрупкий листик, сбитый пулькой, и поежилась. Дарья великолепно управлялась с пистолетом, она бы точнехонько попала любовнику в глаз или в лоб... Но они расстались вполне мирно, просто решили разойтись. Хотя мне кажется, что дама слегка слукавила. Наверное, не она ушла от Комолова, а он от нее. Стас жил за счет женщин. Альфонс быстренько сообразил, что в случае Дарьи поживиться нечем. Собственных средств у тетки нет, сыночек держит семейную кассу под своим контролем. Максимум, на что мог рассчитывать Комолов в этой ситуации, это на не слишком большие подарки типа часов, костюма или кольца. Но Комолов потихоньку старел, лет через пять он в качестве жиголо уже мог выйти в тираж. Поэтому-то парень и проявил беспокойство. Сорокалетний дядечка, живущий на содержании у дамы, малопривлекателен. Что он может предложить богатой любовнице? Стареющее тело? Вокруг много молодых парней, не гнушающихся зарабатывать древнейшим способом. Стас очень хорошо понимал, что через пару-тройку лет окажется за бортом корабля. Красивый лайнер, расцвеченный огнями, с палубами, полными богатых, веселых людей, уплывет прочь, а он останется бултыхаться в мутной холодной воде бедности. Оставался только один выход: найти подходящую жену.

Я села, слегка приоткрыла окно и осторожно закурила, старательно выгоняя дым на улицу. Дарья сказала мне, что прочитала в газете сообщение о помолвке Стаса с Анастасией Полищук, дочерью владельца «Сибалмазпром». Значит, надо подобраться к этой дамочке и порасспрашивать красотку. Я выбросила окурок на улицу, вновь влезла под одеяло, прижала к себе Хучика и попыталась заснуть. «Завтра, — говорила Скарлетт, главная героиня моей любимой книги «Унесенные ветром», — завтра подумаю об этом, завтра».

Но сон не шел. Я снова села, ох, не нравится мне вся эта история. А больше всего не по душе то, что Тина, которая кажется милой, на самом деле хамски любопытна. Женщина в который раз перерывает мои вещи. Вчера перетряхнула саквояж, сегодня полазила в шкафу и даже переворошила софу, подушки-то лежат не так, как я укладывала их утром. Если и дальше так пойдет, придется снимать другую квартиру. В конце концов, не все хозяева прописывают своих жильцов, кое-кто просто бросает беглый взгляд на паспорт.

Утром я потратила довольно много времени, пытаясь продумать, куда спрятать деньги. В Ложкино подобных проблем не существовало. Во-первых, никто из домашних не лазает по шкафам. Нет, Маня может с громким воплем: «Дай мне красную кофточку!» — влететь в мою спальню и распахнуть гардероб. Да и Ольга не остановится, если поймет, что ей нужны, допустим, мои духи. Просто прибежит и схватит флакон. Но лазить тайком по полкам и ящикам, перебирать из любопытства вещи не станет никто. И потом, в доме имеется сейф, где мы храним ценности.

Я растерянно стояла посреди комнаты с кульком, набитым ассигнациями. Куда сунуть «золотой запас»?

Носить с собой? Страшно неудобно, да и потеряю запросто. С моей привычкой повсюду оставлять ключи, сумочки, зонтики и перчатки это более чем вероятно.

— Даша, — раздался в прихожей голос.

Я высунулась в коридор и увидела Галю и Аллу, стоящих на пороге.

— Что?

— Мы уходим, — хором сказали бабы, — запри дверь.

— Ладно, а вы куда?

— У меня сегодня экзамен, — напомнила Аллочка, — сочинение.

— Ни пуха ни пера, — пробормотала я, закрывая дверь.

Так, отлично, я осталась одна, куда же все-таки сунуть деньги?

Отбросив временно эту проблему, я схватила телефон и набрала номер Фаины Клоповой. Фая работает в клубе «Каприз», вернее, она его хозяйка. Фаиночка вращается в свете, знает почти всех, и, скорей всего, в ее телефонной книжке есть координаты этой Анастасии Полищук. Вот только интересно, дошли уже до нее слухи, что Даша Васильева убийца, которую ищет милиция?

Но Клопова ничего не знала или успешно это скрывала.

— Дашка, — радостно воскликнула она, — неужто хочешь у нас столик заказать?

— Извини, нет.

— Я и не ждала совсем, — рассмеялась Фаина, — ты у нас домоседка, не любишь веселиться. Другие бы с твоими деньгами глаз не сомкнули, шлялись бы по тусовкам и демонстрировали брюлики!

— Ты знаешь Анастасию Полищук? — перебила я Фаю.

Если Клопову не затормозить, будет говорить глупости до утра.

— Настю? Дочку Зямы?

— Кого?

— Зиновий Полищук, для своих Зяма.

— Не знаю, как зовут папеньку, он владелец «Сиб-алмазпрома».

— Ну да, — хихикнула Фая, — Зяма Полищук, живет в Якутске.

— Где? — испугалась я. — В Якутске? Ужасно!

— Почему? — удивилась Клопова. — Чем тебе Якутск не нравится? Не Москва, конечно, но вполне приличный город!

— Мне надо поговорить с его дочерью!

— С Настей? Так в чем проблема? Она вполне милая, приветливая.

— Придется в Якутск лететь!

— Зачем?

— Сама же только что сказала, Зиновий там.

Фая засмеялась:

— Зяма да, он в Москве бывает редко, а Настя тут живет, учится в МГУ. Ей папашка квартирку в столице купил.

— Есть у тебя ее телефон?

— А як же, у нас словно в Греции.

— Не сочти за труд, подскажи номерок.

— Ща, только вот где она сейчас живет... — бормотала Фая, — вообще-то номер такой... сто пятьдесят один...

— Спасибо.

— Погоди. Она мне жаловалась, что ремонт никак не закончит, если по этому телефону не дозвонишься, дай знать, попробую разыскать девчонку.

— Ладно.

— А зачем она тебе? — запоздало поинтересовалась Клопова.

— Тут ко мне гость приехал из Франции, — бодро соврала я, — Жюль Перье, богатый молодой человек, хочет жениться на русской. Вот я и подумала их свести.

Фая закашлялась:

— Ну-ну, она тебе по гроб жизни обязана будет.

— Что, так плохо с женихами? Вроде денег полно!

— Сколько у нее милых моему сердцу бумажек, даже

тебе представить трудно, — вздохнула Фаина, — море, а может, океан! Смею заверить, Настюша ни в чем себе не отказывает, вот только муженька никак не купит.

— Почему?

Фая с удовольствием сообщила:

— Сначала она на Веню Градского глаз положила. Вениамин, не будь дурак, быстренько посчитал, сколько тугриков получит в приданое, и начал таскать Настьке охапками букеты. Дело дошло до помолвки, из Якутска прибыл Зяма и скрепя сердце согласился на брак.

— Отчего Зиновию не понравился жених?

— Так он беден, — хмыкнула Фаина, — но зато из старинного рода, посуда с вензелями, вся стена в гостиной фотографиями увешана. Одна прабабка фрейлина, другая графиня, деды из аристократов, своих родственников Веня до двадцатого колена знает. Вот поэтому Зяма и согласился на свадьбу. Денег-то у него на всех хватит, а приятно чувствовать себя дедушкой родовитого внука. Только Георгина костьми легла, а запретила сыну жениться. Ты ее видела когда-нибудь?

— Да, на дне рождения у Лены Шлыковой.

— Тогда понимаешь, о чем идет речь.

Забыв, что Фая меня не видит, я кивнула. Конечно, понимаю. Дама, носящая претенциозное имечко Георгина, едва познакомившись со мной, заявила:

— Я прямой потомок древнего княжеского рода, в прежние времена наша встреча с вами за одним столом была бы невозможна. Или я ошибаюсь и у вас в роду были дворяне?

Сначала я подумала, что мадам глупо пошутила, но потом вгляделась в ее маленькое, обтянутое сухой кожей личико, увидела презрительно прищуренные глазки, сжатые в нитку тонкие губы и поняла: дикий вопрос был задан серьезно.

— Георгина потом на всех вечеринках шипела, — неслась дальше Фая, — «...ах, ах, невероятный мезальянс. Мой Веня и эта вульгарная девица с чемоданом бриллиантов». Вот помолвка и лопнула. Ну потом Настя еще пару раз пыталась заполучить колечко на пальчик, но теперь уже Зяма орал: «Ни за что! Голодранца и его семью кормить не намерен!» Самый цирк приключился летом, не слышала?

— Извини, нет.

— Удивляюсь тебе, Дашутка, — с энтузиазмом воскликнула Фаина, — все двери гостиных перед вами раскрыты, а никуда не ходите. Ну ладно ты, тухлая курица, но молодые! Аркадий и эта, забыла, как вы ее зовете, Кролик, что ли...

— Зайка!

— Ну да. Тоже дома сидят!

— Понимаешь, они работают, устают очень.

— Не понимаю, — взвизгнула Фая, — за каким фигом на службе ломаются, денег-то у вас жуткая прорва! Вот нигде не бываете и все самое интересное пропускаете. Народ уже давным-давно про эту историю поговорил, а до тебя и не дошло...

— Сделай одолжение, скажи, в чем дело!

— Ой, уржаться! Настя помолвку затеяла, угадай с кем?

— Ну?

— С Комоловым.

— Это кто же такой? — прикинулась я ничего не знающей.

— Стасик-миласик, — взвыла Фая в полном восторге от того, что может рассказать кому-то замечательную сплетню, — альфонс, существует исключительно за счет богатеньких бабушек!

— И что вышло?

— А ничего!

— Зиновий опять прогнал жениха?

— Ты бы разрешила своей Машке выйти замуж за платного партнера?

— Ну, — забубнила я, — если бы увидела, что она очень любит парня, то на здоровье, не в деньгах счастье.

— Ага, — хмыкнула Клопова, — счастье не в деньгах, а в их количестве. Настя, дурочка тоже вроде тебя, не знала, чем Стасик зарабатывает, думала, и впрямь он журналист.

— Кто журналист, Комолов?

— Ну да!

— Ты же только что сказала, будто он альфонс?!

— Одно другому не помеха. И потом, как ты представляешь, что он людям говорил? «Я альфонс»? Нет, Стас гордо заявлял: «Служу в газете «Листок».

— «Листок»? А мне кто-то сообщил, что он в турагентстве работает.

— Только не говори, будто никогда не слышала про сие издание! А про агентство не знаю!

— «Листок» я видела на лотках, но, извини, не читала.

— Вот и зря! Там такое пишут! Обхохочешься!

Понимая, что Клопова сейчас начнет пересказывать содержание бульварной газетенки, я попыталась переключить разговор на интересующую меня тему:

— И что, Зяма прибыл из Якутска и бортанул женишка?

— Нет, — в полном восторге завизжала Фая, — нет, Настя сама его прочь послала! При всех! На дне рождения у Кости Зельдина! По роже его отходила!

— Костю?

— Дашка! Ну какая ты непонятливая! Стасика, естественно!

Поболтав с Клоповой еще пару минут, я повесила трубку и уставилась на записанные цифры. Ну и под каким предлогом напроситься в гости к дочери алмазной горы?

Впрочем, Фая сказала, будто у той заканчивается ремонт...

Глава 15

Трубку схватили сразу. Капризный, какой-то полудетский голосок прочирикал:

— Алло.

Настенька не произносила букву «л», поэтому я услышала:

— Авво.

— Будьте любезны госпожу Полищук.

— Это я.

— Анастасия Зиновьевна?

Девушка звонко рассмеялась:

— Можно просто Настя.

— Вас беспокоят из журнала «Наш дом и сад».

— Да? Здорово, — зачирикала девушка, — ну прикол!

— А что прикольного?

— Тут у меня вся ваша подборка лежит!

— Очень приятно.

— Ремонт делала, — бесхитростно болтала Настя, — у вас такое полезное издание! Столько гениальных идей! Кое-что слизала!

Я ухмыльнулась. Давно мне так не везло, надо же, какой удачный выбрала предлог для знакомства!

— Нам очень приятно...

— Ой, а как вас зовут? Если Катя Дробот, то просто сойду с ума!

— Угадали, именно Катя Дробот!

— Ой, — заверещала Настя, — ну расскажу девкам, не поверят!

Она бурно восторгалась минут пять, потом, слегка остыв, спросила:

— А от меня вам что надо?

— Тут мне шепнули на ушко, что вы только-только закончили ремонт?

— Ага, вчера въехала.

— Можно прийти посмотреть?

— Потом напишете в журнале?

— Конечно, душенька, очень хорошо получится, то, что вы наша читательница, сделает мой материал особо интересным.

— Когда придете?

— В любое удобное для вас время, могу прямо сейчас.

— Конечно, — завизжала Настя, — собирайтесь. Ради такого случая отброшу все дела, черт с ними, с занятиями, пишите адрес.

На лотке у метро я купила один из номером журнала и, сев в вагон, принялась просматривать «Наш дом и сад». Надеюсь, они не дают перед статьей фотографии корреспондентов, сделавших материал. Пролистав глянцевые роскошные страницы, я успокоилась. Никаких портретов борзописцев нет, а госпожа Катя Дробот описывает квартиры знаменитостей. Надеюсь, сумею хорошо сыграть роль рафинированной дамочки, зажимающей двумя пальчиками носик при виде нормального дивана с гобеленовой обивкой.

Настенька, распахнув дверь, затарахтела, словно погремушка:

— Ой, я такой вас и представляла! Именно брюнеткой, блондинки-то не в моде, белые волосы выглядят пошло, я сама перекрасилась недавно, правда здорово?

На мой взгляд, иссиня-черные волосы совершенно не подходили к ее простоватому, круглому личику в конопушках, но не говорить же об этом глупой девице? Поэтому я мило улыбнулась:

— Вы выглядите сногсшибательно.

— Ой, — закатила глаза хозяйка, — умоляю, давайте на «ты», мне кажется, что знаю вас много-много лет...

— С удовольствием, можешь мне не «выкать», мы же подружки!

— Суперски! — взвизгнула девчонка. — Ну наши умрут, когда расскажу! Катя Дробот в моей квартире! И откуда только узнали про ремонт, а?

— Слухом земля полнится, — многозначительно закатила я глаза. — Ну, показывай красоту.

Следующий час Настя водила меня по довольно просторной трехкомнатной квартире, захлебываясь от радости.

— Эту идею взяла из вашего журнала, а эту из твоей статьи...

Я кивала, чувствуя, как к горлу подступает тошнота.

На мой взгляд, жить в такой квартире неудобно. Больше всего она напоминала стенд в мебельном магазине, красиво, даже шикарно, но неуютно. Все тут было сделано для чужих, напоказ. Кухня объединена со столовой, но вместо нормального стола и хороших стульев красовалась длинная доска на высоких ножках и неудобные табуретки с крохотными плетеными сиденьями. Может быть, кое-как приладившись на колченогих табуретках, и можно наспех выпить кофе, но спокойно пообедать не получится. Диван отсутствовал, у стены виднелась узенькая оттоманка, и по всей комнате были разбросаны надувные пуфики.

Когда мы добрались до спальни, Настя ткнула пальцем в кровать:

— Прикольная, да? Из Испании выписала.

Я оглядела абсолютно круглую лежанку, покрытую черным мехом неизвестного животного.

— Стильно. Только тесно.

— Да ты чего, — засмеялась Настя, — я по ней перекатываться могу.

— А муж где уляжется? Все-таки мне кажется, вдвоем удобней на стандартном матрасе, прямоугольном.

— Круглая модней, — не сдалась Настя.

— Не забывай, что девиз нашего журнала «Модное в удобном», супружеская спальня...

Настя замахала руками:

— Я не замужем.

— Скоро выйдешь.

— Нет, никогда!

— Отчего так?

— Ты любишь кофе?

— Только молотый «Лавацца Оро», растворимый не употребляю и тебе не советую.

— А я сама пью «Лавацца», — радостно возвестила хозяйка, — может, передохнем?

В столовой я еле-еле взгромоздилась на плетеную табуретку и, чувствуя, как жесткая солома врезается в то место, которое не принято вслух называть в обществе, поинтересовалась:

— Чем же тебе мужчины не угодили? Почему не хочешь замуж? Только не говори, что с твоей модельной внешностью испытываешь дефицит кавалеров.

Я давно заметила, лесть великолепное оружие. Скажите бабушке, которая гуляет в садике с ребенком: «Как дочка на вас похожа», и пожилая женщина живо зачислит вас в подруги.

Работая репетитором, я частенько использовала одну уловку. Когда родители принимались тревожно спрашивать: «Ну, как там наш?» — я делала серьезное лицо и отвечала: «Должна сказать абсолютную правду. Ваш Ванечка очень талантливый, неординарный мальчик, послушный, организованный...»

Как правило, когда дети заканчивали школу, мы расставались со слезами. Ванечка и его родители вполне искренне говорили:

— У нас никогда не было такой учительницы, мы вас очень любим.

А все дело только в том, что я не ругала учеников, а хвалила. Разве Ванечка лучше поймет французский, если бить его лицом о письменный стол? Жаль только, что большинство школьных учителей полны воспитательного энтузиазма и педагогической злобности. О редких личностях, которые любят своих учеников, люди вспоминают потом всю жизнь. Услышав про модельную внешность, Настя выпрямила спину, потом откинула крашеные патлы с простоватого личика с маловыразительными глазками и с чувством произнесла:

— Все мужики козлы! Ты сама замужем?

— Нет.

— Вот видишь!!!

— Но я старше тебя в два раза и, между прочим, четырежды бегала в ЗАГС, пока сообразила, что лучше жить одной.

Настя повертела в руках крохотную чашечку.

— Вот и мне лишь уроды попадаются! Знаешь, кто мой папа?

— Конечно, Зиновий Полищук.

— Верно, многим охота его денежками попользоваться.

— Может, ты ошибаешься? Вдруг кавалеров привлекают не его миллионы, а твоя красота, ум и очарование? Отчего ты не веришь в любовь?

Настя щелкнула языком:

— Любовь-морковь... Троих женихов папа прогнал, четвертого сама по щекам налупила!

— За что же?

Настя стала ковырять ложечкой гущу.

— Да уж за дело, не просто так!

— Расскажи, я ведь поопытней буду, глядишь, и посоветую чего...

Девушка налила еще кофе и грустно забубнила:

— Так хорошо начиналось. Стас, его так зовут, Станислав Комолов, меня намного старше, честно говоря, он почти ровесник папе, но выглядит на двадцать лет моложе. Папашка ноет, на здоровье жалуется, и вообще, он у меня такой ретроград! Тащится от Пьехи, смеется над шутками Винокура и еле-еле простил мне отрезанную косу.

Стас оказался диаметрально противоположной папе натурой. Насте было с ним весело, как с ровесником. Комолов был продвинутым дядькой. Слушал рэп, мог плясать на дискотеке, запросто носил джинсы и гонял на автомобиле по ночной Москве, распугивая гудками редких прохожих. Стас не заводил длинные нудные разговоры на тему «учись, девочка» и никогда не произносил фразу «вот я в твоем возрасте...». Он смотрел MTV и СТС, а наткнувшись случайно на важно вещавшего Киселева, не кричал: «Дай послушать «Итоги». Нет, Стасик морщил нос и, бормотнув: «Отстой», мигом переключался на кабельный канал.

Я только покачивала головой, слушая бесхитростный рассказ дурочки. Ну Комолов, ну хитрец! Сразу понял, что прибрать к рукам Настю сможет, только если притворится отвязным парнем.

— В общем, мы с ним с марта были неразлучны! — неслась Настя.

— С весны? — невольно удивилась я.

— Да, а что?

Нет, ничего, просто Дарья рассказывала, что ее роман со Стасом оборвался в начале мая. Ну Комолов! Охотился сразу на двух опушках.

— И мы даже объявили о помолвке, — стрекотала Настя. — Честно говоря, он мне так нравился, так нравился... Прямо до жути, вот я и решила поставить папу перед фактом, распишемся, а потом позвоню в Якутск, а то еще примчится и все порушит... Ну и прикинь, что вышло?

Она замолчала и уставилась в окно, обрамленное красивыми кружевными занавесками. Я подождала пару мгновений и осторожно спросила:

— Зиновий прочитал «Листок» и устроил скандал?

— При чем тут «Листок»?

— В нем напечатали про вашу помолвку.

— Ах это, нет, «Листок» в Якутске не продается, хуже вышло.

— Да?

— Вот слушай!

Настя и Стас уже жили вместе в его квартире. В апартаментах девушки шел ремонт. Совместная жизнь жутко нравилась глупышке. Любовник старательно угождал ей во всем, засыпал подарками, цветами и часто приговаривал:

— Как мне нравится тебя баловать, к сожалению, сейчас не могу развернуться, но после свадьбы меня ничто не остановит, я тебя буду носить на руках.

Будь Настюша чуть поумней, она бы удивилась, ну отчего вполне взрослый мужчина ведет себя как герой мексиканских сериалов, но девочка была наивна, влюблена и принимала высказывания хитрого кавалера за чистую монету. Тем неприятнее оказалось прозрение.

Однажды вечером в конце лета Настюша лежала в

ванне, балуя себя конфетами. Стаса не было дома. Он позвонил любовнице и предупредил:

— В моем журнале, как всегда, геморрой, извини, вернусь поздно.

Поэтому Настя сначала сделала себе маску, а потом плюхнулась в пену, решив провести в ванной часа два. Ей было так хорошо, тепло и уютно, что совершенно не хотелось брать трубку некстати затрезвонившего телефона. Но на другом конце провода был кто-то настойчивый, если не сказать настырный. Настя вытерла руку полотенцем и промурлыкала:

— Слушаю.

— Госпожа Полищук?

— Да.

— В газете «Листок» недавно сообщили о вашей помолвке со Стасом Комоловым, это правда или выдумка репортеров?

— Конечно, правда, — фыркнула Настя. — А кто звонит? Чего хотите?

— Вас беспокоит жена Стаса.

От неожиданности Настя чуть не уронила трубку в пену и глупо осведомилась:

— Жена? Вы бывшая супруга Стасика?

Из трубки послышался нервный смешок:

— Нет, мы не в разводе, более того, живем вместе, воспитываем двухлетнего мальчика. Стас тебя обманывает, вашей свадьбе не бывать, потому что я никогда не отпущу супруга. Мой тебе совет, не строй никаких планов. Стас ловелас, увлекающаяся натура, вечно носится по бабам с дымящимся... ты одна из сотни.

— Я не верю! — воскликнула Настя. — Врешь!

В трубке опять послышался смешок:

— Ну-ну, если хочешь убедиться, приезжай завтра к полудню на Рокотовский проезд, дом восемь. Стасик выйдет из квартиры с ребенком, к врачу поедем, убедишься сама, как он любит сына. Надеюсь, у тебя хватит ума не устраивать в присутствии мальчика скандал.

Настя выскочила из ванны и, не вытираясь, понеслась в спальню, к шкафу. Примерно две недели назад девушка, старательно изображавшая из себя заботливую невесту, решила постирать ветровку Стаса. Неожиданно в конце лета на Москву надвинулись грозовые дожди, резко похолодало, и Комолов вытащил бежевую куртку из плащевой ткани. На груди оказалось довольно большое пятно.

— Что это? — спросила вечером Настя, когда они со Стасом пошли в ресторан.

— Где?

— Да вон, возле кармана.

— Надо же, чем-то измазал, — спокойно ответил кавалер, — ерунда, отдам в чистку.

Но Настя, решив проявить заботливость, взяла утром ветровку, вывернула карманы... На пол упала крохотная голубенькая шапочка с нашитыми на макушку ушками. Головной убор украшала затейливая вышивка: на лесной опушке веселятся зайчики. Хорошенькая, явно дорогая вещичка, такие люди покупают любимым детям.

Вне себя от удивления, Настя подобрала шапчонку и принесла на кухню:

— Что это?

Стас оторвался от телевизора и спокойно ответил:

— Шапка.

— Сама вижу. Почему она у тебя в кармане лежит?

— Это не мое.

— Ясное дело, а чье?

Стас пожал плечами:

— Не знаю.

— Объясни сейчас же, — потребовала Настя.

— Я эту куртку с весны не носил, в апреле повесил в шкаф и забыл про нее.

— Ну, дальше, рассказывай!

— Нечего рассказывать.

— Откуда шапочка? — настаивала Настя, заподозрившая неладное.

— Да просто подвозил коллегу, Родиона из фотоотдела, — со скучающим видом пояснил любовник, — когда тот вышел, на сиденье осталась валяться шапка. Я ее не сразу заметил. У Родьки двое детей, небось в кармане лежала и выпала.

— Ну и?..

Стас развел руками:

— Положил в куртку, хотел на следующий день Роде отдать, да забыл. Потом тепло стало, так и осталась в куртке...

— А-а-а, — протянула Настя, — ну ладно.

— Ревнивица моя, — начал целовать ее Стас, — просто тигрица, обожаю тебя!

В ресторан в тот вечер они так и не попали, остались дома, и Настя думать забыла о хорошенькой вещичке с пляшущими зайчиками. Но сейчас, не обращая внимания на стекающую с невытертого тела воду, девушка рылась в шкафу. Где же голубенькая шапочка? Она положила ее вот сюда, на полку...

На следующий день, полная нехороших предчувствий, Настя затаилась за углом дома номер восемь по Рокотовскому проезду. Минуты тянулись, словно эластичный чулок. Наконец хлопнула железная дверь. Настя выглянула из-за угла и почувствовала, как земля закачалась под ногами.

Глава 16

Из обшарпанной двери малопрезентабельной пятиэтажки вышел, как всегда, безукоризненный Стас. Он нес на руках маленького ребенка, одетого в голубую курточку, кармашки которой были украшены большой аппликацией в виде ярко-красных морковок, а на голове у крохи сидела шапочка, та самая, с пляшущими зайчиками.

Настя, затаив дыхание, смотрела на свою любовь. Стас осторожно поставил парнишку на тротуар. Мальчик незамедлительно захныкал.

— Ну-ну, — утешил его отец, — не рыдай!

Дверь подъезда хлопнула еще раз, появилась женщина. Настя уставилась на нее во все глаза. Ничего особенного в жене Стаса не было, самая обычная тетка лет тридцати, с маловыразительным лицом, вот только наряд на ней был эксклюзивный. На законной супруге ловко сидел элегантный костюмчик, очень подходящий для неожиданно холодного летнего дня: темно-красные, расклешенные от пояса брюки, белая блузка и ярко-голубая жилетка. Кое-кому сочетание красного, белого и синего тонов напомнило бы российский триколор, но Настенька, завсегдатай модных тусовок и свой человек во многих домах моды, мигом вычислила автора кричащего костюмчика. Вещь была явно сшита у Алексея Зырянова и стоила бешеных денег.

Кусая губы, Настя наблюдала, как счастливое семейство садится в машину Стаса. Наверное, следовало выскочить из засады и накинуться на неверного женишка с кулаками, но Настенька сдержалась. У девушки от злобы тряслись руки, огромным усилием воли она справилась с приступом бешенства, села в свою машину, вытащила мобильник и набрала номер Стаса.

— Да, — мгновенно отозвался будущий муж.

Стараясь, чтобы голос не задрожал, Настя довольно резко спросила:

— Ты где?

— В дороге.

— Куда едешь?

Стас засмеялся:

— Легче сказать, где мне сегодня не надо быть. Придется разорваться, чтобы везде успеть.

— Сейчас ты где? — продолжала настаивать Настя. — В каком месте, что делаешь?

— Еду на встречу с Мироном Львовым, у нас запланировано с ним интервью. Ты дома?

— Да, — буркнула Настя.

— Перезвоню через пару минут, очень на Ленинградском проспекте шумно.

Мобильник замолчал и отсоединился. Аппарат у Стаса был отличный, маленький «Эрикссон» с откидывающейся крышечкой. Чтобы прекратить разговор, не нужно нажимать ни на какие кнопочки, достаточно просто захлопнуть крышку, но эта система и подвела мужика.

Прекратив разговор, он замолчал и явно хотел отсоединиться, но за ту секунду, которая понадобилась ему, чтобы опустить панель на кнопки, Настя услышала далекий женский голос:

— Это кто?

— Да Родион, — ответил Стас, — все ловит...

Хлоп, диалог прервался. Вернее, Комолов продолжал говорить с женой, но Настя уже ничего не слышала. Трясясь от негодования, девушка швырнула свой «Нокиа» на пол и раздавила его каблуком. Честно говоря, она надеялась, что Стас скажет: «Да вот, везу жену приятеля с ребенком в поликлинику, попросили помочь».

Но Комолов соврал про интервью и сообщил, что несется по Ленинградскому проспекту, а Настя минуту назад собственными глазами видела, как автомобиль Комолова выруливал на Варшавское шоссе. Было от чего тронуться умом!

Нарушив все правила дорожного движения, Настюша прилетела в квартиру Комолова, побросала свои шмотки в сумки и переколотила у любовника то, что билось, а то, что не удалось превратить в осколки, разломала, досталось даже мебели. Убегая из разгромленных апартаментов, она оставила ехидную записку: «Снимая квартиру для любовных утех, не следует давать номер телефона жене! Кстати, шапочка твоему сыну впору, он что, донашивает шмотки ребенка Родиона?»

Вечером того же дня Настя заявилась на вечеринку, пошарила глазами по толпе, обнаружила весело улыбающегося Стасика, воркующего с молоденькой блондинкой, подошла к парочке и, с размаху залепив мужику пощечину, заявила:

— Дрянь, ищи себе другую дуру!

Потом она вытащила из сумочки водяной пистолет, заправленный чернилами, и выстрелила в Стаса.

Присутствующие, разинув рты, смотрели на сцену. В свете обожают драки, скандалы и истерические выяснения отношений. Видя, что с разных концов зала к ним спешат фоторепортеры с камерами на изготовку, Стас ухватил Настю и потащил к выходу. Вытолкав ее на улицу, любовник прошипел:

— С ума сошла, да?

Настя ловко вывернулась из крепких рук и прыгнула в поджидающее такси.

— Эй, — завопил Стас, — погоди, поговорить надо! Девушка высунулась в окно.

— Хорошо, после полуночи приезжай ко мне.

— До встречи, дорогая, — лучезарно улыбнулся Стас. Настя хмыкнула и велела шоферу:

— Живо в аэропорт.

Девушка улетала в Якутск, к папе. Меньше всего ей хотелось объясняться с Комоловым. Пусть Стас едет на квартиру, никого, кроме рабочих, он там не найдет, пусть побесится от злости, понимая, что бывшая любовница ускользнула. Настя же отсидится дома, успокоится, поразмыслит, как жить дальше...

— Я вернулась только сегодня ночью, — откровенничала Настя, — и, надо сказать, совершенно спокойная, Стас забыт, словно прошлогодний снег!

Пытаясь утихомирить бунтующие мысли, я побродила еще немного по роскошной квартире Насти и, пообещав написать большой материал, выпала на улицу.

По тротуарам текла веселая, по-летнему раздетая толпа. Июнь в нынешнем году выдался дождливым, холодным, и сейчас погода пыталась реабилитироваться. На календаре середина сентября, а градусник показывает двадцать пять тепла, на небе ни облачка...

Сгребая мысли в кучу, я поехала домой, вернее, на квартиру к Тине. Вот оно что! Голубенькая шапочка и курточка, на кармашках которой пришита аппликация в виде морковок... Но ведь именно так, по словам Дарьи, был одет ее пропавший внук, двухлетний Петя... Значит, Стас связан с похитителями... Или... Нет, все-таки не хочется верить в подобную подлость! Может, у Стаса и впрямь была семья, о наличии которой он предпочитал умалчивать. Отчего скрывал супругу? Ну да это понятно, альфонс должен быть свободен. Кстати, может, у него гражданский брак? Скорей всего, дело обстоит так.

Какая-то женщина не из «светских», обычная баба, родила Комолову ребеночка, и мужчина теперь поддерживает с ней отношения, дает алименты, возит сына в поликлинику... Вполне простая, жизненная ситуация. Что же касается курточки... Очевидно, одежда несчастного Петеньки и наряд сына Комолова куплены в одном магазине. Скажете, такого не бывает?

Несколько месяцев тому назад мой бывший муж Макс Полянский шумно отмечал очередной развод. То ли девятый, то ли десятый, честно говоря, я уже запуталась. Максик ухитрился не поссориться ни с одной супругой, кроме той, что причинила ему кучу неприятностей[1], а со мной его до сих пор связывает нежная дружба. Максик ввел новую моду.

— Отчего это люди празднуют только свадьбы? — недоумевал бывший муженек, потряхивая очередным свидетельством о разводе. — По-моему, в жизни случаются и другие приятные моменты!

Сначала наши знакомые хихикали, а потом тоже начали устраивать пиршества по поводу благополучного завершения семейной жизни. Выработался даже определенный ритуал: бывшая жена сидит за столом в красном платье, муж в сером костюме, а вместо роскошного кремово-белого торта на сладкое подают огромный пирог со свежими фруктами.

Я, как вы знаете, не любительница шляться по вечеринкам, но Максу отказать не могу, поэтому и заявилась на тусовку. Зная, что там будет полно модных дам, я поостереглась натягивать на себя костюмчики, купленные в московских бутиках. Ради такого случая влез-

---

[1] См.: Донцова Дарья. Жена моего мужа. М.: Эксмо.

ла в брюки и пиджак, приобретенные в Париже. Представьте теперь мое изумление, когда Ленка Малышева появилась на ужине точь-в-точь в таком же ансамбле. Ладно бы хоть цвет был другой, нет, Малышева тоже блондинка, и ее, как и меня, потянуло на пастельно-розовую гамму. А вы говорите — детский костюмчик!

Впрочем, наличие ребенка у Стаса легко проверить. Завтра же поеду в Рокотовский проезд. Правда, не знаю номера квартиры, но это такая ерунда! Впрочем, может, отправиться прямо сейчас?

Но ноги сами собой понесли меня к квартире Тины. Не успела я открыть дверь, как черное литое тело Банди чуть не сбило меня с ног. Пит прыгал как очумелый, пытаясь лизнуть хозяйку в лицо. Снап, которому не хватило места в крохотной прихожей, нервно скулил в комнате, Черри, повизгивая, пыталась пробраться под животом Банди. Но пуделихе мешал Хучик, который занял жирненьким тельцем место между передними лапами Бандюши.

— Ну тише, тише, — начала было я и в ту же секунду в ужасе оглянулась.

Снап, Банди, Черри... Я что, по привычке заявилась в Ложкино? Но тут глаза наткнулись на узенький крохотный коридорчик. Нет, конечно, я у Тины, но откуда здесь собаки?

— Муся пришла! — выкрикнула Маня, высовываясь в прихожую.

— Машка? Ты?

— Я.

— Но...

— Ой, мусенька, — затараторила дочь, — в Ложкино без тебя так скучно, лучше я здесь поживу!

— Но я у чужих людей...

— Мусик, давай снимем квартиру на мой паспорт.

Я заколебалась. В милиции сидят не дураки, живо поймут, кто живет в той квартире.

— Нет, безопасней тут.

— Ну тогда и мы с тобой!

— Но здесь крохотная комнатенка с узкой кроватью.

— Не беда, лягу на полу!

— Собак зачем притащила?

— Муся, — заныла Маня, — какая ты зануда, наверное, стареешь. Им очень скучно в Ложкино, Банди два дня не ест, Снап плачет, а Черри легла на диван, и никакими пинками ее не согнать. Разве справедливо, что ты прихватила с собой только Хучика? Следовало всех взять. Жюли, между прочим, в твое отсутствие не разрешает себе чесать.

Я представила себе, как бегу по шоссе с саквояжем в руках, окруженная стаей разномастных собак, и, решив не обращать внимания на хамское заявление Машки о старости, вздохнула:

— Мне не пришло в голову прихватить все стадо.

— А мне пришло, — радостно объявила Маня. — Правда, я молодец?

— Тебе все же лучше вернуться домой.

— Но я уже сказала твоей хозяйке, что...

— Что?!

— Приехала к маме!

— Тут полно собак, они...

— Мусик, глянь, они счастливы.

Я посмотрела на улыбающуюся Розу фон Лапидус Грей и на отчаянно размахивающую хвостом Альму. Хозяева явно испытывали к гостям дружеские чувства.

— Угостила их мясом, — тараторила Маня, — дала грызальные косточки, смотри, какие они довольные.

— И все же, дружочек, возвращайся в Ложкино, надеюсь, ты никому не давала этот адрес?

Маня надулась.

— Я похожа, по-твоему, на кретинку?

— Нет, конечно.

— Домой уехать не могу.

— Почему?

— Сказала Ирке с Катериной, что вместе с классом отправляюсь на экскурсию!

— Но Аркадий станет волноваться.

— Нет, — покачала головой Маня, — он меня отпустил, сказал: «Правильно, съезди, раз дома такое творится». Кстати, мусик, Кеша полагает, что ты прячешься во Франции, в поместье у Надины. Он ей звонил!

— Да?

— Ага, Надина стала говорить, что тебя нет, а Кешка как рявкнет: «Скажи моей матери, пусть немедленно едет назад». Надина потом у меня интересовалась, что случилось. Ну, я и объяснила ей аккуратно.

— Что же ты сказала?

Маруська сделала серьезное лицо:

— Мусечку ловит милиция, думают, будто она убила мужчину.

Я стянула туфли.

— А Надина как отреагировала?

— Не знаю.

— Почему?

— Связь прервалась.

Понятно, французы, как и россияне, терпеть не могут общаться с правоохранительными органами.

— А собак ты тоже на экскурсию взяла?

Машка засмеялась:

— Мусик, ну я же хитрая.

— Хитрее некуда, напугала Надину до полусмерти.

— Сказала Кеше: «Ты у Зайки все время сидишь, собаки скучают, давай их Когтевым подбросим?»

Я постаралась не измениться в лице. Ира Когтева моя школьная подруга, обожающая живность. Правда, к сожалению, она аллергик, поэтому любит животных издали, у нее до сих пор были только черепашки. Но примерно год тому назад Ирка завела голую мексиканскую собачку Мартину. Ну и нарубила же Машка дров! Кеша позвонит Ирке...

Стараясь подавить в себе желание надрать Манюне уши, я прошипела:

— Аркадий как отреагировал?

— «Не грузи меня ерундой, ей-богу, некогда!»

— Куда ты так торопишься?

— Ты не поняла. Кеша так ответил.

Я молча умылась и прошла в большую комнату. Тина была на работе, Галя смотрела оглушительно орущий телевизор, Аллочка читала книгу.

— Как твой экзамен?

Девушка отложила яркий томик.

— Спасибо, нормально. Через неделю иностранный. Однако у вас столько собак! Прямо дышать нечем.

Ничего не говоря, я скользнула к себе, крикнув:

— Эй, ребятки, все сюда!

Радостно виляющая стая улеглась живым ковром на полу. Я отметила, что Роза фон Лапидус Грей прижалась к Снапу, наш ротвейлер обожает маленьких собачек, он ведет себя по отношению к малышам, как настоящий кавалер. Хорошо еще, что Манюня не прихватила кошек, хомячков и рыбок!

Внезапно я разозлилась на Аллочку. «Прямо дышать нечем!» А кто тебя сюда звал? Сама хороша, вместо того чтобы готовиться к экзамену, читает любовный роман.

Глава 17

Не успели часы показать десять вечера, как наши собаки занервничали. Так, им следует пойти погулять. В Ложкино у нас не существует этой проблемы. Кто-нибудь из домашних просто распахивает дверь и выгоняет стадо. Собаки, оглушительно лая, носятся по саду, они никому не мешают. Но сейчас требовалось нацепить на них поводки. Думаю, жильцам пятиэтажки не понравится, если около подъезда начнут бегать питбуль и ротвейлер. Очевидно, та же мысль пришла в голову Манюне, которая сидела в углу, на полу, читая учебник «Анатомия собаки».

— Выгуляю их по очереди. Сначала мелких.

Я встала с дивана.

— Собаки общие, нечестно сваливать все на тебя.

Бери сейчас Хуча, Черри и Альму, а я пойду с остальными, когда ты вернешься.

Оказавшись на улице, Снап и Банди принялись тревожно озираться. Ходить на поводках для них непривычно, более того, неприятно. И тот и другой знают, если на шее застегивается ремешок, жди беды. Либо повезут к ветеринару и воткнут в попу иголку, либо потащат в аэропорт, где придется сидеть в пластмассовой перевозке.

— Пошли, мальчики, — велела я, — вон туда, за дом, к кустикам, видите, куда бежит Роза фон Лапидус.

Пит и ротвейлер послушно потрусили за новой подругой. Оказавшись на пустыре, где местные жители выгуливают собак, я огляделась по сторонам и отстегнула поводки.

Дети давно сидят дома, случайные прохожие тут не ходят, ни Снап, ни Банди никого не обидят, если появится кто недовольный, мигом позову мальчишек, пусть пока побегают.

Псы начали рыскать по незнакомой территории, я присела на пенек и закурила. Столько дней прошло, а я нахожусь в тысяче километров от истины. Сколько мне еще жить у Тины? Может, плюнуть на все и вернуться в Ложкино? Ага, и оказаться в СИЗО.

Тут мое внимание привлек Снап, несущийся со всех лап с какой-то тряпкой в зубах.

— А ну иди сюда, — велела я.

Вот они — прелести прогулки в мегаполисе. Ротвейлер нашел помойку.

— Дай немедленно!

Снап положил у моих ног нечто красного цвета и довольно буркнул:

— Гав!

Я присмотрелась. На земле лежало платье, нет, сарафанчик.

— Ты где взял эту вещь?

— Гав, — ответил Снапун и унесся в кусты.

Иногда Аркадий говорит, что в прошлой жизни Снапик был маниакально аккуратной домашней хозяйкой. Ротвейлер просто не может видеть разбросанную одежду. До того как Снап появился в доме, дети преспокойно развешивали по стульям брюки, футболки, бросали на диване нижнее белье, а Машкины колготки нередко оказывались в самом неподходящем для этого месте, например, на журнальном столике. Но стоило появиться Снапу, как положение изменилось коренным образом.

Молодые собаки, как правило, рвут вещи, грызут ботинки и тапки, истребляют накидки, пледы, занавески... Наш ротвейлер был счастливым исключением. Он ни разу не тронул ничьих тапочек, выставленных у двери, и мы не могли нарадоваться на деликатного пса. Но потом начались странности.

Однажды Маня влетела в мою комнату и гневно заорала:

— Ты нарочно, да?

Я села в кровати, плохо соображая спросонья, в чем меня обвиняют.

— В чем дело?

— Я опоздала в школу!

— А я-то тут при чем?

— Это что? — завопила Машка, тыча пальцем в пол.

Я свесилась с кровати.

— Джинсы.

— Именно! Мои штаны! Искала целый час, я великолепно помню, что вечером повесила их на стул! Вот ты какая!

— Да что я сделала?

— Еще спрашиваешь! Принесла их в свою комнату и бросила!

От удивления я заморгала:

— Зачем бы мне делать такую глупость?

Машка оттопырила нижнюю губу:

— Тебе неймется дочь воспитывать! Небось хочешь, чтобы аккуратно вешала вещи в шкаф!

Я оглядела свой брючный костюм, мирно валяющийся в кресле.

— Знаешь, мне бы и в голову такое не пришло.

— А как джинсы оказались в твоей спальне?

— Понятия не имею.

Не поверив мне, дочь вылетела в коридор, я только вздохнула. Небось сама вчера тут их бросила. Но на следующий день с негодующим криком ко мне влетела Зайка, и сцена повторилась, только теперь возле моего ложа покоились туфли Ольги. Затем количество вещей стало увеличиваться: кофты Манюни, ее перчатки, трусики, колготки и юбка Зайки, рубашки Кеши, его носки... Все оказывалось в куче на ковре возле моей кровати. Каких только прозвищ не надавали мне домашние! Фетишистка — это самое невинное из того, что я слышала от них, когда сын, дочь и Зайка находили свои шмотки у меня. Я пребывала в глубочайшем изумлении и однажды ночью, закрывшись с головой одеялом, устроила засаду.

Представьте мое удивление, когда я увидела, что вещи в комнату складирует Снап. Через месяц мы поняли: ротвейлер органически не может видеть одежду, висящую на стульях. Если кто-нибудь забывался и оставлял болтаться на спинке стула рубашку, через полчаса она оказывалась в моей спальне, на полу у кровати. Отчего Снап выбрал это место в качестве склада, было непонятно. Может, он, считая меня главной хозяйкой, предполагал, что я начну убирать все в шкафы? Надо сказать, он не просчитался. Куча разнокалиберных нарядов на полу раздражала меня, и волей-неволей приходилось развешивать их в гардеробе.

Послышался топот, и Снап прибежал назад. На этот раз он волок мужские брюки, довольно хорошего качества, почти новые, только сильно измятые. Даже странно, что такую приличную вещь выбросили на помойку.

— Немедленно прекрати, — разозлилась я, — лучше гуляй по-быстрому! Тут тебе не Ложкино, а Москва. Возле мусорного контейнера еще не то найтись может.

Снапик взвизгнул и улетел. Я достала сигареты. Ну

Машка, ну придумала! Надо завтра же отправить ее с псами домой.

Земля задрожала под ногами. Это возвращался ротвейлер. Через секунду он бросил к моим ногам рубашку, светло-серую, с короткими рукавами, явно принадлежавшую ранее крупному мужчине. Я возмутилась:

— Ты решил сюда всю помойку перетаскать? Гуляй давай.

Снапун улетел прочь. Банди, вдохновленный примером приятеля, решил тоже порыться в отбросах. Не успела я сделать шага по направлению к кустам, как пит выскочил из зарослей, таща в зубах целую кучку нижнего белья: лифчик, трусики и носки.

Обозленная сверх меры, я дошла до довольно густых зарослей и крикнула:

— Эй, вы, а ну-ка прекратите безобразие.

— Простите, — ответил густой бас.

От неожиданности я чуть было не свалилась наземь. Это кто же из моих собак заговорил по-человечески? Снап? Не успело изумление пройти, как Бандюша выставил из листвы треугольную черную морду и разинул пасть.

— Извините, бога ради, но получилась идиотская ситуация...

Я шагнула назад, зацепилась за какую-то ветку, чуть не упала и промямлила:

— Знаешь, Бандюша, лучше будет, если станешь обращаться ко мне на «ты». Во-первых, мы много лет знакомы, а во-вторых, если откажешься, мне тогда тоже придется обращаться к тебе в форме третьего лица множественного числа, а это, согласись, странно.

— Но я вижу вас в первый раз!

Я возмутилась:

— Знаешь, Банди, конечно, здорово, что ты научился разговаривать, как человек, Манюня придет в телячий восторг, когда ты скажешь ей «здравствуй», но разреши напомнить тебе, что неблагодарность — отвратительное качество. Оно не красит ни людей, ни животных.

Позволь спросить, кто кормил ваше питбульское величество все это время два раза в день? Кто мыл, стриг когти, выгуливал и одевал зимой в теплую попонку, а? Конечно, став первым в мире псом, умеющим болтать, ты загордился, но...

— Извините, — донеслось из кустов, — вы с кем разговариваете?

Я не успела ответить, потому что листва зашевелилась, и появилась фигура обнаженного мужчины.

— Слава богу, — вырвалось из моей груди.

— Почему? — удивился дядька и зябко поежился.

— Я решила, что мой питбуль научился разговаривать. Представьте ужас, приходишь домой, а он бегает вокруг и бурчит: «Сама чай пьешь, бутерброды ешь, дай мне колбаски, дай, дай, дай...»

Мужчина вздрогнул:

— И впрямь кошмар! У меня, правда, кот, но, если он вдруг начнет болтать, я повешусь, мало мне вечно недовольной жены. Кстати, будем знакомы, Реутов Анатолий, менеджер по продажам салона бытовой техники «Аэлита».

И он протянул мне руку.

— Дарья Васильева, — ответила я, — не сочтите меня за снобку, но пожать вашу ладонь не могу, отсюда не дотянусь, а в этих кустах, похоже, есть колючки. Вот если выйдете на дорожку, тогда с удовольствием.

Анатолий хихикнул:

— Не могу.

— Почему?

— Видите ли, я голый!

— Совсем?

— Совершенно.

Я попятилась.

— Простите, но что вы делаете тут, поздним вечером, на пустыре, в кустах, пардон, без трусов? Если вы сексуальный маньяк, то обратились не по адресу. Мне не нравится быть изнасилованной в грязи.

— Тут не грязно, — оскорбился Толя. — И одеяло есть! Но я не маньяк.

— А кто?

— Нормальный мужчина.

— Так чего вы от меня хотите?

— Принесите, пожалуйста, одежду.

— Но сейчас магазины закрыты! Хотя... Какой у вас размер брюк?

— Сорок восемь или пятьдесят.

— Нет, извините, у нас с дочерью сорок четыре, могла бы предложить вам мои джинсы, но они вам явно малы.

— Значит, не принесете одежду?

— С удовольствием бы, но где ее взять?

— Поищите на пустыре.

Я попятилась. Может, Анатолий и не соврал насчет сексуального маньяка, похоже, что он псих, удравший из поднадзорной палаты сумасшедшего дома.

— Ты идиот, — раздался злой голос, и около Толи показалась прехорошенькая девица, тоже обнаженная и дрожащая от холода. На плечи она накинула крохотное одеяльце, в такие пеленают младенцев. Желтая байка не скрывала аппетитную грудь и довольно полные руки.

— Отдайте наши вещи, — сердито произнесла незнакомка, — мы окоченели.

— Но я ничего не брала.

— Ваши собаки утащили.

— Снап и Банди напали на вас и отняли одежду?!!

— Нет, — рявкнула девица, — хватит идиотничать.

— Но я просто не понимаю, как они проделали такое! Впервые слышу, что пит и ротвейлер раздевают людей.

— Небось денег хочешь, — обозлилась девчонка.

— Мы сами сняли с себя брюки и сарафан, — пояснил Толя.

— Но зачем? — изумилась я.

Повисла тишина. Потом наглая девушка отмерла:

— Ты идиотка?

Тут только до меня дошла суть происходящего.

— Секундочку! — заорала я и стремглав бросилась к куче барахла, мирно лежащей на земле.

Значит, ни Снап, ни Банди не рылись в отбросах. Они просто наткнулись на парочку, решившую заняться теплым вечером в кустиках любовью, и ничтоже сумняшеся приволокли мне одежонку амантов[1].

— Большое спасибо, — обрадовался Анатолий, увидав свои брюки, — честно говоря, не хотелось нагишом тут скакать, еще увидит кто!

— Идиот, — прошипела девица.

Очевидно, из всего многообразия существительных она знала только два: идиот и идиотка.

— Идиот, идиот, идиот, — повторяла она, натягивая сарафан, — чтобы еще раз с тобой! Лучше повешусь!

Выпалив последнюю фразу, она выбежала на дорожку и полетела в сторону домов.

— Извините, — пролепетала я, — Снап очень аккуратный, он всегда...

— Ерунда.

— Но вы из-за меня поругались с любимой!

Толя рассмеялся:

— Да я ее первый раз вижу, на вечеринке только что познакомились, даже и не помню, как зовут. Лина, Лика, Лена... Вот что на «Л» — это точно!

— Ага, — забормотала я, — ну-ну, хорошо, то есть плохо...

— Почему?

— А СПИД?

— Выдумки врачей, — заявил Толя и, выйдя на дорожку, протянул мне визитку. — Вот, позвоните, если бытовую технику решите купить, продам с большой скидкой. Только скажите: «Толян, это я, Даша, чьи собаки у тебя штаны слямзили».

Оглушительно смеясь, он в прекрасном настроении двинулся в сторону дворов, не забыв прихватить с собой байковое одеяльце. Я пошла к подъезду. Только не

---

[1] А м а н т — от французского amant, любовник. Часто употребляемое русским дворянством в XIX веке слово сейчас известно только тем, кто преподает или учит иностранный язык.

подумайте, что я осуждаю женщин, которые ложатся с мужчиной сразу же после знакомства. В жизни случается всякое, у меня у самой был случай... Впрочем, стоп, об этой истории рассказывать не стану, просто поверьте, что я не имею морального права осуждать других. Но в кустах, на земле, вблизи пустыря, где хозяева гуляют с собаками, я не согласилась бы ни за какие пряники. Хотя если подумать...

— Ты что так долго? — спросила Маня, отпирая дверь. — Я уж решила, что вас украли.

— Извини, загулялись.

— Больше так не делай, — отчитывала меня Маруся, — вон в газете прочитала: украли женщину, выкуп требовали, письма присылали, отпечатанные на принтере...

Неожиданно в голове зазвенело: выкуп требовали, письма присылали, отпечатанные на принтере! Что странного в этой фразе? Отчего она меня покоробила?

Утром, отправив Манюню в школу, я прошла на кухню и обнаружила на пятиметровом пространстве целую кучу людей. Галя с каменным лицом пристроилась на краешке стола с чашкой чудесно пахнущего кофе «Лавацца Оро», Тина стояла у плиты, старательно протирая горелки. Аллочка, вся красная от негодования, злобно шипела:

— Ну и гадость!

— Что у вас случилось? — полюбопытствовала я. — Очень кофе хочется.

Галя мигом сунула золотую банку с «Лавацца Оро» в шкафчик и выставила на столик помятую жестянку с надписью «Пеле»:

— Пей.

— Спасибо, я не употребляю растворимый, предпочитаю молотый.

— Ишь чего захотела, — рявкнула Галя, — бери, чего дают!

— Галина, — предостерегающе повернула голову Тина, — веди себя прилично!

— Как же! — взвилась Аллочка. — Мы тебе не посторонние люди, родственники, ютимся на полу, вповалку, а эта одна цельную комнату занимает, собак навезла.

— Даша моя сестра, — попыталась сопротивляться Тина.

— Ой, не могу, — заржала Аллочка, — ладно врать-то! А то мы вчера не слышали, как ее девчонка вчерась говорила: «Давай, мама, съедем на другую квартиру!» Жиличка она твоя!

— Между прочим, — влезла в разговор Галя, — жильцы не берут у хозяев кофе. Хочешь утром баловаться, купи сама.

— Она его, кстати, и купила, — вздохнула Тина, опуская тряпку, — а ты, Галина, пьешь без спроса.

Галя побагровела и толкнула чашку. Та, подпрыгнув на блюдце, перевернулась, небольшая лужица черной гущи выплеснулась на клеенку.

— К тебе родственники приехали, — заныла Аллочка, — в кои-то веки собрались в Москву, а попали, блин, в зоопарк. Уж могла бы ты жиличку побоку пустить, а нас поудобней устроить...

— Она тебе за свет платит? — пустилась в бой Галя. — Вчерась до полуночи электричество жгла.

— А сегодня в ванне цельный час просидела, — наябедничала Аллочка, — я чуть не обоссалась, пока эта королевна мылилась!

— И сыр вы от одного куска режете!

— А сахар тоже общий!

— Да она тебя объедает! — взвизгнула Галя и, налив себе чашечку чая, преспокойно откусила от бутерброда, на котором лежала нежная, сочная, купленная мною вчера в супермаркете болонская ветчина.

— А собак-то развела, — всплеснула руками Алла, — жуткие уроды! Вон тот, — она ткнула пальцем в Хуча, — ну прямо кошмар, вечером увидишь, ночью не заснешь!

— Рыжая еще хуже, — брякнула Галя, пиная Розу фон Лапидус Грей, — заявилась и залезла ко мне под одеяло! Безобразие! Собака должна жить во дворе, в будке! Еще мясом кормят!

— Правильно, — одобрила ее Аллочка, — зачем животным мясо, когда людям не хватает! Вон у Федькиных Дик у сарая сидит, сольют ему в миску, чего в тарелках осталось, и хорошо!

Тина, не говоря ни слова, встала и вышла. Я в растерянности топталась у плиты. Безумно хотелось кофе, но оставаться среди злобных баб не было никаких сил. Наверное, надо уйти и заглянуть в забегаловку у метро. И еще, придется искать другую квартиру, а это хлопотно и опасно...

Послышался шорох, потом в кухню заглянула растрепанная, раскрасневшаяся Тина.

— Вещи на лестнице, милости прошу на выход.

Я вздохнула и шагнула в прихожую.

— Ты куда? — удивилась Тина.

— Сама же сказала: сумки за дверью...

— Пей спокойно кофе, это я их шмотки выставила!

— Чего?! — подскочила Галя. — Мы тебе родня!

— Убирайтесь, — рявкнула Тина, — сто лет с вами не встречалась и еще бы столько не видалась! Явились, не запылились!

— Ты... нас... гонишь! — прошипела Аллочка. — Нас, родную кровь!!!

— Да пошли вы на... — гаркнула Тина.

В ту же секунду собаки, до сих пор мирно дремавшие в комнатах, влетели на кухню.

— Заберите их! — заорала Галя.

Я быстренько шмыгнула к себе и легла на кровать, прижимая к груди дрожащих Хучика и Розу фон Лапидус Грей. Очень не люблю и даже боюсь скандалов. Если кто-то затевает откровенную свару, всегда стараюсь побыстрей спрятаться, а уж если война разгорается из-за меня, делается совсем худо.

За закрытой дверью тем временем творилось нечто невообразимое. Там, кажется, летали столы и стулья, слышался женский визг, нервный лай собак, стук, грохот, потом в какофонию вплелся мужской голос:

— Мать вашу, что делаете? Суббота сегодня, дайте отдохнуть! Подняли бедлам, уродки, ща милицию вызову, мать вашу!

Я нервно захихикала. Стоит кому-нибудь послать человека по матушке, как перед моими глазами мигом оживает воспоминание. Вот мы, студенты второго курса языкового вуза, благополучно сдав летнюю сессию, отправились за город, на пикничок. Нашли подходящую полянку, разложили припасы и отправились собирать хворост для костра. В поисках валежника я углубилась в лес и наткнулась на Кольку Рогова, согнутого пополам.

— Тебе плохо? — испугалась я.

Колька помотал головой и сдавленным от хохота голосом произнес:

— Не-а, погляди налево.

Послушно повернув голову, я увидела установленный щит с надписью «Берегите природу, мать вашу!».

Сами понимаете, что валежник рассыпался, а я сама согнулась от смеха рядом с Николаем. Удивительное дело, до чего у некоторых людей отсутствует чувство языка. «Берегите природу, мать вашу!» Ведь небось автор плаката вовсе не собирался ругаться, а хотел призвать охранять посадки.

Дверь в мою комнату распахнулась. Тяжело дышащая Тина возникла на пороге.

— Чего дрожишь? Иди пей свой кофе.

— А эти где?

— Выперла вон.

— Ты из-за меня поругалась с родственниками!

— Забудь, — отмахнулась Тина, — какая это родня? Чужие совсем. Вспомнили про меня, только чтоб за постой не платить! Хватит про них! Завтракай спокойно!

Глава 18

Около полудня я, сжимая в руке купленную только что амбарную книгу и ручку, позвонила в квартиру номер один дома восемь по Рокотовскому проезду.

Высунулась неопрятная тетка в красном засаленном байковом халате. Мой нос тут же уловил запах куриного супа и жареных котлет. Тетка явно никогда не слышала о правильном питании и ничтоже сумняшеся готовила на обед жирный бульон и холестериновое второе.

— Ну и чего? — весьма нелюбезно поинтересовалась хозяйка. — Что надо?

— Я из детской поликлиники, — отчеканила я каменным тоном, — отчего на прививки не ходите? Хозяйка попятилась:

— Откудоть? С поликлиники? Так у нас дитев нетуть.

— Комолов Петр здесь не проживает?

— Не знаю такого.

— Так, — протянула я, задумчиво листая пустую амбарную книгу, — опять в регистратуре напутали! Вот народ! Ничего по-человечески сделать не могут! Где теперь этого Комолова искать? Может, в одиннадцатой квартире?

Тетка почесала сальную голову.

— Сколько лет пацаненку-то?

— Около двух.

— В нашем подъезде таких нет, здеся все взрослые, самый маленький Лешка Лосев, но он уж в школу пошел.

— Точно знаете?

— А то! Всю жисть на одном месте, как в шестьдесят пятом въехали, так и зябнем в халупе! Ступай во второй подъезд.

Я захлопнула книгу и перебралась в другое место. На этот раз дверь распахнул пьяноватый мужик в мятой майке и жутких вытянутых «трениках». Вот уж не думала, что у кого-то в гардеробе сохранилась эта раритетная вещь. Услыхав про детскую поликлинику, парень нахмурился, потом гаркнул во всю глотку, обдав меня густым духом перегара:

— Зинка, поди сюда!

— Чего? — высунулась из комнаты худенькая до прозрачности тетка с бесцветным, каким-то застиранным лицом.

— У нас дите есть?

— Сдурел совсем, — покачала головой Зина, — допился до зеленых соплей и блажишь. Дочь у тебя имеется, пьянь подзаборная, Раиса.

— Не, — икнул мужик и ткнул в меня пальцем, — она про пацана толкует!

— Иди спать, — жена толкнула его в квартиру, потом повернулась ко мне и вздохнула: — Уж простите, из запоя выходит, вот и похож на идиота. А вам кого?

Я повторила песню про детскую поликлинику и Петю Комолова.

— Петя, Петя, — забормотала Зина, теребя вытянутую кофту, — имя-то по нонешним временам редкое, ща больше Денисы да Никиты... На третьем тут Ваня Малышев, на четвертом Лена Ромова, а больше и нет мелких, остальные в школу пошли, да и не слыхивала я ни про какого Петю, и Комоловы вроде как не живут здесь!

— Ну вряд ли вы всех знаете, — протянула я.

— Так дом заводской, — пояснила Зина, — кругом свои, разом въезжали. Знаешь чего, ступай в сто восемьдесят третью квартиру. Там Катя Иванова живет, она тебе точно скажет.

— Да? Почему?

— Катюха в домоуправлении сидит. Раньше она у нас бухгалтером была, а потом всех посокращали, осталась одна Катька за всех: за паспортистку, за деньги, за двор! Уж ежели кто про жильцов правду знает, так это она.

Приободрившись, я побежала в последний подъезд и была очень удивлена. Дверь нужной мне квартиры оказалась железной, у порога лежал щеголеватый половичок, а хозяйка, без всяких вопросов открывшая мне дверь, выглядела вполне ухоженной. Вместо грязного халата на ней был спортивный костюм, волосы аккуратно причесаны, а глаза накрашены. Не успела я раскрыть рот, как из комнаты вышли два роскошных перса и начали, урча, тереться о мои брюки.

— Ой, какие у вас шикарные коты!

— Сейчас уберу, — засуетилась Катя.

— Зачем? Они такие красивые!

— Лезут очень, сейчас все брюки обволосят.

— Ну и что? Выйду во двор и отряхнусь.

— У вас, наверное, тоже кошка есть, — улыбнулась паспортистка.

— Целых две, одна ангорская, другая короткошерстная.

— Ангорка небось не лезет!

— Что вы, — засмеялась я, наглаживая котов, — еще как шерсть теряет, пучками, но нас научили, как с этим бороться. Хотите расскажу?

— Конечно, буду очень благодарна, да вы входите.

Я вошла в маленькую, идеально убранную прихожую.

— Берете пуходерку, такую, какими вычесывают пуделей, и раз в день тщательно обрабатываете кошку, но одновременно обязательно даете пивные дрожжи, можно отечественного производства, они недорогие, и еще покупаете витамины с серой. Дней через десять увидите, что из кошечки ничего не сыпется. Попробуйте, нам помогло. Курс таблеток рассчитан на шестьдесят дней, потом месяц перерыва и опять по новой.

— Спасибо, — улыбнулась Катя, — а вы, простите, кто?

Я выставила амбарную книгу:

— Тут такая история...

Выслушав про Петю Комолова, паспортистка покачала головой:

— Вам Зина правильно сказала: я знаю весь дом, никаких Комоловых у нас нет и не было никогда. В третьем подъезде живут Коловы, но они пожилые люди, наши заводские ветераны. Честно говоря, никакого мальчика по имени Петя и не упомню. Вот Павлик недавно появился, Вера Скляр из семьдесят девятой родила...

— Может, это он? — с надеждой проговорила я.

— Сами же говорили, два года парнишке, а Павлику и трех месяцев нет... Наверное, в вашей регистратуре дом напутали.

Я покачала головой:

— Нет, дом точно этот, а вот квартира... Что же мне делать! Главврач отругает, всю статистику нам ребенок портит! Если не хотят прививать, пусть хоть отказ напишут.

— Слышь, мамуся, — раздался звонкий голос, и в коридорчик высунулась девочка, страшно похожая на мою Машку, такая же крепко сбитая блондиночка с яркими голубыми глазами, — может, это те, что у Свиньи квартиру снимали?

— Лена, — воскликнула мать, — сколько раз тебе говорить...

— Да ладно, мамуся, — отмахнулся подросток. — Свинья она и есть свинья, ее так все зовут, между прочим, за дело. Вот у нее и жила женщина с маленьким мальчиком, еще баба Женя удивлялась, почему она с ним не гуляет? Помнишь? Спросила у этой тетки: «А где, детка, твой сыночек? Неужто весь день в комнате сидит?»

— Да, — пробормотала Катя, — странно, точно, у нее жил мальчик!

— Что странного? — насторожилась я.

— Свинья комнату сдает, — пояснила Лена, — у нас тут рынок рядом, вот и пускает чурок за деньги, азеров всяких.

— Лена! — возмутилась мать. — Так нельзя говорить.

— Ой, мама, — засмеялась девочка, — чурки они и есть чурки.

— Нам, конечно, не очень нравится, что Саня Коростылева комнату торговцам сдает, но сделать ничего не можем, — вздохнула Катя, — не прежние времена. Теперь каждый своей жилплощади хозяин. Я, правда, сигнализировала участковому, но он спросил: «Шумят, мешают?»

— Нет, — ответила Катя, — тихие, словно тени, утром ушли — вечером пришли.

— Ну и что тебе тогда? — удивился участковый.

— Так лица кавказской национальности, — не успокаивалась бдительная Катерина, — терроризм и все такое.

— Ладно, — буркнул недовольный мент, — проверю.

Через пару дней встретив на улице Катю, участковый сердито произнес:

— Делать тебе, Иванова, нечего... А Коростылеву оставь в покое, инвалид она, пенсия копеечная, вот и сдает от нищеты комнаты. Нормальные у ней азеры живут, с рынка, при регистрации, я их знаю, все тип-топ...

— Знает он их! — запоздало возмущалась, глядя на меня женщина. — Да небось сунула Санька ему малую толику, вот времена настали! За деньги люди на все согласны! Точно, был у нее мальчик! Я еще удивилась, вроде приличные люди, мать такая хорошо одетая, нянька, а у Сани жилплощадь сняли! Ступайте во второй подъезд.

Я стремглав понеслась назад, птицей взлетела на пятый этаж и заколотила кулаком в грязную, ободранную дверь без всяких признаков ручки и звонка.

— Слюшай, — раздалось изнутри квартиры, — зачем так торопиться, да? Чего дверь бьешь? Пожар-можар начался, нет?

Послышался тихий щелчок, дверь приотворилась, и на пороге появился молодой парень.

— Ты ко мне, дорогая? — приветливо улыбнулся он. — Арик прислал, да? Торговать хочешь, нет? Регистрацию и санитарную книжку имеешь, да? Откуда сама будешь, Украина, Молдавия, нет?

Потом, окинув меня взглядом, он понял, что ошибся, и быстро сказал:

— Оптом купить хочешь? Проходи, сейчас Арик вернется.

Я покачала головой:

— Саню позовите.

— Извини, дорогая, — ослепительно улыбнулся азербайджанец, — ошиблась ты, тут никакого Сани нет, здесь мы живем.

— Хозяйка отсутствует?

— А-а-а, — протянул парень, — входи тогда, ступай по коридору, в комнате она, спит, только ей лечение надо.

— Какое? — для поддержания разговора поинтересовалась я, по привычке тщательно вытирая туфли о скомканную тряпку, валявшуюся у порога.

— Сама увидишь, — ухмыльнулся торгаш и исчез на кухне.

Я дошла до последней двери. У Коростылевой была самая большая и удобная квартира во всем доме, четырехкомнатная. Когда я жила в Медведково, все население нашей пятиэтажки завидовало счастливым семьям, получившим квартиры в торце дома. По непонятной причине на первом этаже там была стандартная трехкомнатная маломерка, зато на втором и выше располагались четырехкомнатные квартиры. Как это получилось, не понимал никто, самое смешное, что по документам эти апартаменты значились как трехкомнатные. Представьте теперь бурную радость владельцев, когда они, открыв в первый раз свою новую «фатерку», находили там еще одну, «лишнюю» кубатуру, правда, крохотную, метров семь-восемь, не больше, зато с окном.

Я поскреблась в дверь, из комнаты не донеслось ни звука.

— Иди, дорогая, — напутствовал, высунувшись в коридор, азербайджанец, — толкайся смелей, иначе она не проснется.

Я распахнула облупленную дверь и очутилась в комнате. На первый взгляд она казалась пустой, ни одного живого существа и практически никакой мебели. У стены валялся матрас, на котором возвышалась груда скомканных, грязных тряпок, да возле окна стояла жуткого вида колченогая табуретка, прикрытая рваной газетой. С потолка свисали две серо-бурые тряпки, служившие занавесками, а на полу мотались клубки пыли и обрывки газет. Я уже хотела выйти, как куча зашевелилась, а из ее глубины раздалось хриплое:

— Чего надо?

— Вы Саня?

Куча села, закашлялась, я увидела щуплую женщину со всклокоченными, никогда не мытыми волосами. Сразу стало понятно, отчего соседи дали ей прозвище Свинья. Во-первых, дама была чудовищно неаккуратна, небось ходила в душ два раза в год, на Рождество и Пасху, а во-вторых, ее лицо страшно напоминало морду пьяной хрюшки, хотя я, честно говоря, сомневаюсь в способности поросенка допиться, извините за тавтологию, до поросячьего визга.

Маленькие, хитровато-злые глазки прятались под опухшими веками, курносый нос, расплывшийся между одутловатыми щеками, напоминал пятачок. Раскрыв тонкогубый рот, небесное создание громко рыгнуло, потом отчаянно поскребло голову и просипело:

— Ну, чего разбудила? Не видишь, заболела я.

— Комнату у вас снять хотела.

— Сто рублей в день, — икнула хозяйка, — жратва твоя, пойдет?

— Мне бы посмотреть жилплощадь.

Из груды тряпок высунулась сначала одна тощая, похожая на палку нога, через мгновение показалась другая. Саня попыталась встать на ноги с черными слоящимися ногтями на ступнях, но потерпела неудачу. После трех бесплодных попыток она заорала:

— Арсен!

В комнату всунулся азербайджанец.

— Проснулась?

— Дай пива.

Через пару минут, выдув одним духом бутылку «Клинского», хозяйка, пошатываясь, довела меня до комнаты и толкнула дверь:

— Любуйся.

Здесь «пейзаж» выглядел чуть лучше, чем в ее «све-телке». Старая софа, вроде той, на которой я сейчас сплю, была прикрыта вытертым ковром, еще имелись три сту-ла, продавленное кресло и колченогий стол под вытер-той клеенкой.

— Ну чего? — поинтересовалась ожившая хозяй-ка. — Идет? Можешь прям щас вселяться, только день-ги вперед.

Я вытащила из кошелька сотню. Саня, не скрывая радости, выхватила бумажку.

— Лады, ключ возьмешь у двери на гвоздике, толь-ко не кури, я пожару боюсь.

— Деньги берешь и курить запрещаешь, — изобра-зила я возмущение, — вот Аньке разрешила.

— Кому? — удивилась Свинья. — Какой такой Аньке?

— Так подруге моей, она тут у тебя комнату недавно снимала.

— Не, — помотала головой Саня, — не было такой.

— С ребенком Петей.

— А-а-а-а, — протянула хозяйка, — точно, жила од-на, с мальцом. Эх, здорово вышло!

— Чего здорово?

— Так всю хату сняла, зараз, богатая, видать! — за-хихикала Свинья. — Целый месяц тут сидела. Только ее не Анькой кликали.

— А как?

Саня прищурилась:

— Тебе зачем?

— Просто интересно.

— Врешь.

Я вытащила еще сто рублей.

— Расскажи про жиличку. Припомнишь чего, сразу полтыщи получишь.

— Покажи деньги, — деловито осведомилась Свинья.

Я помахала перед ее носом купюрой.

— Дай проверю, может, фальшивая, — жадно попросила Саня.

— Э, дорогая, не надо считать всех глупее себя, — засмеялась я, — сначала стулья, потом деньги.

— Какие стулья? — не поняла Саня, скорей всего, не прочитавшая за всю жизнь ни одной книги.

— Не забивай себе голову ерундой, лучше рассказывай.

Свинья плюхнулась на софу, я, поколебавшись, пристроилась на краешке стула.

— Говорить-то нечего, — пожала плечами хозяйка, — ну пришла тетка...

— Кто ее прислал?

— Да хрен разберет! Тебя кто прислал? Сама явилась, в дверь позвонила.

В тот день Саня оказалась трезвой, вернее, ее крутило жестокое похмелье, а денег на вожделенную бутылку не было. Иногда жильцы из жалости угощали хозяйку, но, как назло, все комнаты стояли пустые. Следовало собраться с духом, умыться и пойти на рынок, чтобы поискать на прилавках картонку с надписью «Ищу жилье», но плохо слушавшиеся ноги подгибались, руки тряслись, а голова гудела с такой силой, что, когда раздался звонок в дверь, Саня сначала подумала, будто трещит в ее воспаленных мозгах. Но потом она сообразила, откуда идет звук, и распахнула дверь. В квартиру вошла молодая, хорошо одетая женщина, распространявшая аромат духов.

— Это вы сдаете комнаты? — брезгливо поморщилась она.

— Точно, — обрадованно закричала Саня, — деньги вперед.

Собственно говоря, это все, что она помнит.

— Как? — удивилась я. — Имя назови, фамилию.

Свинья горестно развела руками.

— Не знаю.

— Совсем? Ты паспорт посмотрела?

— Нет.

— Почему?

Хотя это глупый вопрос, нажралась и заснула.

— Не поглядела, — бубнила Саня, — да и зачем? Я только у черных документы требую, чтобы милиция не прицепилась, а эта, сразу видно, москвичка, обеспеченная, добрая... Она мне каждый день бутылку ставила, да не самопал или бормотуху какую, кристалловскую притаскивала...

Ясное дело, аферистка подсовывала пьянчуре алкоголь, чтобы та накушалась и заснула, не задавая лишних вопросов.

— Считай, цельный месяц в шоколаде провела, каталась словно сыр в масле, — тяжело вздохнула Саня, — а потом они съехали, и все, кончилась малина, опять пришлось азеров пускать, хотя Арсен ничего, не жадится, не то что Ибрагим, тот...

— Ну-ка, вспоминай, как выглядела женщина?

Саня хихикнула:

— Прям цирк. Вечером смотрю, молодая, беленькая, днем она темная и старше, даже голос менялся. То колокольчиком звенит, то низко заводит.

Так, их тут жило двое. Впрочем, говорила же дочка Кати Ивановой про какую-то няньку.

— Мальчишка у них тихий был, — неожиданно сообщила Саня, — вначале-то я и не знала, что они с ребенком. Другой шуметь начнет, плакать, а этот ровно таракан, без звука, небось больной. Я только тогда сообразила, что она с дитем, когда бельишко в ванной увидела.

— Значит, даже имени не вспомнишь?

Саня рыгнула:

— Не-а, совсем из ума вон.

Я внимательно посмотрела на алкоголичку. Похоже, милая, у тебя ума нет совсем, уникальный случай в медицине, существо без мозга. Зачем Сане голова? Только для того, чтобы пить через рот.

Глава 19

Выйдя на улицу, я наткнулась на Катю, энергично размахивающую метлой.

— Вы прямо на все руки мастер!

— Я и лошадь, я и бык, я и баба, и мужик, — грустно улыбнулась женщина. — Муж ушел, алименты не платит, а Леночку надо на ноги ставить, рисует она хорошо, в художественную школу ходит, только теперь все платное. Тысячу рублей в месяц хотят, опять же бумага, краски, кисти... Вот и хватаюсь за любую работу. Утром двор уберу, днем в домоуправлении сижу, вечером подъезды мою. Жить-то надо. Вот сегодня припозднилась, потому как выходной.

И она споро принялась сгребать опавшие листья.

Внезапно меня кольнула острая жалость. Сколько еще таких женщин, милых, работящих, честных, тянущих на своих плечах никому не нужных, кроме них, детей, работают сегодня в Москве? Стоят у станка, мерзнут на улице возле прилавков, читают лекции в институтах и лечат больных... Не жалуются, не стонут, не плачут, просто трудятся, откладывая копейки на учебу и отдых для ребенка.

— Ну, нашли мальчика? — поинтересовалась Катя.

— Нет, они съехали, — вздохнула я. — Эта Саня ничего не помнит, алкогольная амнезия.

— Да уж, — вздохнула Катя, — зашибает она крепко, иной раз страх глядеть, когда по двору идет. Видите, вон там, у песочницы, девушка сидит? Нина Водопьянова зовут, с ней потолкуйте. Она соседка Коростылевой, дверь в дверь живут, может, слышала чего. Только лучше сразу ей скажите правду, а то неловко получится.

— Какую правду? — насторожилась я.

Катя улыбнулась:

— Нина медсестрой работает, и как раз в детской поликлинике. Наш дом — ее участок, соврете ей про прививку, сразу не поверит. Ей лучше прямо сказать, откуда вы.

— И откуда? — оторопела я.

Катя усмехнулась:

— Да ладно вам, мой бывший тоже в милиции работал, в ГАИ, так тогда ГИБДД называлась. Спился потом, зря люди много денег совали. Если кто и слышал что про эту женщину с мальчиком, так это Нина, у нас в доме стены из бумаги. Андрей Владимирович из сто восемьдесят второй чихнет, моя Лена ему «будьте здоровы» кричит.

— Ловко вы меня вычислили, — пробормотала я. — Думала, хорошо прикинулась.

Катя снова взялась за метлу.

— Так приличная женщина у Свиньи комнату снимать не станет! Ясно, что дело нечисто.

— Спасибо, — буркнула я и пошла к песочнице.

В деревянном загончике копошился перемазанный с ног до головы абсолютно счастливый ребенок.

Желая расположить к себе молодую мать, я лицемерно воскликнула:

— Какой у вас симпатичный мальчик, утютюшечки, просто пусик!

Нина откинула со лба красиво блестевшие на солнце русые волосы.

— Это девочка, Алиса.

— Извините...

— Ерунда.

— Очень хорошенькая у вас дочка, — завела я по новой, — сразу видно, что любимая.

— Это не моя, — засмеялась Нина, — я работаю медсестрой в детской поликлинике, а по выходным няней подрабатываю. Люди хотят на рынок съездить, а дите куда? Вот и ведут ко мне. Сегодня-то только одна Алиса, обычно их тут штук пять. Наверное, тоже договориться хотите? Вы из какой квартиры будете? Вроде не знаю вас.

— Ниночка, — осторожно начала я, — меня к вам отправила Катя Иванова.

Девушка обернулась. Катя весело помахала ей рукой.

— Что случилось? — испуганно спросила Нина и резко покраснела.

Сразу стало понятно, что ей еще нет и двадцати пяти.

— Ничего особенного, детка, не волнуйся, я из милиции.

Нина побледнела и быстро сказала:

— Это все неправда.

— Что?

— Ну то, что Катя наболтала. Мой Сережа никогда не сидел, он на Севере работал, просто у него вид такой. Мы через две недели в ЗАГС идем, свадьба у нас. Я его потом сразу и пропишу.

— Поздравляю тебя, детка, свадьба — это замечательно, только ты зря на Иванову обижаешься, ничего она про твоего жениха не говорила плохого.

— Да? — недоверчиво спросила Нина. — В чем дело-то тогда?

— Ты соседствуешь с Саней Коростылевой?

— Да, мы со Свиньей дверь в дверь живем, — по-прежнему настороженно ответила девушка, — не повезло мне.

— Почему?

— Еще спрашиваете! Вечно к ней торгаши с сумищами шляются, грязь жуткая, из-под двери ее квартиры тараканы бегут, громадные, прямо как мыши. Еще напьется и орать начинает, стены у нас тонкие. Колочу ей, колочу, кричу: «Прекрати, Саня, мне завтра к восьми на работу», но ей все по фигу.

— А ты пожалуйся участковому, он и велит съемщикам съезжать, раз буянят.

— Нашему Владимиру Филипповичу все тоже по фигу, — вздохнула Нина, — впрочем, жильцы как раз тихие, Саня сама хороводит. Нажрется и готова на подвиг. Жаль, теперь таких на сто первый километр не отселяют.

— И что, у нее только люди с рынка живут?

— Ага, — ответила Нина и крикнула: — Алиска, не ешь песок, он грязный.

— Ни разу приличные жильцы не появлялись?

— Была женщина с ребенком, — сказала Нина, — недавно съехала.

— Ты ее видела?

— Мать нет, только няньку, Ритой звали.

— Ниночка, — ласково произнесла я, — органы внутренних дел очень интересует эта дама с мальчиком. Будь добра, припомни мельчайшие подробности о них.

Девушка, сообразив наконец, что ее Сережа никому не нужен, порозовела и охотно затараторила:

— Мне бы и знакомиться с ними не с руки, да случай вышел.

— Какой?

Ниночка вскочила, вытащила из песочницы девочку, шлепнула ту по попке и с чувством произнесла:

— От детей одна беда, то лезут везде, то болеют.

Честно говоря, у меня было иное мнение на этот счет, но, чтобы вызвать девушку на откровенность, я кивнула:

— Это точно.

— Мы с Сережей сразу спиногрызами обзаводиться не станем, надо и для себя пожить!

— Правильно.

Встретив полное понимание со стороны незнакомой женщины, Ниночка приободрилась и принялась рассказывать.

К ней в дверь позвонили ночью. Нина не удивилась. Жильцы пятиэтажки считали ее врачом и в случае необходимости ломились в квартиру, не глядя на часы. К слову сказать, Нина, девушка ласковая, хорошо воспитанная, никому не отказывала. Она могла ловко сделать укол, померить давление и определить, следует ли вызывать к больному «Скорую помощь».

Надев халат, Нина распахнула дверь и обнаружила на пороге абсолютно незнакомую девушку тоже в неглиже.

— Простите, — пробормотала та, — у хозяйки телефон отключили за неуплату, а мне позвонить надо, ребенок заболел.

Нина окинула незнакомку любопытным взглядом, значит, это новая жиличка Свиньи.

— Проходи.

Девушка принялась набирать номер. Через две минуты она протянула:

— Мобильный отключен.

— Доктору звонишь?

— Нет, маме Пети, я няня.

— Что с ребенком-то? — поинтересовалась Нина. — Может, помогу?

— Да понос у него, — всхлипнула нянька, — прямо вода льет! Третий час на горшке сидит.

— Съел чего? — деловито осведомилась Нина. — На ужин сосиски давала? Или, может, колбасу?

— Да нет, — пробормотала девушка, — он инжир поел, первый раз попробовал. Так понравился! Целую тарелку умел и кружечку молока.

— Ага, — понимающе кивнула медсестра, — целую тарелку инжира! И сколько там штук было?

— Восемь.

— Ясное дело, теперь дристать станет, — вздохнула Нина. — Экая ты глупая. Разве можно маленькому ребенку столько давать! Кто тебя надоумил ему инжир купить?

— Себе взяла, — горестно вздохнула нянька, — а он попросил, я думала, худа не будет.

— Ладно, не переживай, — махнула рукой Нинуша и пошла рыться в аптечке.

Вот так они и познакомились и даже вроде подружились. Риточка, так звали няньку, уложив Петю в кровать, прибегала к Нине попить чайку. Стены в доме никакие, сердитый плач проснувшегося ребенка был бы хорошо слышен у Водопьяновых, поэтому Рита спокойно лопала вафельный торт, без всякого стеснения рассказывая о себе.

Она оказалась на семь лет младше Нины, училась на втором курсе медицинского училища, хотела хорошо одеваться, покупать косметику, духи, обувь и поэтому решила подработать нянькой. Получала Рита двадцать долларов за ночь и была очень довольна.

— Как же ты ухитряешься совмещать работу с учебой? — поинтересовалась Нина. — У вас ведь небось практика в больнице есть? Пропускать-то нельзя!

Рита довольно засмеялась:

— Ну мне повезло. С Петей только по ночам надо сидеть. Я прихожу к восьми, ужином его кормлю, и все. Мальчик тихий-тихий, сонный какой-то. Суну его в кроватку, и готово, можно отдыхать. Утром около полудня мать приезжает, а я на занятия бегу. Ловко, да?

— Кем же она работает? — удивилась Нина.

— Мне без разницы, — ответила Рита, — лишь бы деньги платила!

Один раз она пригласила Нину к себе, очевидно, решила, что неудобно без конца ходить в гости. Медсестра увидела Петю и вздохнула. Глупая маленькая Риточка решила, что ребенок тихий, но, на взгляд Нины, он был больным: бледный, апатичный мальчик с синими кругами под глазами молча сидел на стульчике, иногда перебирая пластмассовую пирамидку. Нормальные дети так себя не ведут.

Потом Рита пришла в неурочный час, спросив:

— Ты моих не видела?

— Кого?

— Ну Петю с матерью.

— Нет, конечно, — ответила Нина, — а что?

— Да вот, — недоуменно пробормотала девчонка. — Я пришла, а никого нет!

— У хозяйки спроси, — предложила Нина.

— Так она спит.

— Растолкай.

Рита убежала и вернулась через час грустная:

— Ну, все! Съехали они.

— Куда?

— Не сказали, да и какая разница, не нужна я им больше.

— Деньги не заплатили! — всплеснула руками Водопьянова.

— Она со мной каждый день расплачивалась, — пояснила Рита, — эх, где бы теперь работу найти! Слушай, запиши мой телефон, вдруг кто няньку искать станет!

— У нас дом бедный, людям не по карману платить.

— Ну, Нинок, — заныла Рита, — видишь, как со мной поступили, вышвырнули, словно тряпку. Ты же в поликлинике сидишь, у вас там мамаши стаями роятся.

Чтобы настырная девица отвязалась, Нина записала телефон. Расстались они почти подругами. Но Нина ни разу не позвонила девушке.

— А она к вам больше не обращалась? — удивилась я.

Медсестра хихикнула:

— Не-а.

— Странно. Мне казалось, что Рита должна названивать каждый день и осведомляться по поводу работы.

Нина снова встала, подняла упавшую носом в песок Алису и пояснила:

— Я неправильный телефон ей дала. Вот и трезвонит кому-то зря.

— А ее номер не выбросила?

— Нет, на календаре записан.

— Сделай милость, сходи за ним, а я пока за Алисой пригляжу.

Получив узкую полоску бумаги, явно оторванную от старой газеты, я пошла в сторону метро, где в подземных переходах стоят таксофоны. Вошла в один и набрала номер.

Трубку схватили сразу, словно кто-то ждал звонка.

— Алло, — прокричал детский голосок, — вам кого?

— Позови Риту.

— Она на занятиях, — разочарованно протянул ребенок.

— Когда вернется?

— В полседьмого, если не задержится.

— Вот что, детка, передай ей, обращалась клиентка от Нины Водопьяновой, хочет пригласить ее к себе няней поработать. Пусть сегодня никуда не уходит, позвоню в девятнадцать ноль-ноль.

— Ладно, — буркнуло дитя и отсоединилось.

Я пошла в подземку. Поеду домой, лягу на продавленную софу и попытаюсь систематизировать полученные сведения.

Глава 20

В крохотной квартирке Тины меня встретили только собаки. Начались бурные приветствия, перешедшие в разборки. Торопясь облизать хозяйку, Хучик ненароком задел артритные лапы Черри, и теперь престарелая пуделиха сидела у входа в кухню, оглушительно повизгивая.

— Перестань, — велела я, — тебе совсем не больно.

Поняв, что не вызвала у меня жалости, Черри на секунду замолчала, а потом накинулась на Хуча, клацая зубами. Мопс понесся в маленькую комнату и попытался поднырнуть под софу, но жирненькое тельце застряло. Пуделиха принялась яростно тыкать в Хуча носом.

Я прошла на кухню. Черри стареет и становится отвратительно сердитой. Сейчас Хучику мало не покажется, но вмешиваться в их отношения я не стану, не съест же она его!

Выпив кофе, я включила стиральную машину. В небогатой квартире Тины это была единственная бытовая техника: новенькая автоматическая «Канди».

Ни тостера, ни ростера, ни сокодавки, ни СВЧ-печки, а уж тем более электрической открывалки для консервных банок или ножеточки тут не имелось и в помине.

В первый же день моего появления в квартире Тина торжественно протянула небольшую книжечку:

— Вот, изучи, руководство по эксплуатации «Канди». Включай аккуратно, не дай бог, сломаешь, я на нее три года собирала.

«Прачка» равномерно загудела, я пошла в свою комнату, обнаружила, что Черри по-прежнему злится на Хуча, и приказала:

— Хватит, иди, спи себе спокойно!

Пуделиха, продолжая ворчать, отправилась в большую комнату, но тут, на ее несчастье, из-под стола выскочила Роза фон Лапидус Грей. Собачка увидела, что я легла на софу, и поторопилась занять сладкое местечко возле моего лица.

Произошло столкновение. Черри взвыла и попыталась тяпнуть Розу. Та в отличие от меланхоличного Хучика не осталась в долгу и принялась яростно налетать на пуделиху, явно желая цапнуть ту за длинные свисающие уши. Банди, решив принять участие в игре, залаял.

— Прекратите, — велела я, — никакого покоя.

Троица замолчала, зато ожил Снап:

— Гав.

— Перестань.

— Гав, гав.

Дзынь, дзынь — раздалось из прихожей.

Ротвейлер укоризненно глянул на меня, словно говоря: «Лаял, лаял, а ты даже не встала».

Смирившись с тем, что спокойно подумать не получится, я распахнула дверь, ожидая увидеть Машку, и чуть не вскрикнула. На лестнице стоял молодой парень, круглощекий и пухлогубый, одетый в милицейскую форму.

Я отступила в глубь прихожей. Ну и дурака я сваляла! Сегодня же суббота, и сразу после школы Манюня поедет в Ветеринарную академию. Жизнь в Ложкино сделала меня беспечной. Наш дом находится на охраняемой территории, и я открываю дверь, не глядя в видеофон.

— Вам кого? — пролепетала я.

— Валентину Яковлевну Нефедову, — суровым голосом заявил паренек.

По виду ему едва-едва исполнилось четырнадцать. Круглое безусое личико, торчащие, словно ручки у кастрюли, уши и страшно серьезная мина.

— А вы кто?

— Участковый, — отрезал юноша, потом помолчал и добавил: — Новый, Андрей Иванович, прежний ваш, на пенсию ушел.

В голове мигом созрело решение.

— Валентина Нефедова — это я.

— Паспорт покажите!

Не приглашая его в прихожую, я сбегала на кухню, вытащила из ящичка красную книжечку и сунула ребенку в форме под нос.

— Смотрите.

— Это вы?

— Конечно.

— Чегой-то фото не похоже, тут светленькая такая и молодая...

— Волосы я покрасила, а насчет возраста... Вы хотите меня обидеть? Снимок и впрямь сделан давно, но ведь и паспорт мне выдали не вчера. Собственно говоря, в чем дело?

— Зайти можно?

— У вас есть ордер?

— Нет.

— Тогда стойте, где стоите, — осмелела я, — и быстро объясните, по какой причине не даете человеку отдохнуть в его законный выходной.

— Жалоба на вас поступила от соседей.

— Да? И какая?

— Жильцов у себя поселили без прописки, с собаками, бегают по двору, гадят!

— Кто? Жильцы? Глупей ничего не придумали? В квартире есть туалет!

— Нет, — оскорбился мент, — псы справляют естественные надобности.

— У меня нет жильцов, родственники в гости приезжают, но они москвичи, и после одиннадцати никто не шумит.

— Собаки...

— Ходят на пустырь!

— Положено на площадку выводить, есть специально оборудованное место.

— И где оно?

— Между гаражами.

— Извините, не поняла.

— От метро влево, — принялся растолковывать страж порядка.

Поняв, что мне предлагается уходить со стаей за пять километров, я возмутилась.

— И как, по-вашему, я объясню животным, что нужно терпеть до этой площадки?

— Это не мое дело, — пожал плечами участковый. — Собаки портят экологию, они загрязняют город!

— С ума сойти! У метро сейчас сидит коллектив бомжей, грязных, вшивых и, скорей всего, туберкулезных. Они, по-твоему, лучше моих чистых и привитых животных?

Мент начал переминаться с ноги на ногу.

— А машины? — неслась я дальше. — Давай запретим ими пользоваться, вот от них-то самая грязь!

— Автомобиль полезная штука, — заявил дурачок, — а собака укусить может!

Я прищурилась.

— Машина запросто тебя задавит! Кстати, ножом элементарно можно зарезать, веревкой удавить, вилкой заколоть, а спичкой поджечь... Давай пользоваться всеми этими предметами в специально отведенных местах. Надо хлеб порезать, бегом в ножевую, требуется вилка — скачи в вилочную, за веревкой в веревочную, правда, неясно, как жить, ну да это ерунда.

— Издеваетесь, да? — протянул мальчонка. — Я-то чем виноватый? Мое дело сигнал проверить и отреагировать. Сам понимаю, что ерунда, видно, что вы женщина положительная, только мне за смешную зарплату всякой дрянью приходится заниматься!

Он перевел дух и добавил:

— А собаки у вас не злые, хоть и страхолюдские. Мне вон та больше всех нравится, кучерявенькая.

И он наклонился, чтобы потрепать Черри по голове.

К сожалению, собаки, как и люди, с возрастом не

делаются моложе. Годам к десяти на друзей человека набрасываются болячки. Наша пуделиха обзавелась целым букетом заболеваний, по счастью, нетяжелых, но довольно неприятных. Ее замучил артрит, началась катаракта, и иногда ни с того ни с сего бьет кашель. Когда, примерно полгода тому назад, мы заметили, что Черри как-то странно ходит, всеми лапами в разные стороны, то не на шутку перепугались и вызвали Дениса. Наш ветеринар тут же прописал ноотропил, и теперь каждый вечер у нас начинается представление под названием «Дай пуделю лекарство». Став больной, Черрепета не растеряла сообразительности, ей не нравится глотать желатиновые капсулы, поэтому она при виде домашних с красно-белой коробочкой в руках предпочитает исчезнуть. Для меня остается загадкой, каким образом полуслепая собака видит, что я держу упаковку ноотропила? Но факт остается фактом, пуделица исчезает, как дым, едва в моих руках оказывается капсула. Впрочем, если Черри все же поймать, она изо всех сил стискивает зубы и изображает из себя партизанку на допросе.

Но лекарство помогло. Собака вновь обрела твердость походки и определенную бойкость, одна беда, наша ласковая Черри стала сердитой, а по отношению к посторонним даже суровой, и еще недели две назад у нее заболели уши, и она не переносит, если кто-то их касается.

— Не трогай! — выкрикнула я.

Но милиционер уже опустил руку на голову Черри и, естественно, задел ухо. Не издав ни звука, словно крокодилица, вышедшая теплой лунной ночью на охоту, пуделиха клацнула зубами и принялась рвать брюки участкового.

Андрей Иванович, забыв, что является солидным человеком при исполнении служебного задания, совершенно по-бабьи завизжал. Снап, решивший, что ему предлагается новая, захватывающая игра, взвыл от восторга и вцепился во вторую форменную брючину. Я бросилась оттаскивать псов, но не рассчитала ширины прихожей и сбила вешалку. Деревяшка, украшенная стальными крючками, рухнула вниз и пребольно стукнула Черри. Пуделиха, очевидно, решила, что враг нанес ей очередной удар, и еще сильней заработала зубами. Испуганный паренек рванулся в квартиру, я попятилась. Участковый споткнулся о вешалку и шлепнулся сверху. Черри испытала восторг и утроила усилия. Хучик, оказавшийся в самом низу, заверещал от обиды. Альма, нежно любящая мопса и чувствующая себя хозяйкой, пришла в полное негодование и наступила когтистой лапой на голову бедного участкового. Андрей Иванович испустил жуткий вопль.

Лучше бы он этого не делал, потому что Банди, преспокойно наблюдавший за происходящим, перепугался. Наш питбуль до потери пульса боится резких, внезапных звуков.

Раздалось журчание. Почувствовав сквозь остатки брюк лужу, Андрей Иванович вновь заорал. Я, беспомощно размахивая руками, отпихивала от него собак.

— Нет, это что за дрянь получается, — раздался пьяноватый мужской голос, — выходной, людям отдохнуть охота, а вы тут драку затеяли!

Неожиданно собаки бросили свою жертву и унеслись в комнату.

— Безобразие, — орал дядька, покачиваясь, — ща милицию позову!

Андрей Иванович кое-как сел, выудил из груды поваленных вместе с вешалкой вещей фуражку, нацепил ее на себя и сердито сказал:

— Не блажи, милиция уже тут!

Недовольный шумом сосед мигом захлопнул рот с черными обломанными зубами и пробормотал:

— Ага, ясненько, извиняйте тогда, думал, смертоубивство идет, народ мебелью бьется.

— Ступайте по месту прописки, — рявкнул участковый, вставая на ноги.

Сосед разинул рот да так и ушел, покачивая головой. Я едва сдержала смешок. Паренек выглядел колоритно. Сверху как настоящий милиционер: фуражка, рубашка, галстук и китель. Правда, все измятое, а самовяз разболтался, ну да это ерунда по сравнению с тем, как выглядит нижняя часть.

Если сказать честно, от брюк ничего не осталось. Вернее, еще десять минут назад выглядевшие безукоризненно вычищенными и отглаженными, сейчас они напоминали удлиненные шорты, такие, в каких любят ходить подростки, неровно обрезанные на уровне колен. Зато ботинки участкового из тяжелой, плохо гнущейся кожи выглядели великолепно, сверкали словно лакированный паркет. Очевидно, Андрей Иванович аккуратный мальчик и тщательно чистит обувь перед выходом из дома.

— Это что же такое, а? — растерянно спросил он. — Как же мне теперь на улицу?

Я боролась с приступом некстати навалившегося смеха. Действительно, при фуражке и в «бермудах», не солидно как-то!

— Делать что? — вопрошал участковый.

Скорей всего, он приятный, незлобивый, хорошо воспитанный мальчик, не орет, не размахивает табельным оружием, не обещает посадить меня, а тихо расстраивается. И как только такой оказался в районном отделении!

— Ты какой размер носишь?

— Ну, сорок шесть.

— Иди в ванную.

— Зачем?

— Давай, давай, — велела я и пошла в комнату.

Через десять минут Андрей Иванович, облаченный в Манюшкины джинсы и мою футболку, пил кофе на кухне. Если в брюки он влез молча, то от первой предложенной маечки, белой в розовый цветочек, отказался наотрез.

— Не-а, такое не надену, буду как голубой выглядеть.

Я не стала настаивать и быстренько притащила черную тишортку с белой надписью.

— Эта сойдет, — повеселел Андрей Иванович.

Потом, слегка покраснев, участковый принял в дар энную сумму на новые брюки и расслабился.

— Тебе сколько лет? — не утерпела я.

— Двадцать, — ответил Андрей Иванович, засовывая в рот конфету. — После армии пришел, хотел в институт поступить, да срезался. Вот, двинул пока в милицию, ничего хорошего, собачья работа. Да вы наплюйте на соседей, тут не дом, а, извините, помойка, вечно друг на друга кляузничают. Кто по субботам ремонт делает, кто жильцов пустил, кто стену в квартире снес. Чуть что, мигом ко мне, надоели до жути.

Я обратила внимание на то, что стиральная машина завершила цикл, и встала: нужно открыть дверцу. Полежит в барабане мокрое, потом не разгладишь, а домработницы у меня тут нет, придется самой водить утюгом по скомканным тряпкам.

Андрей Иванович, окончательно расслабившись, наслаждался вкусным, сваренным кофе и по-детски откровенно рассказывал о тяготах своей работы. Я слушала краем уха. Руки встряхивали белье и развешивали его на веревках, мозг не переставал удивляться. Ну кто взял это незлобивое, чуть глуповатое существо на должность участкового? Неужели у нашей милиции настолько остро стоит кадровый вопрос? Да Андрей Иванович походит на борца с преступностью, как я на спортсмена-штангиста.

— Ой, на пол сыплете, — заботливо воскликнул парень.

Я глянула на протертый линолеум и обомлела. Из выстиранной футболки дождем сыпались банкноты — зеленые доллары и разноцветные рубли.

— Это что? — изумленным голосом пробормотал юноша.

Я постаралась взять себя в руки. Что, что! Свидетельство моей крайней забывчивости! Все сомневалась, куда сунуть «золотой запас», носилась по крохотной квартирке с пакетом денег, взятых из банка, а потом, решив, что это самое надежное место, сунула «кассу» в барабан «Канди». Потом, естественно, забыла, да и как все упомнить, если голова занята решением важных задач, и включила стирку, хорошо хоть без кипячения!

— Это деньги, я их отмываю, в том смысле, что просто стираю порошком.

Брови Андрея Ивановича подползли к челке.

— Зачем?

Я тяжело вздохнула и пустилась в объяснения:

— Понимаешь, на квартиру собираю, жить в халупе надоело.

— Ну?

— Прячу банкноты в мешочек...

— Ну?

Я притормозила. Сказать ему, что сунула его в «прачку» и забыла? Ну уж нет, совсем неохота выглядеть полной дурой.

— Грязные они очень, а я брезгливая, вот и постирала очередную партию.

— Ну?!

— Нравится мне, когда кубышечка набита чистыми ассигнациями, ясно?

— Ага, — кивнул парень, — давайте развесим их на веревочке, а то они все скомканные, как из задницы.

Мы потратили с полчаса, устраивая рубли с долларами, и, когда кухня стала похожа на ярмарочную площадь, украшенную разноцветными флажками, расстались, крайне довольные друг другом.

Закрыв за Андреем Ивановичем дверь, я пошла в свою комнату. Бедный участковый, пережить столько стрессов. Сначала угодить под злые зубы Черри, потом обнаружить напрочь порванные брюки и в довершение всего помочь полоумной тетке развешивать для просушки купюры. Еще хорошо, что милейший Андрей Иванович не обучен языкам и не знает, что написано на спине у выбранной им футболки. Надеюсь, среди его окружения нет тех, кто свободно владеет французским, и никто не переведет парнишке надпись.

Право же, она звучит слегка фривольно: «Я люблю анальный секс». Ей-богу, не знаю, откуда она у нас взялась и отчего Зайка сунула сию вещичну в мою сумку.

Глава 21

Рита моментально схватила трубку:

— Да, слушаю, говорите!

— Мне ваш телефон дала...

— Да, да, понимаю, могу прямо сейчас начать работать, только скажите, куда ехать?

Я посмотрела на часы.

— Кафе «Манеръ», в двадцать ноль-ноль.

— Это где?

— Торговый комплекс «Охотный Ряд», верхний уровень.

— Уже бегу! — закричала Риточка.

В своем любимом кафе я заказала чай и кусочек творожного торта. Когда официантка Алена стала молча расставлять заказанное на столе, я лишний раз порадовалась. Обычно при виде меня Алена расцветает улыбкой и заговорщицки шепчет:

— Салат из копченой грудки индейки удался лучше некуда, возьмите, не пожалеете.

Но сейчас она вежливо, но равнодушно обслуживала неизвестную ей брюнетку. Все-таки у меня талант к перевоплощению, ловко загримировалась!

Няньку я вычислила сразу. Слишком крикливо одетая девчонка с ярко накрашенными губами влетела в элегантно обставленный «Манеръ» и забегала глазами по столикам.

— Рита, — помахала я рукой.

Девица подлетела, плюхнулась на стул и, чрезмерно «акая», сказала:

— Здрасти.

— Будете кофе или чай?

Риточка огляделась и спросила:

— А мороженое можно?

Я поманила Алену. Та подала няньке меню. Риточка минуты две изучала толстые картонные страницы, потом деловито осведомилась:

— Платит кто?

— Я вас угощаю.

— Тогда это, — ткнула Рита пальцем с пронзительно-фиолетовым ногтем в самую большую порцию.

Алена молча записала заказ и исчезла. Получив огромную вазочку, доверху набитую разноцветными шариками и островками взбитых сливок, Риточка принялась вдохновенно орудовать ложкой. Я подождала, пока она слопает верхушку, и поинтересовалась:

— Вы имеете опыт работы с детьми?

— Еще какой, — не моргнув глазом, сообщила врунья, — всю жизнь с ребятами вожусь.

— И сколько вам лет?

— Тридцать, — нагло сообщила соплячка.

— Жаль, — вздохнула я.

— Почему? — вскинулась Рита.

— Я ищу няню не старше двадцати, вы мне по возрасту не подходите.

Девушка покраснела и уронила ложку. Материализовавшаяся Алена мигом заменила прибор. Ритуся протянула мне паспорт:

— Глядите.

Я посмотрела. Так, ей всего семнадцать, прописка московская, живет девчонка на Николаевской улице в доме шесть.

— Зачем же ты возраст себе прибавляешь?

Рита принялась вытирать салфеткой липкие пальчики.

— Многие любят, чтобы няня постарше была.

Я постаралась не измениться в лице. Да у тебя, глупая моя, на лбу написано, что ты только-только вылезла из пеленок. И потом, даже если бы мне и пришла в голову идиотская идея нанимать няньку для близнецов не через агентство, я никогда бы не стала связываться с девушкой, которая садится за стол, не вымыв рук.

— Ты работала с детьми? — начала я новый виток.

— Ага, один раз.

Очевидно, желая получить место, Рита решила больше не врать.

— Есть рекомендация?

— Нет.

— Возьми.

Девушка сникла:

— Это невозможно.

— Почему?

— Они в загранку уехали!

Мне надоела ложь, и я излишне резко сказала:

— Глупая ты!

— Чегой-то? — удивилась Рита.

— Ну подумай сама, мне твой телефон дала Водопьянова.

— И?..

— Она рассказала про жиличку Свиньи, про то, как ты работала и как рассталась с хозяйкой.

Рита опять покраснела.

— Знаешь, — вздохнула я, — есть такие люди, которым даже не следует начинать врать.

— Почему? — прошептала девочка.

— Потому что их сразу поймают. Ты, наверное, хочешь иметь деньги!

— Конечно, — дернула плечиком Рита.

Я вытащила из портмоне зеленую бумажку.

— Расскажешь о женщине и Пете, получишь это!

Нянька уставилась на ассигнацию, ее глаза заблестели, но потом она сказала:

— Это как понимать? Я вам чего, для ребенка не нужна?

Мои пальцы вытащили вторую купюру и положили ее поверх первой.

— Видишь, вон там, напротив кафе, магазин «MEXX»?

Рита кивнула.

— Этой суммы тебе хватит на парочку супермодных кофточек, завтра в училище все обзавидуются!

Пальцы с темно-фиолетовыми ногтями схватили деньги.

— Спрашивайте!

— Как звали хозяйку?

— Таня.

— А фамилия?

— Васильева.

Я хмыкнула, Лена Иванова, Маша Петрова, Таня Васильева... оригинальные имена и фамилии.

— Адрес ее знаешь? Ну тот, где она прописана?

— Не-а.

Так, еще лучше. Сколько в столице живет моих однофамильцев, а?

— Как она тебя нашла?

— Объявление я дала в «Из рук в руки»: «Женщина-медработник готова работать няней», ну она и позвонила, поговорила со мной по телефону и велела приезжать.

Я постучала пальцами по столу.

— Тебя не удивило, что Таня живет на съемной квартире, да еще у Свиньи?

Рита скорчила гримасу:

— Да нет, бывают разные обстоятельства. Она мне сказала, будто муж у ней помер, а свекровь на улицу выперла из квартиры, только, думается, соврала.

— Отчего ты так решила?

Девушка доскребла мороженое.

— Кофе не закажете? Замерзло все.

Естественно, можно окоченеть, если слопать одной порцию, рассчитанную на компанию из трех человек.

— Так отчего тебе в голову пришла мысль, что она не замужем? — поинтересовалась я после того, как Алена подала капуччино по-венски.

Рита ухмыльнулась:

— Она небось проститутка.

— Да?

— Ага, кто же еще по ночам работает?

Я вытащила сигареты. Похоже, Рита глупее некуда. Во-первых, занятия древнейшей профессией не исключают замужества жрицы любви. Согласна, чаще всего ночные бабочки одиноки, но случаются среди них и семейные дамы. А во-вторых, по ночам трудится прорва народа: продавцы круглосуточных магазинов, милиционеры, пожарные, служба МЧС, стюардессы, хлебопеки, наконец...

— Наверное, поэтому у нее и ребенок такой получился, — откровенничала Рита.

— Какой?

— Дебил, — отрезала нянька, — спал все время, ел через силу, совсем не говорил и не плакал. Так, иногда заведет: «ма-ма-ма» или «па-па-па», и все.

— Опиши эту Таню.

Рита покусала губу:

— Волосы темные, кожа белая.

— Глаза?

— Вроде карие... нет, зеленые, а может, серые.

— Приметы есть?

— Чего?

— Ну родинки, шрамы, вдруг у нее нос огромный, с горбинкой.

— Нос как нос, вроде вашего, и на лице ничего, только брови растут.

Да уж, приметная особа.

— Значит, ты приходила к восьми?

— Ага, она уже на пороге стояла. Один раз я припозднилась случайно, так она наорала на меня, — обиженно протянула Рита.

— Когда она с работы возвращалась?

— В полдень, пацан и проснуться не успевал.

— Постой, — изумилась я, — ты хочешь сказать, что маленький мальчик спал до двенадцати дня?

— Говорю же, больной, — хихикнула Рита, облизывая ложечку, — идиот! У меня сестра есть, три года, так ее до полуночи не уложишь, все скачет, а утром около

девяти опять на ногах. А этот спал, даже не пошелох-
нувшись, ни есть, ни пить не просил.

— Гости к Тане ходили?

— Может, и бывал кто, но не при мне.

— А мужчина не приходил?

Рита всплеснула руками:

— Нет, не видела я никакого мужчину.

— Ну а если бы тебе вдруг понадобилось с матерью
Пети срочно связаться?

— Она мобильный мне дала.

Я повеселела. Наконец появилась тоненькая ниточка.

— Скажи номер.

— Не помню.

— Неужели нигде не записала? — я цеплялась за последнюю надежду.

— Записала.

— Так найди.

— Не могу.

— Почему?

— На обоях у Свиньи, рядом с аппаратом накоряба-
ла, что мне, туда ехать?

От злости я топнула ногой. Ненавижу мерзкую привычку чиркать карандашом по обоям. Неужели нельзя
положить у аппарата блокнот с ручкой? Рита молча смотрела на меня. Понимая, что практически ничего не узнала, я мрачно сказала:

— Ладно, если понадобишься, позвоню.

Риточка убежала. Через большое окно мне было видно, как она влетела в магазин «МЕХХ». Полученные
деньги жгли девчонке руки. Я докурила сигарету и отправилась в туалет.

Выйдя из кабинки, я обнаружила в предбаннике Алену с огромным рулоном туалетной бумаги в руках. Не
желая ей мешать, я подвинулась, включила кран с водой и услышала сзади тихое:

— Дарья Ивановна...

От неожиданности я уронила дозатор с жидким мы-
лом. Алена быстро подхватила его и, оторвав кусок бумаги, протерла пол.

— Ты узнала меня?

Официантка кивнула.

— Но как?

— У вас руки красивые, — пояснила девушка, — ногти такие, как миндалины, кольцо всегда носите из сапфиров с бриллиантами и шрамик на запястье. Может, кто и не обращает внимания на подобные мелочи, но я сначала очень удивилась. Вот, думаю, странно, лицо чужое, а руки как у Дарьи Ивановны, ну а когда вы заговорили, я сразу сообразила, что к чему.

— Пожалуйста, никому обо мне не рассказывай, — пробормотала я, лихорадочно стаскивая кольцо, — сделай милость, у меня неприятности.

— Да я уж поняла, — кивнула Алена. — Сначала решила, шутите вы, может, кого разыграть хотите, а уж когда милиция заявилась...

Я снова уронила дозатор. Девушка спокойно подняла его и опять протерла бумагой пол.

— Милиция, — забормотала я.

— Ага, — кивнула официантка.

— Что хотели?

Дверь тихо скрипнула, в туалет вошла дама лет сорока в элегантном светло-бежевом костюме. Скользнув по мне равнодушно-вежливым взглядом, она исчезла в кабинке.

— Дарья Ивановна, — прошептала Алена, — нам тут поговорить не дадут. Вы идите на нижний уровень, сядьте в пиццерии, я сейчас отпрошусь и прибегу.

Я послушно спустилась по эскалатору, прошла сквозь толпу, штурмовавшую «Макдоналдс», «Ростикс» и «Сбарро», поискала свободное место и устроилась за колченогим пластмассовым сооружением, мало похожим на столы из красного дерева, установленные в кафе «Манеръ». Скорей всего, курить тут было нельзя, но кое-кто из посетителей осторожно дымил, используя вместо пепельниц картонные тарелочки из-под пиццы.

Внезапно мне стало тоскливо. Вокруг столько людей, а я совершенно одна, бездомная, почти бомж, прав-

да, при деньгах. Этакая несчастная скиталица с бриллиантами! Тоска испарилась, появилась злость. Обязательно найду убийцу Комолова, чего бы это мне ни
стоило.

— Дарья Ивановна, еле вас отыскала, — колокольчиком прозвенела запыхавшаяся Алена.

— Что хотела милиция? — накинулась я на нее.

— Приходил мужчина, выпил сначала кофе...

— Ты уверена, что он из МВД был? — перебила я ее.
Насколько я знаю, зарплата служащего этого ми-
нистерства не позволяет шиковать в «Манеръ».

— Удостоверение мне показал, — пояснила Алена, — значит, выпил капуччино и давай интересовать-
ся, давно ли вы у нас были.

— А ты?

— Чистую правду сказала. Иногда заглядываете,
творожный торт заказываете, кофе, мороженое, а вот
алкоголь никогда, потому что за рулем. Он как вски-
нется: «Меня меню не интересует». Ладно, не надо так
не надо, только больше ничего ему рассказать не могла,
кроме того, что в этом месяце ни разу вас не видела. —
Она помолчала, потом весело добавила: — Впрочем,
Машу тоже. Мент этот телефон оставил, велел, если вы
заявитесь, тут же ему звонить. Да я бумажку потеряла!
Случайно!

— Спасибо, — пробормотала я, — ты не бойся, ничего противоправного я не сделала, недоразумение вышло.

Алена кивнула:

— Не похоже, что вы способны на гадости, у меня
на людей глаз наметан. Вы уж извините, Дарья Ивановна, может, не в свое дело лезу... Но вы к нам часто ходите. Машенька у вас такая симпатичная, помните, сколько она моему Лешке игрушек приволокла?

Я кивнула. Примерно полгода назад мы с Манюней
в очередной раз оказались в «Манеръ». Обслуживающая
нас Алена выглядела не лучшим образом, глаза ее опух-
ли, а нос был подозрительно красным.

— Вы простыли? — сочувственно спросила я.

— Нет.

— Плакали? Что случилось? Мы можем помочь? — вскинулась Маня.

Официантка улыбнулась:

— Спасибо, Машенька, ничего страшного.

— И все же? — настаивала вечно желающая всем сделать хорошо Маруська.

— У моего сына завтра день рождения, — со вздохом пояснила Алена, — робота очень просил купить, радиоуправляемого, дорогая штука. Ну я собрала деньги. Сегодня в обед побежала на нижний уровень, там игрушками торгуют, выписала чек, а кошелька-то и нет. Украли! Здесь таких мастеров полно! Остался мой Лешка без подарка.

Потом, испугавшись, что излишне загрузила клиентов своими проблемами, она быстро добавила:

— Ой, извините, ерунда это, возьму в долг, и делу конец. Сейчас принесу ваш заказ.

Не успела официантка отойти к кассе, как Машка стремглав бросилась к двери. Я ухмыльнулась. Сто против одного, что незнакомый нам Лешка станет обладателем самого крутого, супернавороченного робота и еще целой горы игрушек, которые попадутся дочери под руку, вернее, под кошелек.

— Может, и не мое дело, — продолжала Алена, — но я предупредить вас хочу... Вы сейчас у нас с девчонкой сидели, вульгарной такой... Хотите ее к себе прислугой нанимать?

На всякий случай я кивнула.

— Она у нас тут скандал устроила!

— Вы уверены? — изумилась я.

— Абсолютно, — кивнула головой официантка, — у нас редко безобразия случаются.

Это верно, «Манеръ» солидное учреждение, где пятьдесят граммов коньяка стоят приличных денег. Обычный алкаш сюда не пойдет. Публика в кафе в основном состоит из респектабельных покупателей, не желающих пить гадостный кофе на нижнем уровне в пиццерии, и иностранных туристов, шляющихся по Красной площади.

— Еще когда она первый раз появилась, — пояснила Алена, — я подумала, что девчонка ошиблась. Сейчас возьмет меню, посмотрит на цены и уйдет.

Но Рита осталась, более того, подсела к элегантной даме, пившей чай в укромном уголке. Сначала они тихонько переговаривались, потом перешли на повышенные тона, в конце концов безукоризненно одетая женщина вскочила, отвесила девице пощечину и заорала:

— Только посмей, дрянь подзаборная!

Девчонка кинулась к двери, налетела на соседний столик, за которым мирно пили кофе две пожилые немки. Те всполошились, пороняли на пол чашки, одна из фрау обварила ногу... Поднялась суматоха. Под шумок элегантная дама скрылась, забыв оплатить счет, и Алене пришлось погашать долг из своего кармана.

— Знаете посетительницу, ну ту, которая отвесила Рите пощечину?

— Нет, — ответила официантка, — она к нам впервые пришла, я думала, за варежками вернется, тогда с нее должок и стребую, но ее и след простыл!

— Какие варежки? — удивилась я.

— Детские, — пояснила Алена, — голубенькие, с вышивкой.

— Дело зимой было?

— Да нет, совсем недавно.

— Так ведь сейчас тепло! Кто же варежки носит?

— Они в фирменном пакетике были, — пояснила девушка, — маленький такой кулечек. Может, купила кому в подарок. Фирмачи давно уже зимние коллекции вывесили.

— Вы их выбросили?

— Нет, в шкафчике лежат.

— Можете мне отдать?

— Конечно, — ответила Алена и убежала.

Глава 22

Примерно через полчаса, спрятав в сумочку пакетик с варежками, я понеслась в магазин «МЕХХ» и стала искать Риту. Вокруг клубилась галдящая толпа, разглядывающая кофточки, брюки и юбки. Я пробежалась по залу, заглянула в примерочные кабинки, выслушала массу нелицеприятных высказываний в свой адрес и обратилась к кассиршам:

— Простите, вы не видели тут девушку, такую худенькую, с ярким макияжем и ужасными темно-фиолетовыми ногтями?

Одна из кассирш заученно улыбнулась:

— Простите, но у нас столько покупателей! Разве возможно всех упомнить?

Я еще раз оглядела зал. Скорей всего, Рита мгновенно истратила полученные деньги и унеслась к себе домой. Нужно немедля ехать на Николаевскую улицу, но часы показывали без пятнадцати десять, магазин закрывался. Приятный женский голос уже сделал объявление по радио:

— Уважаемые посетители, до окончания работы торгового комплекса «Охотный Ряд» осталось несколько минут. Очень просим оплатить выбранный товар.

Люди цепочкой потянулись к выходу. Я шла в шумной толпе, чувствуя, как гудят ноги. Николаевская улица... Где же такая? Явно не в центре, значит, доберусь туда не раньше одиннадцати вечера, а может, и позже. Машины у меня теперь нет, окажусь одна в незнакомом районе, кругом темнота... Делать нечего, придется отправляться домой.

Дверь мне открыла... Аллочка.

— Пришла? — неожиданно ласково сказала она. — Где только бродишь? Ступай поужинай, там сосиски есть.

Я протиснулась на кухню, у плиты стояла Тина.

— Садись, — улыбнулась хозяйка, — картошку будешь?

— Ты этих назад пустила?

Тина кивнула:

— Да, они плакали, жаловались, что денег нет. Уж извини их, с кем не бывает, ну поорали и успокоились.

Я вяло жевала горячую, отчего-то сладкую картошку.

— Ты всегда в пюре песок кладешь? — спросила Тина.

Я вынырнула из океана раздумий и обнаружила, что придвинула к тарелке вместо солонки сахарницу и усердно посыпаю песком горку размятой синеглазки.

— Машка твоя спит, — продолжила Тина, — прибежала около десяти, собак прогуляла и бухнулась. Вот организм молодой! Телик работает, «Канди» гудит, Галя с Аллой во весь голос говорят, а она спит без задних ног, устала, похоже, сильно.

Услыхав про стиральную машину, я вспомнила о деньгах и уставилась на пустые веревки. Тина хмыкнула:

— Да уж! Прихожу домой в три, вползаю в кухню и чуть в обморок не падаю! Столько деньжищ!

— Это не мои, — принялась я бестолково врать, — дали спрятать...

Тина с усмешкой глянула на меня:

— Знаешь, мне все равно, чьи они, только так больше не делай. Мало ли кто может зайти. Ну прикинь, встретила бы я кого из соседей да и привела с собой. То-то бы шум поднялся! Предупреждать надо! Или Галька с Алкой бы увидели! Кстати, они по моим шкафам без конца роются.

— Так это они по вещам шуруют? — ляпнула я.

Тина прищурилась:

— Значит, и твои сумки переворошили?

Я кивнула.

— Небось думала на меня? — поинтересовалась Тина.

— Что ты, нет, конечно!

Тина тихонько засмеялась:

— Да ладно, не ври. Я сама сначала решила, будто это ты любопытничаешь, а потом сообразила, что к чему. Только что ищут? Нет у меня ничего совсем.

— Наверное, из чистого любопытства шмотки проглядывают.

— Может быть, — кивнула Тина, — а может, и нет, да ладно. Твои богатства я в мешочек сложила и спрятала в надежное место.

— Куда?

— Смотри.

Тина встала, подошла к окну, подняла подоконник и ткнула пальцем:

— Вот.

— Великолепный тайник!

— Супруг у меня рукастый был. Сама видишь, в какой тесноте живем, второй холодильник поставить некуда, — пояснила хозяйка, — а в прежние времена продуктами запасаться надо было! Вот муж и сделал такой ящичек. Оно конечно, мясо не сунешь, но молоко и масло запросто держать можно. Здорово он нас выручал, а сейчас уж им не пользуюсь. Кто не знает — в жизни не догадается, *что* под подоконником. Пусть здесь и лежат, не прокиснут.

— Зачем же ты их назад пустила? — запоздало удивилась я. — Такие противные.

— Родные все же, — тяжело вздохнула Тина, — единственная память о муже, пусть уж доживут, но приглашать к себе больше не стану. Правда твоя, больно они обе неприятные.

Я допила чай, вышла в большую комнату и наткнулась на Галю с Аллочкой, спавших на полу. Не зажигая свет, я вползла в свой «отсек», шлепнулась на софу и, вслушиваясь в мерное Машкино сопение, попробовала упорядочить полученную информацию.

Итак, что мы имеем? Некая женщина снимает комнату у Свиньи. Честно говоря, малоподходящее место для дамы с маленьким ребенком. Грязно, неуютно, да и хозяйка постоянно пьяная. Что могло подвигнуть эту Таню Васильеву поехать туда? На мой взгляд, только одно: она хотела подальше спрятаться. Люди, сдающие хорошее жилье, как правило, оформляют документы в риелторской конторе и сообщают о своих жильцах в милицию. А такие, как Свинья, совершенно беззаботны, им все равно, кто спит в соседней комнате, лишь бы исправно платили денежки на бутылки.

Следовательно, Таня Васильева от кого-то скрывалась. Может, и впрямь злая свекровь выгнала женщину на улицу? Что ж, случается иногда такое, но поверить в подобный поворот событий мне мешают простые рассуждения. Во-первых, Таня работала по ночам, хотя это еще не самое странное в данной истории. Подумайте сами, какой двухлетний ребенок станет спать без вскрика и капризов более двенадцати часов? Рита говорила, что в восемь вечера Петя уже был никакой, а просыпался он еле-еле к полудню. Либо мальчик и впрямь очень болен, либо его пичкали снотворным. И второе мне кажется более вероятным, потому что Таня не оставляла Рите никаких лекарств и со спокойной душой уезжала на службу.

А теперь подумайте, какая мать способна нанять няньку, просто прочитав объявление в газете? Из Ритиных слов выходило, что хозяйка предварительно не стала с ней встречаться, просто поговорила пару минут и велела приезжать... Здорово выходит! Пригласила к малолетнему сыну совершеннейшую шалаву, у которой на лбу большими буквами стоит «дура», опоила ребенка транквилизаторами и ушла? Полноте, ни одна мать не способна на такой поступок, хотя знавала я семьи, в которых случались истории и похлеще. Но что-то мне подсказывает: Таня не мать Пети. А если прибавить к этому информацию о голубой курточке и шапочке, то становится понятно: я случайно нашла похищенного внука Дарьи. Вернее, не нашла, а просто знаю место, где мальчишечку одно время держали.

Не в силах сидеть на одном месте, я побежала на кухню, чтобы покурить, и по дороге наступила на мирно спящую Аллочку.

— Чтоб тебя разорвало! — брякнула спросонок злобная девица. — Носишься посередь ночи.

Я плотно закрыла дверь на кухню и распахнула окно. Значит, Комолов принимал участие в похищении

Пети. Вот мерзавец! Сначала попытался охмурить Дарью, а когда понял, что деньгами в семье Петровых заведует Арсений, живо сбежал, но решил поправить свое постоянно аховое финансовое положение посредством киднепинга. Интересно, каким образом он осуществил задуманное, а? Впрочем, это не главное!

В полном ажиотаже я вскочила и забегала по кухне, налетая по очереди на плиту, стол, холодильник и мойку. Я нашла убийцу Комолова! Это Таня Васильева. Хотя вероятней всего, что ее на самом деле зовут иначе. Значит, Стас и сия дама не поделили деньги, вот она и решила избавиться от него.

Постояв секунду у окна, я опять начала носиться по пятиметровому пространству, больно ушибаясь об углы. Как она умудрилась отравить его в консерватории, в ложе директора? Может, сидела рядом и ткнула шприцем? Нет, место Стаса оказалось у стены, справа была я, а яд, насколько помню, был растворен в бутылке минеральной воды, которую мне дал псевдослужитель. Вот еще загадка: откуда взялся этот тип? В консерватории капельдинерами служат женщины!

Чувствуя, что от количества загадок сейчас лопнет голова, я сурово сказала себе: «Остынь! Проблемы следует решать по мере их поступления, в порядке очередности, нечего хвататься разом за все. Сначала разыщи эту Таню и задай негодяйке пару вопросов».

Налетев в очередной раз на холодильник, я остановилась. Нет, отыщу мерзавку и бегом кинусь в милицию. Это она убийца! Совершенно точно! Больше некому! Дамы из светского общества, с которыми жил Стас, никогда не станут марать руки об альфонса. Да и Арина, прилюдно устроившая скандал у консерватории, совершенно ни при чем!

Она была зла на мужика, швырнула ему в лицо кольцо, но она не убивала Стаса, ее саму лишили жизни через некоторое время после его кончины. За что? Кому и чем помешала девушка, беззаботная и красивая?

В полном изнеможении я заметалась по кухне, чувствуя дрожь в желудке. Итак, как следует поступить? Вначале выпить воды и постараться успокоиться. Я ринулась к мойке и сделала то, чего не делала давно, — налила себе воды прямо из-под крана. Хорошо, дальше что?

Блям, блям — раздалось из прихожей. Я уставилась на большие круглые пластмассовые часы, висящие в простенке между шкафчиками. Четыре утра! Кого черт принес в такое время?

Разбуженные собаки огласили квартиру недовольным громким лаем. Я пошла в прихожую, туда же, натягивая по дороге халат, спешила Тина.

— Безобразие, — словно разбуженные змеи, шипели Галя и Аллочка, — спать не дают.

— Заткнитесь, — буркнула Тина и открыла дверь.

— Эта, понимаешь, дрянь выходит, — заорала неопрятная бабища.

Я, разинув рот, смотрела на вошедшую. Нежданная гостья словно переместилась на машине времени из шестидесятых годов. На ее голове топорщились бигуди, жестяные трубочки, перехваченные резинками. Такими пользовалась моя бабушка Афанасия, если собиралась пойти со мной в театр или в консерваторию. Впрочем, у нее имелся и похожий халат, кажется, польского производства, розовый, стеганый, на ощупь совсем не мягкий, а колючий. Правда, у Фаси шлафрок выглядел аккуратно и был безукоризненно выстиран, а халат ворвавшейся к нам соседки был весьма грязен, практически потерял свой первоначальный цвет кожи молодого поросенка.

— Что тебе надо, Надюха? — сердито поинтересовалась Тина. — Чего по ночам бузишь?

— Это я бузю? — возмутилась Надюха. — Все наоборот. Устроила у меня над головой спортзал: тудысюды носются! Потолок трясется! Штукатурка мне в морду летит! Что у тебя творится, а? Женитьба носорогов?

— У нас все спят, — влезла я, — тихо и спокойно. Можете заглянуть в комнату.

— Так про кухню речь! — взвизгнула соседка. — Я-то на ей дрыхну! Кому в голову взбрело взад и вперед мотаться?

Тина открыла узенький шкафчик, вытащила оттуда бутылку водки и сунула тетке:

— На.

— Ага, — бормотнула соседка и прижала бутылку к себе, — тады ладно! Пойду выпью и успокоюсь, а то разнервничалась вся, ровно слоны над черепушкой скачут: бух, бух, бух...

Недовольно сопя, она удалилась. Галя и Аллочка, шумно возмущаясь, улеглись. Я тихонечко вползла на кухню и села на табуретку. Тина вошла следом.

— Иди спать, — вздохнула она, — нечего полуночничать.

— Вовсе я не топала, как бегемот, ну ходила, правда, из угла в угол, но ведь я не вешу сто килограммов!

— Не обращай внимания, — отмахнулась Тина, — Надька пьет по-черному, вот и мается, если не нализалась. Она часто прибегает, знает, что дам пузырек.

— Зачем ты поощряешь алкоголичку?

Тина вздохнула:

— Жалко мне ее! Знаешь, как они живут?

— Ну?

— Квартирка такая, как моя, а обитает в ней восемь человек!

— Сколько???

— Восемь, — повторила Тина, — Надя с мужем Николаем, дети их Лена и Оля, Толя, супруг Ленки, и Сергей с Глебом, внуки, соответственно, Надюхины. А кроме того, бабка имеется, Степанида Петровна.

— Как же они размещаются?

— Да просто! Ленка с мужиком и двумя сыновьями в маломерке, бабка, Надька и Коля в большой. Только у старухи маразм приключился, под себя ходить стала, запах, я тебе скажу! Ну уж не духи «Злато скифов». Вот Надька на кухню и перебралась. Скушает бутылочку, и готово, в наркозе.

Я только качала головой. Бедные люди, не иметь никакой возможности уединиться, спокойно почитать, полежать, постоянно находиться в коллективе родственников... По-моему, жуть!

— У них еще собака есть, — добавила Тина, — кавказец, грязный, просто чума!

Я чуть не упала со стула. Кавказские овчарки огромные собаки.

— Где же она у них помещается?

Тина улыбнулась:

— На балконе живет.

— Да тут лоджия тридцать сантиметров шириной и пятьдесят длиной.

— Так он там стоит. Полдня мордой влево, потом в комнату влезает, поворачивается и мордой вправо устраивается. А на ночь его в прихожей укладывают.

— Зачем же они собаку завели?

Тина пожала плечами:

— Кто же знает? Небось не подумали, что вырастет. Маленький такой хорошенький был, словно игрушечка плюшевая, а потом вымахал до небес! Спать иди. Утро вечера мудренее, не скрипи мозгами, само все разрешится.

Я покорно прокралась в маленькую комнату, шлепнулась на софу и попыталась кое-как устроиться на разъезжающихся подушках. В крохотной квартирке ютятся восемь человек и кавказская овчарка. Хорошо, что этим людям не пришла в голову смелая идея завести пони.

Глава 23

Тина оказалась права, утром в голове прояснилось. Проснувшись около одиннадцати, я быстренько умылась и побежала в киоск «Союзпечати». Купив атлас, я примчалась домой и принялась искать Николаевскую улицу. Она нашлась на краю света, за Кольцевой автодорогой. Может, это уже считается не Москвой, а областью?

На дорогу ушло около трех часов. Честно говоря, мне все больше и больше кажется, что передвигаться по столице лучше на метро, в подземке не бывает пробок, жадных сотрудников ГИБДД и лихачей, беззастенчиво подрезающих вас на поворотах. Зато там полно нищих, бомжей и злых людей, норовящих дать по ногам портфелем или обругать вас для поддержания собственного тонуса.

Потная и злая, я добралась до блочной многоэтажки, в грязном лифте с обожженными кнопками вознеслась на пятнадцатый этаж и уткнулась в стеклянную дверь, украшенную звонками.

Ждать пришлось довольно долго, наконец замелькала тень и раздался вполне приятный голос:

— Кто там?

— Позовите Риту, пожалуйста.

— Ее нет, — ответила женщина и распахнула дверь.

— Мне сказали, что ваша дочь подрабатывает няней, я хотела поговорить, не возьмется ли она посидеть со спокойной девочкой.

— Ой, — мигом стала любезной женщина, — думаю, с радостью, у нее сейчас никого нет.

— Когда Рита домой приходит?

— Небось у Лизы сидит, — пояснила женщина. — Вчера она на ночь глядя из дома внезапно убежала. Я поинтересовалась куда, да только современные дети не то, что мы. Взвилась, словно ракета! Надо, говорит. Ночевать не пришла, и сейчас нет, хотя должна была к часу вернуться.

— Может, случилось что, — испугалась я.

— Да нет, — улыбнулась женщина, — здесь в соседнем здании живет ее подружка, Лиза, у той родители челночат. Как подадутся в Турцию, моя у Лизки ночевать остается. Да вы ступайте, тут совсем рядом, за угол только завернуть, дом восемь, квартира двести пятьдесят шесть. Не ошибетесь, она самая последняя, на семнадцатом этаже, рядом лестница на чердак идет. Там Рита, совершенно точно, больше ей деться некуда.

Пришлось топать за угол. Подъезд, в котором жила Лиза, выглядел не в пример чище того, из которого я только что вышла. Наверное, тут недавно сделали ремонт и местное подрастающее поколение не успело еще разрисовать стены.

Пассажирский лифт стоял на первом этаже, но, несмотря на то что я долго нажимала на кнопки, двери его не собирались открываться. Наверное, подъемник сломался. Пришлось, прислонившись к подоконнику, ждать, потому что грузовая кабина стояла на самом верху. Кто-то из жильцов перевозил мебель или делал ремонт. Можно, конечно, пойти пешком, но я поленилась топать по лестнице. Наконец мое терпение было вознаграждено, в окошечке, расположенном между лифтами, замелькали цифры — 15, 14, 13, 12... Обрадованная, я подошла поближе, двери раскрылись.

Показались двое молодых людей довольно угрюмого вида. Между ними находились носилки, на которых лежало нечто, упакованное в черный блестящий мешок.

Я отступила назад. Санитары беззвучно выволокли то, что было недавно человеком, и без всякого усилия, легко пошли по ступенькам вниз. Мне стало не по себе, встреча с покойником не радует. Вслед за медицинскими работниками из подъемника вышли трое парней, скользнувших по мне равнодушными, но цепкими взглядами. Милиция!

Группа переместилась во двор, послышалось ворчание мотора, поколебавшись, я вошла в лифт и поехала на самый верх. Дверь нужной мне квартиры была открыта.

— Лиза, — крикнула я, — здравствуйте.

Из комнаты вынырнула худенькая, почти прозрачная девочка, одетая в джинсы и футболку.

— Вы ко мне? — прошептала она. — Ну что еще, а? И так замучили! Сколько времени тут лежала, господи!

Не успев договорить, девушка закрыла лицо руками и затряслась в рыданиях.

Нехорошее предчувствие кольнуло сердце.

— Рита у вас?

Лиза заплакала громче:

— Уже нет. Господи, делать-то что?

Понимая, что услышу в ответ, я тупо пробубнила:

— Где Рита?

— Нету ее больше, — дергалась Лиза. — Ой, плохо, ой, хреново, оставьте меня в покое, менты поганые!

— Я не из милиции.

— Отвяжитесь, — заорала Лиза, — уходите вон, ой, мамочка, ой, мамочка, ой!

Плач перешел сначала в вой, потом в хохот. Худенькое тельце подломилось в коленях, и Лиза, сев на пол, начала смеяться как безумная, не вытирая крупных слез, которые градом бежали по бледным щекам. Я решительно вошла в квартиру, захлопнула дверь, потом сбегала на кухню, принесла чашку холодной воды и плеснула на девушку.

Хохот оборвался. Лиза принялась размазывать по лицу стекшую с ресниц тушь.

— Кто вы? — вполне нормальным голосом спросила она через пару минут. — Если из милиции, то ваши уже ушли.

— Нет, — поспешила ответить я, — хотела пригласить Риту поработать у меня няней, но понимаю, что пришла зря.

— Ритуська умерла, — вяло, как-то устало произнесла Лиза, — а кто вам сказал, что она тут?

— Мама ее.

Лиза снова заплакала, но на этот раз тихо, без воя и истерических всхлипываний.

— Господи, как же Ирине Магомедовне сказать! Язык не повернется.

— Что у вас тут произошло?

Лиза с надеждой глянула на меня.

— Вы с Ириной Магомедовной дружите?

На всякий случай я кивнула.

— Может, расскажете ей, что с Ритой произошло, — умоляюще прошептала Лиза, — у меня все внутри прямо обрывается, когда про Ирину Магомедовну думаю.

— Но я же не знаю, в чем дело!

— Рита умерла, — прошептала Лиза. — Господи, я ведь тут с ее телом полдня просидела. Чуть с ума не сошла от страха. Сначала «Скорую» вызвала, а уж врачи велели ментов ждать. Ненавижу!!!

Боясь, что у нее опять начнется истерика, я быстро спросила:

— У тебя есть чай?

— На кухне.

— Пошли.

Лиза согласно кивнула, я протянула ей руку, помогла подняться и почти внесла в кокетливо обставленную комнатку с веселыми бело-красными занавесками.

Проглотив две кружки обжигающего чая, Лиза перестала трястись, вытащила пачку «Парламента» и, нервно теребя зажигалку, спросила:

— Вы знаете, что мы всю жизнь дружили?

— Да.

— А теперь она умерла!

— Ты лучше расскажи, как это случилось, легче станет.

Лиза отшвырнула так и не зажженную сигарету. Слова полились из нее рекой. Люди по-разному переносят стресс: кто-то замыкается в себе, а кому-то требуется выплеснуть информацию. Лизочка явно принадлежала ко второй категории.

Вчера Рита позвонила ей вечером и радостно сообщила:

— Прикинь, место нашлось!

— Поздравляю, — обрадовалась Лиза, — и где? Кто хозяйка?

— Ничего не знаю, — щебетала Рита, — велено явиться в кафе к восьми, потом сразу к тебе приеду и расскажу.

В ожидании подруги Лиза легла на диван и уставилась в видик. Ее родители в очередной раз укатили в Турцию за товаром, и девушка была рада, что Рита хочет прийти. Квартира большая, целых четыре комнаты, честно говоря, Лиза побаивается оставаться одна, плохо спит и не решается ночью пройти в туалет, с подругой лучше, да и веселей. Сначала они разогреют себе пиццу, потом посмотрят киношку.

Рита позвонила в пол-одиннадцатого, Лиза, успевшая уже на всякий случай задернуть все занавески на окнах, очень обрадовалась:

— Ты где? Беги скорей ко мне! Устроилась на работу?

— Не-а.

— Вот жалость!

— Не-а, здорово вышло. Слышь, мне денег дали! Купила себе в «МЕХХ» такие кофточки! Закачаешься!

— Дал-то кто?

— Приду, расскажу.

— Ну давай быстрей!

— Не-а, раньше часа не получится.

— Почему? — удивилась Лиза.

— Мне надо еще в одно место зарулить, а уж потом к тебе.

— Куда?

— Надо, потом все расскажу.

— Да как же ты поедешь, — попробовала остановить бесшабашную Риту практичная Лиза, — автобусы от метро ходить перестанут!

— Подумаешь, такси возьму, — засмеялась подруга, — я теперь богатая, мне денег дали, а там, куда сейчас поеду, еще отвалят! Ладно, жди, чао!

И она швырнула трубку. Сгорая от любопытства, Лиза стала поджидать Риту. Та заявилась около двух.

— Ну, — накинулась на нее Лиза, — говори скорей.

Рита сунула ей фирменный пакет «МЕХХ» и пробормотала:

— Устала как, прямо ноги подкашиваются, голова кружится, словно у пьяной. Погляди, какие кофточки, а я пока умоюсь.

С этими словами подруга скрылась в ванной. Лиза сунула нос в пакет. Обновки выглядели замечательно, Лизонька даже прикинула один нежно-голубой пуловер и позавидовала Ритке. Вещь сидела великолепно, подчеркивая достоинства и скрывая недостатки фигуры.

Минут через пятнадцать Лиза подошла к двери ванной и крикнула:

— Ты чего, утонула? Пиццу греть?

Но в ответ не раздалось ни звука, только плеск душа. Решив, что подруга моет голову, Лиза пошла на кухню и все же засунула замороженное тесто в духовку. Спустя некоторое время она снова постучала в дверь ванной:

— Эй, заканчивай мыться!

Однако Рита молчала. Лиза насторожилась и попробовала открыть дверь, но латунная ручка не желала поворачиваться: подруга заперлась изнутри. Лиза стала колотить ногой в филенку. Вода журчала по-прежнему. В полной растерянности девушка заметалась по коридору, не зная, как поступить. И тут раздался звонок в дверь. Это пришел снизу страшно злой сосед Венедикт Павлович.

— Ну сколько можно, — с порога налетел он на Лизу, — небось твои родители за товаром умотали?

— Что случилось? — попятилась Лиза.

— Что, что, — передразнил Венедикт Павлович, — то! Опять кран не закрыла, коза! С потолка так и хлещет. Ну какого черта посреди ночи мыться полезла? Дня тебе мало?

Лиза в тревоге схватила его за рукав:

— В ванной моя подруга закрылась. Зову, зову, не открывает! А вода льется!

Венедикт Павлович решительным шагом подошел к санузлу, пару секунд колотил по крашеной фанере, потом подналег...

Раздалось сухое «крак», и Лизочка вбежала внутрь заполненной паром комнатки.

Рита лежала в наполненной ванне. Голова ее с открытым ртом и дико выпученными глазами покоилась на длинной пластмассовой мыльнице, висевшей на бортике. Прямо около носа девушки оказался кусок черного хозяйственного мыла, но Риточка, всегда корчившая при виде этого моющего средства брезгливую гримасу, сейчас спокойно, не мигая, смотрела на скользкий брусок. Душ отчего-то лежал на полу, и вода весело бежала под ванну.

Венедикт Павлович первый сообразил, в чем дело. Быстро закрутив краны, он вытолкал Лизу в коридор и сказал:

— Подруге твоей плохо, звони в «Скорую».

Лиза покорно пошла к телефону, а Венедикт Павлович на рысях кинулся к себе домой, он вовсе не собирался ждать вместе с соседкой бригаду в белых халатах.

Дальше начался кошмар. Сначала явились врачи и, вместо того чтобы посочувствовать девушке, наорали на нее. Особо неистовствовала фельдшерица, по виду чуть старше Лизы.

— Это ж надо догадаться к жмурику «Скорую» вызвать!

— Но, — стала заикаться Лизочка, — я думала, ей плохо...

— А то не видно, что умерла!

Лиза разрыдалась. Доктор равнодушно накапал ей какую-то жидкость, и медики уехали, велев ждать милицию.

До обеда Лиза просидела, трясясь, на лестнице, ведущей к чердачной двери. Она не могла себя заставить остаться в квартире. От ужаса сводило ноги, а руки отказывались слушаться. Наконец явились парни в штатском, походили по комнатам, позадавали повторяющиеся, однообразные вопросы, и только потом приехала трупоовозка. Лишь сейчас, когда за угрюмыми санитарами захлопнулась дверь, Лизоньке пришло в голову, что ей придется рассказать о смерти Риты ее матери, Ирине Магомедовне.

— Ты бы легла поспать, — сочувственно посоветовала я.

— Не могу, — прошептала Лиза, — страшно. Да и в ванной убрать надо, но не войду туда, нет!

Я налила ей чай и пошла в санузел. Ведро, швабра и тряпка нашлись в коридоре, в угловом шкафчике. «Тетя Ася» стояла за унитазом, там же обнаружилась и пара резиновых перчаток. Натянув их, я заглянула на кухню:

— У тебя, кроме Риты, еще подруги есть?

— Да, — прошептала Лиза, — Оля.

— Позвони ей, пусть придет.

Девочка послушно потянулась к телефону. Я выдраила ванную комнату, заодно протерла пол в коридоре и прихожей, потом спросила:

— Тебе не сказали, отчего умерла Рита?

— Нет, — покачала головой Лиза. — Доктор со «Скорой» буркнул, что у нее, скорей всего, сердечный приступ случился. Села в слишком горячую воду — и привет!

Я засунула швабру и ведро в шкафчик.

— Рита не сообщила, к кому ездила?

— Нет, не успела.

Тут раздался звонок, и в квартиру влетела полноватая блондиночка в зеленом мини-платьице. Я пошла в чистую ванную, причесалась и крикнула:

— Все, ухожу!

Лиза вышла в прихожую.

— Вы ведь расскажете Ирине Магомедовне?

— Лучше тебе самой, — попробовала посопротивляться я.

Глаза девушки начали медленно наливаться слезами.

— Ладно, только не плачь, — сдалась я.

Лиза довела меня до двери и закрыла за мной. Я осталась ждать лифта. Внезапно она высунула голову из квартиры:

— Как вам кажется, если я оставлю себе Ритины новые кофточки, это будет плохой поступок?

Я вошла в приехавшую кабину.

— Нет, скорей всего, Рита была бы рада, что обновки достанутся тебе.

С неприятным скрежетом лифт понесся вниз. Я прислонилась к стене. Человек странное, жестокое существо. Десять минут назад Лиза убивалась по подруге, а теперь забеспокоилась о вещах.

У дома Риты мои ноги начали заплетаться, стало понятно, что я совершенно не способна стать вестницей несчастья, но я должна подняться наверх и сообщить матери о смерти дочери.

Нет, к подобному я просто не готова. Потоптавшись возле подъезда, я заметила таксофон и решила, что лучше быстренько сообщить печальную весть по телефону и шлепнуть трубку.

— Алло, — раздался хриплый мужской голос.

Я собралась с духом и проблеяла:

— Позовите Ирину Магомедовну.

— Кто ее спрашивает?

— Э-э... коллега по работе.

— Она не может подойти, — сухо сообщил дядька, — плохо ей совсем, горе у нас, дочь умерла!

Я мгновенно повесила трубку на рычаг. Значит, ужасную правду донесли до несчастной женщины сотрудники милиции. Хоть в чем-то мне повезло.

Глава 24

Добравшись до «Новокузнецкой», я села на одну из скамеек, стоящих в зале, и призадумалась. Так, куда ехать теперь? Вчера Рита сказала, что мобильный телефон «мамы» Пети записан на обоях в квартире Свиньи. Насколько я понимаю, Саня Коростылева не из тех женщин, которые могут затеять ремонт, но, если хочу узнать нужный мне номер, следует поторопиться.

Возле дома восемь по Рокотовскому проезду возбужденно гудела толпа людей, в основном среднего возраста.

— Случилось что? — тихо спросила я у женщины лет сорока, стоявшей возле разбитых «Жигулей».

Та молча ткнула пальцем вверх. Я задрала голову.

Несколько окон пятиэтажки смотрели на мир обгорелыми остовами рам. Тут только мой нос учуял запах гари, а глаза увидели потоки воды на асфальте.

— Пожар! Вот беда! — вырвалось у меня.

— Странно, что он произошел только сейчас, — дернула плечом дама.

— Почему?

— Сколько раз мы просили отселить из нашего дома этот асоциальный элемент! — с жаром воскликнула тетка. — И вот результат! Заснула с сигаретой в руках, чуть мы все из-за одной пьяницы не сгорели. Виданное ли дело...

— Да будет вам, Евгения Петровна, — обернулась другая женщина, в спортивном костюме, — неужто вам человека не жаль?

— Она пьянь подзаборная, вы, Вера, это великолепно знаете, — отчеканила Евгения Петровна и отошла в сторону подъезда.

— Видала? — спросила у меня Вера. — Во какая ласковая. Угадай, кем работает?

— Судьей или прокурором.

— А вот и нет! Учительница она, младшие классы ведет. Мой Вовка у нее три года мучился, до сих пор вздрагивает, если во дворе натыкается.

Минуту я молча моргала, потом поинтересовалась:

— А у кого пожар?

— Саня тут живет, Коростылева, — вздохнула Вера, — пьет и правда сильно, прямо до потери человеческого облика, но, с другой стороны, у нас три четверти таких жильцов, и ничего, а ей не повезло. Мне Саню жаль, она не злая, не то что Евгения Петровна. Уж лучше с такой пьяницей, как Коростылева, дело иметь, чем с этим постоянно трезвым педагогом.

Я попыталась собрать расползающиеся мысли.

— Что же случилось?

— Обычное дело, — вздохнула Вера, — выпила, заснула, окурок на одеяло попал. Тлело, тлело и загорелось.

— Она жива?

— Вроде пока да, только надолго ли? Обгорела сильно.

— А квартира?

— Выгорела вся, даже соседи пострадали.

— Вместе с обоями?

Вера удивленно посмотрела на меня:

— Что вы имеете в виду?

— Ну, жилплощадь пропала совсем? Обои целы?

— Нет, конечно, они же бумажные, а почему вас вдруг обои заинтересовали?

— Да так, — понимая, что сморозила глупость, забубнила я, — просто спросила, из любопытства, вдруг, думаю, хоть что-нибудь целым осталось!

Но Вера уже отошла от меня к другой женщине, нервно выкрикивающей:

— А нам кто ремонт оплатит? Нам как быть?

Поколебавшись минутку, я вошла в подъезд и поднялась на нужный этаж. Вдруг телефон у Сани стоял в коридоре и огонь до него не добрался? Ну бывают же в жизни чудеса, отчего же одному не приключиться сегодня?

То, что я надеялась зря, стало понятно при беглом взгляде на черные головешки, видневшиеся в проеме. Двери не было, прихожая квартиры Сани превратилась в пепелище. Нине Водопьяновой повезло. Вход в ее жилище выглядел нетронутым, зато квартира, находящаяся слева от пожарища, тоже пострадала. По непонятному стечению обстоятельств пламя кинулось в ту сторону. Может, виноват ветер?

Молча посмотрев на жуткие, черные стены, я спустилась вниз и спросила у девушки с собакой:

— Когда загорелось?

— Кто ж знает, — охотно ответила собачница, — пожарные около трех часов дня приехали.

— Саня спит днем?

— Ей все равно, утро, ночь... Выпьет — и готово. Хорошо, что среди дня полыхнуло, а то бы и квартиранты погибли. А так никого, кроме хозяйки, не оказалось дома, чеченцы на рынок утопали, то-то мужикам вечером сюрприз будет. Впрочем, так им и надо, нечего было дома в Москве взрывать.

Меня, как, впрочем, и другие поколения советских людей, воспитывали в духе интернационализма. То, что Женя Конторер, у которой мы частенько собирались вечерами, еврейка, я узнала совершенно случайно. Ее бабушка Юдифь Соломоновна изумительно готовила, страшно вкусно, но необычно. Мне нравилось все: курица, запеченная в меду, рыба, фаршированная орехами, и странноватое, пресное бело-коричневое печенье со смешным названием маца. Даже плотно пообедав дома, я никогда не упускала возможности подкрепиться у Женьки. Однажды, придя в полный восторг от селедки в соусе из... сгущенного молока (на первый взгляд немыслимое сочетание, но на первый же укус — восхитительное лакомство), я прибежала домой и с детским максимализмом заявила своей бабушке:

— Отчего ты не готовишь так, как Юдифь Соломоновна? Борщ и гречневая каша с котлетами хорошо, но у Женьки дома все намного вкусней!

Фася спокойно ответила:

— К сожалению, я не знаю еврейскую кухню.

— Какую? — удивилась я.

— Юдифь Соломоновна еврейка, — пояснила бабуля, — она готовит национальные блюда.

Я безумно удивилась:

— Еврейка? Это кто такая?

Фася отложила газету:

— Ты слышала, что бывают таджики, узбеки, грузины?

Мне было восемь лет, и в школе мы еще не проходили географию СССР.

— Нет, — мотнула я головой.

Бабуся улыбнулась:

— Человека, у которого мы на рынке покупаем курагу, помнишь?

Перед глазами мигом предстал вечно улыбающийся

Рашид, черноглазый, темноволосый, приветливо приговаривающий: «Кушай, кушай, курага сладкая, словно мед, во рту тает, приходи еще».

— Да, — кивнула я, — помню.

— Рашид узбек, — принялась растолковывать мне бабушка, — а Юдифь Соломоновна еврейка.

— А ты кто?

Бабуля усмехнулась:

— Сложный вопрос. По паспорту русская. Но мой отец был грузин, а мать наполовину полька, наполовину казачка.

У меня голова пошла кругом, в мое детство на восьмилетних детей не обрушивалась ежедневная лавина информации, и мы, наверное, соответствовали нынешним четырехлеткам...

— Какая между ними разница? — пробормотала я. — Между узбеками, евреями, грузинами и русскими?

— А никакой, — спокойно ответила бабуся, — просто наша огромная страна делится на республики. Одни живут в Таджикистане, и их зовут таджиками. Там у людей много солнца, поэтому у них смуглая кожа и темные глаза. На Украине украинцы, в Белоруссии белорусы... поняла?

— Ага, — кивнула я, — в Ленинграде ленинградцы.

Бабушка покачала головой:

— Нет. Ленинград город, и в нем могут проживать люди самых разных национальностей, как в Москве. Возьми, к примеру, твой класс. Жора Асатрян армянин, Женя еврейка, ты русская...

— Ну и что? — пытались разобраться в сложном вопросе мои детские мозги.

Фася вытащила папиросы, чиркнула спичкой и подвела итог разговору:

— Не забивай себе голову ерундой! Киргизы, молдаване, грузины, армяне, евреи — мы все одна семья, советский народ, национальность в СССР не играет никакой роли.

Так я и росла с сознанием того, что являюсь не русской, а советской девочкой. Вера в идиллическое объединение наций не была поколеблена даже после того, как Женька Конторер в десятом классе неожиданно стала... Евгенией Табуреткиной. Я долго издевалась над подругой:

— Табуреткина! Скончаться можно!

— Это мамина фамилия, — отбивалась Женя со слезами на глазах.

— Ой, не могу, табуретка ты!

— Ага, — закричала с обидой подруга, — тебе хорошо, никаких проблем, Дашка Васильева, а мне как в институт поступать? Конторер живо срежут, а Табуреткина без сучка и задоринки проскочит.

И она мигом объяснила мне, с какими трудностями сталкивается на жизненном пути еврейка. Но моя вера в дружбу наций даже не покачнулась. Да и как могло быть иначе? «Мой адрес не дом и не улица, мой адрес Советский Союз», — неслось из радио- и телеприемников.

Перестройка принесла с собой иные песни. И теперь, входя на рынок, я старательно ищу среди торговцев человека со славянской внешностью. Мне жаль женщин и детей, бегущих из разгромленных городов и сел Кавказа, мне все равно, кто они по национальности, просто, увидав в новостях колонну беженцев с узлами и младенцами, я мигом представляю себя на месте какой-нибудь из этих теток, но... Но продукты предпочитаю покупать «у своих». Глупо, правда? И тем не менее я перестала ходить в магазин на станции возле Ложкино, когда там за прилавками появились широко улыбающиеся «лица кавказской национальности». Мне неприятна произошедшая со мной метаморфоза, но, боюсь, если Анька с Ванькой поинтересуются через пару лет: «Кто такие чеченцы? — я не сумею спокойно, как Фася, ответить: «Это жители Чечни. Там много солнца, поэтому они темноволосые и черноглазые, со смуглой кожей»...

— Пропали у жильцов вещички, — продолжала вещать соседка, — ну да ничего, они не бедные, купят себе новые! Вот Саню жаль, хоть и пьянь беспробудная. Ежели выживет, куда ей возвращаться, а?

— А, чтоб она сдохла поскорей! — заорала заплаканная тетка, стоявшая возле неаккуратно связанных узлов. — Хорошо тебе всех жалеть, сама на другом этаже живешь! А мне каково? Кто мою квартиру отремонтирует? Я за что страдаю? Да чтоб ей, алкоголичке чертовой, уснуть и не проснуться! Чтобы у нее руки-ноги поотваливались, чтоб...

Слушая отчаянные проклятия, я пошла в сторону метро. Ей-богу, впору самой кричать: «Что делать? Что делать?»

Домой я вернулась совершенно разбитая и очень обрадовалась тому, что в прихожей меня встретили только собаки. Разделив между ними купленный по дороге пакет чипсов, я заглянула в ванную. Так, сейчас поставлю на унитаз тазы и ведра, потом напущу теплой воды, разведу в ней пену... Впрочем, пены нет. Ладно, обойдусь. Просто залягу в ванну и спокойно поразмышляю.

Нацепив на себя халат, я вымыла чугунную емкость, открыла краны и стала смотреть, как тугая прозрачная струя весело бьет по эмали. Но не успела вода наполнить и половину ванны, как раздался звонок в дверь и понесся лай собак.

Я со вздохом вернулась в прихожую. Ванна отменяется, придется обойтись душем на скорую руку. В небольшой квартирке с совмещенным санузлом можно понежиться в теплой водичке, только если находишься в одиночестве, потому что стоит лишь погрузить тело в пену, как из коридора послышится нервный крик: «Долго еще? В туалет хочу».

Можно, конечно, ответить: «Входи, у меня занавеска задернута».

Но, согласитесь, это уже не то удовольствие, когда знаешь, что в любой момент могут ворваться домашние.

Покорившись судьбе, я распахнула дверь и увидела довольно полную старуху, облаченную в темно-фиолетовую пижаму. Волосы пожилой женщины были аккуратно уложены в старомодный пучок, и пахло от нее не перегаром, а духами, которые любила Фася, кажется, их название «Серебристый ландыш».

— Тиночка, — ласково сказала бабуся, — вот, опять письмо от Лаврика пришло.

И она зачем-то протянула мне белый конверт. Я машинально взяла послание, адресованное Гнеушевой Ларисе Филипповне.

— Простите, но оно не нам адресовано! Ларисе Филипповне!

— Конечно, — ответила дама, — это мне Лаврик прислал. Или ты, Тиночка, сейчас занята?

— Я не Тина.

— А кто? — удивилась Лариса Филипповна.

Решив не объяснять ситуацию, я просто ответила:

— Родственница ее, приехала ненадолго.

— Тиночка когда вернется?

— Только завтра утром.

— Ай, какая жалость, так долго ждать, — расстроилась дама.

На ее приятном лице появилось выражение такого расстройства, что я не утерпела:

— Может, я могу чем помочь?

— Голос у вас, как у Тины, милый такой, — пробормотала Лариса Филипповна. — Давайте я объясню, в чем дело!

Я посторонилась. Душ тоже отменяется, пожилые люди, как правило, болтливы, быстро мне не отделаться.

Лариса Филипповна не оказалась исключением. Удобно устроившись на диване, она сначала принялась восторгаться собаками:

— Ой, какие славные! У меня тоже была такса, Джулия, только скончалась от старости, а другую завести побоялась, мне уже семьдесят пять, живу с внуком, Лавриком...

На мою голову вылился целый фонтан интересных, но абсолютно ненужных сведений.

Лариса Филипповна бывшая актриса, не из звезд, но имела на вторых ролях успех, получала букеты и письма от поклонников. К сожалению, муж ее рано умер, дочку Лариса Филипповна поднимала одна. Потом та выскочила замуж и родила мальчика, названного в честь покойного деда Лаврентием. Но не зря говорят в народе, что младенцам нельзя давать имена умерших родственников, счастья не будет.

Через год после появления на свет Лаврика умерла его мать, зять Ларисы Филипповны, хоть и был милым человеком, вдоветь долго не захотел, женился вновь и напрочь забыл о сыне. Но бывшая актриса не очень сожалела о супруге дочери, вся ее жизнь превратилась в служение Лаврику.

Естественно, он не ходил в детский сад. Бабушка за ручку водила мальчика в бассейн, на занятия немецким языком, в музыкальную школу.

Лаврик рос тихим, беспроблемным, немного вялым. Вместо активных игр — футбола, салочек и казаков-разбойников — он любил книги, головоломки и склеивание моделей. Потом бабушка поднапряглась и купила любимому внуку очень дорогую игрушку — компьютер. Стало понятно, что Лаврик нашел себя. Кроме монитора, его теперь не интересовало ничего.

Лариса Филипповна не могла нарадоваться на внучка. У других в домах молодые парни пьют, курят, водят размалеванных девчонок и ругаются с родителями. Лаврик же вечера просиживает дома и ластится к бабушке, словно теленок. Одна беда, в аттестате у него в десятом классе оказались сплошные тройки, имелись лишь две пятерки — по информатике и поведению.

Поняв, что ее любимый мальчик может не поступить в институт, Лариса Филипповна предприняла воистину героический поступок. Она продала роскошные четырехкомнатные апартаменты в центре, приобрела квартиру в «хрущевке» и заплатила пронырливому доценту, пообещавшему без всяких проблем провести Лаврика между рифами вступительных экзаменов.

Жуликоватый преподаватель не подвел. Лаврик оказался на первом курсе, с блеском выучился всем тонкостям компьютерной науки, получил диплом, его взяли на работу в преуспевающую фирму, дали отличный оклад, но тут...

Я терпеливо ждала, пока Лариса Филипповна наконец доберется до цели рассказа, но повествование текло, словно широкая река, медленно несущая свои воды к далекому морю.

Мирная биография Лаврика была прервана самым варварским образом. Его призвали в армию. Правда, не на двадцать четыре месяца, а всего на полгода, на так называемое переобучение командного состава. В институте, где учился юноша, была военная кафедра, и Лаврик вышел на работу, имея в кармане воинский билет со званием лейтенанта.

Что испытала Лариса Филипповна, не описать словами. Ее дорогой мальчик, любящий Моцарта и Баха, ее обожаемый внук с гастритом, ее нежный Лаврик, который до сих пор не может спокойно уснуть, если бабушка не поцелует его на ночь... в окопах, с автоматом в руках, среди грязных солдат?

Лариса Филипповна достала коробочку с ожерельем, подарком покойного мужа, и собралась бежать в военкомат «решать вопрос», но неожиданно была остановлена Лавриком.

— Нет, — твердо сказал внук, — я взрослый, отслужу и вернусь, всего-то шесть месяцев.

И теперь Лариса Филипповна проводит дни у почтового ящика.

— А от меня вы чего хотите? — прервала я даму. — Чем я помочь могу?

— Понимаете, душа моя, у меня с глазами беда, катаракта. А у Лаврика такой почерк мелкий! Пишет, словно манную крупу рассыпает, даже сквозь лупу не разобрать. Не могли бы вы прочитать мне его письмо вслух, а? Всегда к Тиночке обращаюсь, больше, право слово, в этом подъезде и зайти не к кому, все выпивают. Но сейчас ведь ее нет, а ждать до завтра так долго! Сделайте милость!

Господи, такая ерунда — и столько разговоров.

— Конечно, — улыбнулась я и вынула из конверта листок, исписанный с обеих сторон бисерным почерком. Такой не то что глазами с катарактой, даже со стопроцентным зрением разобрать трудно.

«Дорогая бабусенька, здравствуй!

Как твое здоровье? Надеюсь, не экономишь и покупаешь себе бальзам Биттнера? Впрочем, хочу сказать, что, конечно, хорошо пить витамины, но лучше получать их из пищи, поэтому ходи на рынок и бери виноград, яблоки, орехи, мед. Забудь про дурацкую идею собирать «гробовые». Во-первых, тебе еще рано думать о смерти, а во-вторых, когда умрешь, я тебя обязательно похороню. Ну, подумай сама, разве хорошо жить с трупом в комнате...»

Лариса Филипповна звонко рассмеялась:

— Ну Лаврик, ну шутник! Вечно так смешно напишет.

Я посмотрела на ее улыбающееся, радостное лицо. Однако и у бабушки, и у внука своеобразное чувство юмора. Наверное, им нравятся страшилки-частушечки типа «Красные звездочки, шапочки в ряд, трамвай переехал отряд октябрят».

— Ну, ну, дальше, милая! — нетерпеливо воскликнула дама.

Я откашлялась и продолжила:

— «Обо мне не беспокойся. Кормят великолепно. Утром дают хлеб с маслом и сыром, кофе с молоком, геркулесовую кашу, в обед — борщ, макароны с котлетами...»

— Слава богу, — покачала головой Лариса Филипповна, — полноценное питание — основной залог здоровья.

Я постаралась не рассмеяться. Лаврик начал мне

нравиться. Он, очевидно, любит бабушку, раз так самозабвенно врет о рационе.

— «Единственно, что тут раздражает до колик, это
солдаты, которыми я вынужден командовать. Откуда
только их взяли? Тупые, словно лыжные ботинки, аб-
солютные дебилы в медицинском понимании этого слова. Представляешь, бабуся, до чего меня довел некий
Ваня Неустроев? Я ему велел пойти на склад и принести три одеяла. Парень кивнул, исчез на полчаса и при-
тащил пару сапог. Естественно, я его отругал и отправил назад. Ты не поверишь, дорогая бабусенька, но этот
молодой человек приволок... подушку! Я еле удержался
от крика, но решил все же не терять лица. Написал записку: «Уважаемый сержант Фролов, выдайте солдату
Неустроеву 3 (три) одеяла», вручил бумагу недоумку и
стал спокойно заниматься своими делами. Медленный,
словно больная черепаха, Иван вернулся, неся... комплект постельного белья. Оказалось, что мою записку
он потерял по дороге. И тут, милая бабушка, со мной
случилась ужасная вещь, мне до сих пор за себя стыдно,
поверь, однако, что произошло, то произошло. Я понимаю, что был не прав, но, увы, увидев глупо улыбающегося Ивана с простынею, просто озверел. Налетел на
несчастного мальчишку, сначала тряс его за плечи, нервно выкрикивая: «Три, три, три одеяла...» А затем оторвал парню ухо...»

Глава 25

Страница кончилась, я собралась перевернуть листок, но не успела. Лариса Филипповна взвизгнула:

— Что? Прочтите еще раз!

Я покорно переместила глаза чуть вверх:

«...нервно выкрикивая: «Три, три, три одеяла!» А затем
оторвал парню ухо...»

— Нет! — закричала Лариса Филипповна и начала

сползать со стула. — Ужасно! Лаврика посадят за членовредительство! Воды, скорей воды!

Лицо пожилой дамы приобрело синевато-желтоватый оттенок. Рукой, покрытой темными пигментными пятнами, она схватилась за сердце. Я кинулась к бутылке «Святого источника».

— Муся, — раздался веселый голос Маши, — а почему дверь не заперта? Ой, что случилось?

Увидев радостную Маню с сумкой через плечо, Лариса Филипповна пробормотала:

— Вылитый Лаврик, он тоже вот такой из школы возвращался, словно колокольчик звенел.

— Кто такой Лаврик? — удивилась Маня.

— Это мой любимый внук, — прошептала дама.

— И вовсе я не похожа на мальчишку, — от души возмутилась Маруся, считающая в силу возраста всех лиц мужского пола редкостными идиотами.

— Такой же веселый, — продолжала лепетать Лариса Филипповна, — а теперь его посадят в тюрьму.

Я открыла холодильник и стала искать валокордин.

— А что он сделал? — поинтересовалась любопытная Машка. — Почему за решетку попадет?

Лариса Филипповна подняла на Манюшу глаза, полные слез.

— Он оторвал ухо человеку! Только что узнала! Боже!!!

— Так это ерунда, — с жаром воскликнула Маня, — главное, не сообщать милиционерам.

— Да?

— Ага, — кивнула Машка, — следует вызвать «Скорую помощь», сказать, что ухо отвалилось случайно. Врачи положат его в мешок со льдом, и хирурги пришьют!

Лариса Филипповна судорожно вздохнула. Я наконец отыскала пузырек с лекарством и принялась считать капли. Внезапно пожилая дама залилась слезами:

— Ваша девочка такая милая, приятная, дай ей бог счастья, только разве возможно человеку пришить оторванное?

Я сунула ей рюмочку с валокордином.

— Запросто, Машка права, ухо — это ерунда. Не буду вам рассказывать, что ухитрились пришить назад одному мужчине, которому жена в порыве ревности оторвала ЭТО.

— Что? — спросила Лариса Филипповна, ставя рюмку. Я замялась.

— Ну ЭТО.

— Что? — недоумевала пожилая женщина.

— Э-э-э, главное мужское достоинство, хотя мне всегда казалось, что хорошие мозги нужнее ЭТОГО!

Лариса Филипповна вновь зарыдала:

— Боже, Лаврик, наверное, уже сидит! Письмо-то написано несколько дней назад. Ой, воды, мне плохо!

Начался новый виток истерики. Я пыталась привести даму в нормальное состояние, но тщетно. Не помогли все старые, испытанные средства: коньяк с сахаром, холодная вода, валокордин, чай с лимоном и нежные присюсюкивания: «Успокойтесь, все будет хорошо!» Периодически заглядывала Маня и выкрикивала по непонятной причине:

— Ну погодите, сейчас!

Потом раздался звук шагов, и появилась пара мужиков в белых, слегка мятых халатах.

— Вот, — завопила Маруська, — ура, приехали!

— Что у нас тут? — резко спросил один.

Я разинула было рот, но Маня тут же заорала:

— Ну здорово, что сумела дозвониться, у нас оторванное ухо.

— Где? Ведите, — отрывисто велел более молодой из докторов, вынимая нечто, похожее на контейнер для перевозки пробирок.

— Ну, — засуетилась Маня, подскакивая к Ларисе Филипповне, — пошли скорей! Видите, спецмашина прибыла, сейчас парня вместе с ухом в больницу отправят, и все, через пару часов как новенький будет.

Пожилая дама залилась слезами.

— Спокойно, — повелительно пресек истерику доктор помоложе. — Рыданиями делу не поможешь. Сколько времени прошло после нанесения травмы?

Лариса Филипповна неожиданно успокоилась и прошептала:

— Дня три-четыре.

Врачи переглянулись. Потом первый осторожно осведомился:

— Три часа?

— Дня, — всхлипнула Лариса Филипповна, — а может, и больше, я точно не знаю.

— Издеваетесь, да? — вскипел молодой.

— Остынь, Сева, — велел другой, — откуда бы людям знать. Где больной?

— На севере, — прозаикалась дама.

— Где?! — заорали врачи хором.

— На севере, — повторила бабушка Лаврика, — он там служит...

Сева плюхнулся на стул и устало спросил:

— Так! Ухо оторвали три дня назад, и оно благополучно стухло, больной на севере, а при чем тут мы? И вообще, кто нас вызывал, а главное, зачем?

Маруська сочла за благо мигом испариться. Лариса Филипповна, на удивление спокойная, открыла было рот, но я, боясь, что рассказ будет длиться бесконечно, быстро сказала:

— Сейчас все объясню.

Через полчаса врачи, спрятав в кошельки приятно хрустящие бумажки, удалились. Очевидно, сумма «гонорара» их вполне удовлетворила, потому что угрюмый Сева ловко сделал Ларисе Филипповне укол и улыбнулся на прощанье мне. Наверное, он был хорошим доктором. После процедуры пожилая дама совсем успокоилась, умылась и попросила:

— Душечка, уж прочитайте письмо до конца, надеюсь, меня не ждет еще одно столь же ужасное потрясение.

Я взяла листок, перевернула его и продолжила прерванное занятие.

— «...у шапки. Новую ушанку Неустроеву на складе выдать отказались, и он теперь из-за меня вынужден ходить в неуставном головном уборе».

— Не понимаю, — пробормотала Лариса Филип-повна, — при чем тут шапка?

Но до меня уже дошла суть дела. Задыхаясь от сме-ха, я прочитала последнюю строчку на первой странице:

— «...и оторвал у парня ухо... — потом перевернула листок, — ...у шапки». Понимаете, Лаврик никого не уродовал, он испортил ушанку, у этого головного убора имеются уши, вот Лаврик одно и оторвал, ясно?

— Ясно, — пробормотала Лариса Филипповна, — а почему сразу не сказали? Вы же видели, что мне плохо?

— Так только сейчас посмотрела на другую сторону!

Лариса Филипповна молча дослушала послание, сухо поблагодарила меня и, стоя на пороге, укоризнен-но сказала:

— Спасибо за любезность, только из-за того, что вы не сразу разобрались, в чем дело, меня едва паралич не разбил.

Сохраняя достоинство, она медленно пошла вверх по лестнице. Я закрыла дверь и отправилась в свою ком-нату. Манюня, лежащая на софе, заныла:

— Ага, кто бы мог подумать, что ухо так далеко! Она так убивалась! Я хотела как лучше, вот и вызвала «Ско-рую».

— Забудь, — устало сказала я. — Ухо было от шапки.

Выслушав Манины крики, я плюхнулась на кровать. Принять ванну не удалось, так хоть подумаю спокойно!

На следующий день в районе полудня я сидела в от-деле кадров консерватории и, глядя в лицо милой светло-волосой женщины, самозабвенно врала:

— Газета «Вечерний досуг», где я работаю, любит давать материалы о простых людях, находящихся за сце-ной. Допустим, об известных музыкантах, талантливых исполнителях знают все, а об уборщицах, которые при-водят в порядок Большой зал, не известно никому, раз-ве это справедливо?

— Отнюдь, — улыбнулась кадровичка, — очень хо-рошо, что ваше издание решило обратиться к этой теме. Только извините, я никогда не встречала его в киосках.

— А мы распространяемся по подписке, — быстро выкрутилась я.

Заведующая кивнула, тут дверь распахнулась, и вошла старушка самого благообразного вида.

— Лия Михайловна, подпишите.

Кадровичка быстро подмахнула поданную бумагу и сказала:

— Знакомьтесь, наша легенда Роза Михайловна Щербак. Сорок лет на одном месте.

Роза Михайловна ее поправила:

— Сорок три года стою в гардеробе. Пора бы уже и молодым место уступить.

— Что вы, — замахала руками Лия Михайловна, — еще поработать придется, да вы любой тридцатилетней фору дадите.

Роза Михайловна покраснела от удовольствия. Простоватая старушка, не избалованная вниманием и комплиментами, показалась мне более подходящим объектом для расспросов, чем хитро улыбающаяся Лия Михайловна, поэтому я быстро сказала:

— Можно мне с вами поговорить?

— Конечно, — ответила бабуся, — пойдемте на мое рабочее место.

Меня отвели к вешалкам, посадили на высокий стул с темно-красной, слегка вытертой бархатной обивкой и вывалили на голову массу сведений. Роза Михайловна трепетно относилась к своей профессии, считала себя приближенной к миру музыки. Нынешние зрители ей решительно не нравились.

— Раньше, — журчала старушка, — дамы приходили в вечерних платьях, переобували туфельки, красота смотреть! А теперь в джинсах! Представляете? В чем на огороде рылись, в том и заявились музыку слушать! Кошмар, никакого трепета! Ужасно! А мужчины? Еще хуже! Брюки мятые, в руках пиво! Один такой мне все непочатую бутылку совал и требовал: «Спрячьте в гардероб, после концерта выпью».

— Зато у вас капельдинеры прекрасно одеты, — влезла я в рассказ, — и мужчины, и женщины в костюмах, очень хорошо смотрятся.

Роза Михайловна недоуменно глянула на меня.

— Действительно, все в форме, только мужчин у нас нет. За порядком следят лишь женщины.

— Да? А вот я была недавно в директорской ложе, и мне мужчина принес воды, сказал, что служитель.

Роза Михайловна рассмеялась:

— Вы женщина молодая, интересная, вот к вам и решил привязаться кавалер! Наверное, рассчитывал познакомиться! У нас работают лишь лица женского пола, в зале я имею в виду. Есть рабочие, но они со слушателями не пересекаются. Нет, это просто к вам ухажер пристраивался.

— Маловероятно, — пробормотала я, — он сказал, что служит капельдинером.

— Нет, милая, — улыбнулась Роза Михайловна, — совершенно невозможная вещь. Просто вы вышли из зала...

— Я сидела в директорской ложе!

— Тем более! Там уже много лет Тамара Павловна хозяйничает!

— Значит, мужчин нет?

— Нет.

— Совсем?

— Совершенно.

Я замолчала. Потом, чтобы не вызывать у милой Розы Михайловны лишних подозрений, задала ей пару совершенно ненужных вопросов и, закончив изображать из себя журналистку, пошла к двери.

На улице неожиданно похолодало, да и пора бы осени вступить в свои права, сентябрь скоро закончится. Дрожа в слишком тоненькой курточке, я направилась было к метро, но тут сзади раздалось:

— Эй, девушка, погодите!

Я обернулась, ко мне торопилась худенькая, изможденная женщина.

— Во сколько оцените информацию о мужчине, который работает в ложе директора? — без всяких церемоний поинтересовалась она.

Я слегка растерялась и в ту же секунду узнала тетку. Она сидела на стуле в гардеробе недалеко от того места, где мы разговаривали с Розой Михайловной.

— Так как? — нетерпеливо повторила бабенка. — Стоят, по-вашему, эти сведения денег? И сколько дадите?

Я огляделась вокруг, увидела в двух шагах вывеску «Кафе» и велела:

— Пошли, не на улице же торговаться.

Втиснувшись за маленький столик с липкой пластмассовой столешницей, я поинтересовалась:

— Ну, говорите!

— Сначала деньги, — не дрогнула тетка.

— За что?

— За рассказ. Насколько я поняла, вам этот мужчина очень нужен.

— С чего вы решили такую глупость?

Гардеробщица скривилась:

— Только не надо считать себя умней всех. Роза Михайловна кретинка, вот и приняла за чистую монету басенку о газете. Но я-то знаю, что мы, гардеробщицы, никому не нужны. Короче, выкладывайте сто долларов, и я все рассказываю.

Я посмотрела на ее хитрое, мелкое, крысиное личико с поджатыми губами, затем вытащила зеленую купюру и положила на столик. Мерзкая баба мигом схватила бумажку и сказала:

— Слушайте. В директорской ложе хозяйничает Тамара Павловна, та еще штучка. Хитрая до невозможности. Стоит кому из начальства появиться, прямо медовой лужей растекается. Все-то у нее под рукой: щетка, иголка, нитки, анальгин... Противно смотреть! Естественно, на чаевые рассчитывает! И ведь дают! Да небось неплохие! И дочь у нее в шубе ходит! Зять недавно купил!

Я неожиданно рассердилась. Незнакомая мне Тамара Павловна просто пытается выжить, вот и старается изо всех сил. Впрочем, на чаевые, которые ей, скорей всего, нечасто перепадают от посетителей директорской ложи, особо не разбежишься. Шубу на эти медные копейки явно не купить.

— Ну и что? — возмутилась я. — Мужу приятно одевать жену. При чем тут мужчина, который работает капельдинером, а? Деньги взяла, давай говори по делу, нечего мне все сплетни намешивать!

Гардеробщица сжала губы в нитку:

— Так о нем и речь! Тамара Павловна болеть стала, уходить бы со сладкого местечка пора, но неохота дармовых денежек лишаться, вот и цепляется за место зубами. Мигрень у нее случается, слыхали про такую болячку?

Я кивнула. К сожалению, очень хорошо знаю, что это такое. Женщины, которым в висок раз в месяц словно вонзается толстая палка, меня поймут. Мигрень — это не просто головная боль, а целый клубок отвратительных ощущений: зрительных, вкусовых, обонятельных. Лежишь в кровати и безуспешно пытаешься заснуть, а в левой стороне черепа, словно ворочается нечто, инородное, тяжелое, давящее. Перед глазами плавают разноцветные круги, в носу стойко поселяется запах гнилого мяса, в ушах гудит, ноги и руки отказываются повиноваться, а сна все нет и нет. А вам то холодно, то жарко... и тошнит. Каких только лекарств не пила я, чтобы купировать приступ, начну перечислять — страницы не хватит. Но, слопав все, что предлагает современная фармакологическая промышленность, пришла к неутешительному выводу: не помогает ничего. Теперь просто падаю в кровать, закрываюсь одеялом и терпеливо жду сутки, по счастью, у меня приступ длится двадцать четыре часа и посещает, зараза, только раз в полгода. А ведь бывают несчастные, мучающиеся по нескольку дней и ночей, да еще каждый месяц.

— Мигрень — это ужасно, — с чувством сказала я.

Собеседница хмыкнула:

— Подумаешь, мигрень, я с артритом на службу хожу, и ничего, а Тамара Павловна в кроватку укладывается!

Злобная тетка разонравилась мне окончательно, и я весьма сурово сказала:

— Короче, при чем тут мигрень?

— Дайте сказать!

— Давай быстрей, недосуг с тобой лясы точить!

— Тамара Павловна, если заболеет, вместо себя зятя присылает, он и работает в директорской ложе, ясно?

— И никто не знает? — удивилась я.

— Почему? Начальство в курсе. Ей разрешают, говорю же, Тамарка подлиза, вечно всем улыбается и кланяется, вот ей и идут навстречу да еще жалеют: «Ах, ах, дорогая, вы так страдаете», — с невероятной злобой в голосе воскликнула гардеробщица, — а стоило мне бюллетень взять, тут же позвонили и заявили: «Галина Феоктистовна, или работать выходите, или увольняйтесь». Тут одни сволочи.

Я побарабанила пальцами по омерзительно липкой столешнице. Люди, как правило, относятся к нам так, как мы к ним относимся, поэтому неудивительно, что приветливую Тамару Павловну любят, а злобную Галину Феоктистовну ненавидят.

— У вас есть телефон капельдинерши из директорской ложи?

Галина Феоктистовна покачала головой.

— Она в Подмосковье живет.

— Адрес знаете?

Гардеробщица ухмыльнулась:

— Сто долларов.

Вообще-то я довольно легко расстаюсь с деньгами, но сейчас просто посинела от злости.

— Я уже заплатила!

— За рассказ, не за адрес.

— Он мне не нужен. Небось ваша Тамара Павловна вечером на работе будет.

— Вот и нет, она в отпуске, только в середине октября появится, — торжествующе заявила Галина Феоктистовна.

Мне очень, просто очень не хотелось давать деньги противной бабе, но, похоже, делать нечего. Следующая бумажка перекочевала из моего бумажника в цепкие пальчики Галины Феоктистовны.

— Аракелово, — сказала она.

— Что? — не поняла я.

— Сядете в поезд на Казанском вокзале, остановка называется Аракелово, это близко, — пояснила гардеробщица, — прямо совсем рядом.

— Улица и номер дома?

— Не знаю.

— Послушай, — взвилась я, — не жидковаты ли сведения за сто американских долларов, а?

— Могу описать, как топать от станции, впрочем, идти там и некуда. Как сошли с поезда, тут же магистраль потянется, ее дом первый, ворота ярко-синей краской покрашены, не спутаете.

— Точно знаете? Откуда?

Галина Феоктистовна изобразила нечто, напоминающее улыбку, так, наверное, выглядит довольная гиена.

— Не сомневайтесь! Была у нее недавно в гостях, она меня к себе позвала на выходные, в конце августа, решила из себя помещицу изобразить! Подошла ко мне и фальшиво так заявила: «Ну и жара в этом году, хорошо, что мы в пригороде живем, а ты, Галочка, небось на выходные на дачу поедешь?» — «Откуда у меня дача, — буркнула неприветливая гардеробщица, — денег не накопила!»

Галина Феоктистовна помолчала и добавила:

— Так она подошла опять, через полчасика, и заявила: «Галиночка, мы с Карочкой, — это она дочь так по-идиотски назвала, Карина, — ждем тебя в гости, поехали, не стесняйся, дом большой, места хватит, подышишь два денечка озоном, овощи свои покушаешь, чисто санаторий». Вот какая противная, надумала меня своим богатством унизить!

Внезапно мне стало жаль исходящую злобой Галину Феоктистовну. Несчастная, так ненавидит всех вокруг, наверное, ей очень тяжело жить!

Глава 26

Неведомое Аракелово оказалось буквально в двух шагах от Москвы. Когда электричка, лязгая и нещадно громыхая, умчалась прочь, я увидела невдалеке ленту Кольцевой автодороги. Но все же это был уже пригород, перед глазами простирался негустой лесок, в котором терялся ряд домов, вернее, бревенчатых избушек, среди которых, словно великан между карликов, возвышался роскошный особняк из красного кирпича, больше похожий на замок Синей Бороды, чем на жилище мирного селянина. Но мне было не туда. Противная Галина Феоктистовна не обманула. Почти впритык к платформе находились ярко-голубые ворота, на которых висело объявление.

Я подошла поближе и пробежалась глазами по тексту: «Во дворе собака, громко лает, но не кусается, не бойтесь, заходите».

Рука сама собой толкнула калитку, открылся широкий двор, засаженный буйно цветущими астрами. По дорожке, выложенной битым кирпичом, неслась большая пестрая собака, издавая оглушительные звуки. Я сначала попятилась, но потом, вспомнив объявление, сказала:

— Ну и зачем так кричать?

Псина села и уставилась на меня круглыми карими глазами. Я усмехнулась: занятный гибрид. Обычно в дворняжках можно четко различить две породы, так сказать, папину и мамину кровь. Но здесь был намешан целый коктейль. Большая крупнолобая черная голова с висячими ушами и мощной челюстью явно принадлежала ротвейлеру. А вот лапы, неожиданно тонкие, элегантные, «балетные», перешли от дога, туловище, покрытое мелкими рыжевато-бежевыми завитками, говорило о присутствии в роду эрдельтерьеров, а уж хвост, огромная метла черно-белого цвета, достался неизвестно от кого. Первый раз встречаю у собаки подобное продолжение позвоночника, может, одна из бабушек у этого кобелька была персидской кошкой?

— Гав, гав, гав, — продолжал заливаться эрделедоготвейлер.

— А ну прекрати, Дик, — донеслось из глубины участка.

На дорожке показалась полноватая женщина лет шестидесяти, одетая в рваный халат и калоши. Очевидно, хозяйка копалась в огороде. Вытирая испачканные руки о тряпку, Тамара Павловна спокойно улыбнулась:

— Идите, не бойтесь. Дик громкий, орет так, что электричку не слышно, но никого в жизни не укусил.

Не успела она договорить, как у меня под ногами затряслась земля, потом послышался резкий гудок, грохот, деревья, стоящие в саду, задрожали, а Дик принялся носиться по дорожке, истошно лая.

— Что это? — ошеломленно спросила я.

— Так электричка, — совершенно спокойно ответила Тамара Павловна, — около станции живем, да привыкли уже, только собака каждый раз бесится, прямо жалко его!

Я поглядела на бьющегося в истерическом припадке пса.

— Знаете, у нас пуделиха Черри тоже нервная была, чуть что мигом в обморок хлопалась. Мы ее вылечили.

— Да? — заинтересовалась Тамара Павловна. — И как?

— Купите в аптеке любой гомеопатический препарат с фосфором, знаете, такие белые шарики.

— Называется как?

— Неважно, вам подойдет каждый, в котором основной составляющий компонент фосфор. Вообще-то он предназначен для людей, подверженных истерическим припадкам и немотивированным приступам злобности, но очень хорошо помогает животным, да и стоит копейки!

— Давать сколько?

Я призадумалась.

— Черри небольшая, весит десять килограммов, мы

ей совали три-четыре горошины, вашему, наверное, штук восемь... Они сладкие, мигом слопает.

— Спасибо, — улыбнулась Тамара Павловна, — а то измучил всех, зять-покойник, бывало...

— Кто? — испугалась я.

— Вадик, — вздохнула билетерша, — муж моей дочери.

— Почему покойный?

— Так он умер.

— Когда? — в полной растерянности спросила я. — Отчего? Он же молодой, наверное!

— Да уж, — вздохнула Тамара Павловна и неожиданно поинтересовалась: — А вы за яичками ко мне или за творогом?

— И за тем и за другим, — не растерялась я.

— Что же мы на улице болтаем, — всплеснула руками хозяйка, — пошли в дом.

На чистенькой, словно операционная в сельской больнице, кухоньке Тамара Павловна усадила меня за стол и радушно предложила:

— Чайку? Небось из Москвы едете?

Не дожидаясь ответа, она вытащила из эмалированной кастрюли неровный батон, достала масленку и радостно сказала:

— Попробуйте, все свое, в магазине такого не купить.

Глядя, как она ловко намазывает на толстый кусок хлеба желтое, блестящее масло, я сглотнула слюну, есть захотелось со страшной силой.

Чай оказался отвратительным, самый дешевый сорт пахнущих веником «все тот же вкус». Зато бутерброд был вне всякой критики.

Увидав, как я глотаю третий по счету, Тамара Павловна пояснила:

— Дочь у меня мастерица. В детском саду работала воспитательницей, да оклад такой, что больше на проезд истратишь, вот и бросила. Коров завели, кур, огород, с того и живем, у меня клиентов много, один с Юго-Запада ездит, только наш творог хочет. Вас кто прислал?

Я быстро ответила:

— Галина Феоктистовна, гардеробщица из консерватории. А что случилось с вашим зятем?

Тамара Павловна глубоко вздохнула:

— Случайность вышла. Сосед его наш застрелил, Николай Федорович.

Я чуть не уронила чашку.

— За что?

— Так не нарочно, — принялась пояснять Тамара Павловна. — Дома наши сами видите как стоят, у дороги. Народ разный ходит, к нам особо не лезут, Дика боятся, большой да громкий. Я на ворота специально для клиентов объявление повесила, чтобы не боялись, только те, кто впервые появляется, пугаются. А у Николая Федоровича никого во дворе, вот и лазают к нему все, кому не лень.

Я мрачно слушала ее рассказ. Наш человек, простоявший на огороде кверху задом весну, лето и большую часть осени, превращается в неуправляемого зверя, если видит, как кто-то покушается на урожай. Совсем недавно Зайка, придя домой, бросила на стол гостиной газету «Мегаполис» и возмущенно сказала:

— Ужас! Озверелые садоводы прибили гвоздями к забору бомжа, который воровал у них картошку.

— Так они небось сколько времени горбатились, — влезла в разговор наша домработница Ирка, — сажали, окучивали, колорадского жука изводили, а этот на готовенькое явился...

— Что за дрянь ты говоришь! — взвилась Зайка. — Из-за десятка клубней изуродовать человека.

— А чего он крысятничает? — не сдалась Ирка, и они с Ольгой отчаянно заспорили.

Я молчала, не зная, что сказать. Конечно, воровать нехорошо, но разве убивать человека можно?

Незнакомый мне Николай Федорович не задавался этим вопросом. Ветеран войны, старый человек безуспешно пытался избавиться от любителей пошарить по чужим огородам. Пару раз выскакивал и поливал грабителей водой из садового шланга, кидал в них кирпичи, однажды ловко плеснул в наглую бомжиху раствором коровяка... Но в тот злополучный вторник бедный старик совсем съехал с катушек. Ровно в полдень он глянул в окно и опешил. Среди белого дня, под яркими лучами солнца, безо всякого стыда два «синяка» нагло дергали морковку на грядках.

— Пошли вон! — заорал Николай Федорович, выскакивая на крыльцо.

Один из маргиналов выпрямился и лениво обронил:

— Молчи, рухлядь, а то плохо будет.

Николай Федорович ринулся в дом. Он прекрасно понимал, что справиться с двумя молодыми, крепкими парнями ему не под силу, но обнаглевшие бомжи и предположить не могли, что у немощного старика спрятан в шкафу пистолет. Оружие имелось у бывшего фронтовика на совершенно законных основаниях. В свое время его, тогда бравого майора, наградил за смелость в бою командующий Северо-Западным фронтом. На револьвере была соответствующая гравировка, на полке хранилось разрешение на оружие. Раз в месяц Николай Федорович вынимал пистолет, чистил его и предавался воспоминаниям, но пенсионер и предположить не мог, что настанет день, когда его рука вновь потянется к «сувениру» как к оружию.

Увидав в руке обворованного крестьянина револьвер, бомжи струхнули и, ломая ногами кусты любовно выращенной смородины, кинулись на улицу. Увидев растоптанные ветви, Николай Федорович совсем помутился рассудком. Парни бежали к платформе, старик спешил за ними. Понимая, что сейчас безнадежно отстанет и упустит мерзавцев, дедушка, совершенно не обращая внимания на то, что по улице потекла толпа людей, сошедших с электрички, нажал на курок...

Послышался шлепок, на тротуар рухнуло тело, тут же натекла большая вишнево-бордовая лужа. Рука не подвела старого вояку, пуля угодила мужчине в грудь, и несчастный скончался по дороге в больницу. Только

это был не бомж, а зять Тамары Павловны, мирно шед-
ший домой.

— Какой ужас, — прошептала я, — вот несчастье!

Тамара Павловна замялась, потом, понизив голос,
сказала:

— Конечно, мы его и похоронить пока не можем.
Милиция до сих пор тело не отдает, зачем-то оно им
нужно. Но знаете, Дарья Ивановна, грех, конечно, так
говорить, Кариночка до сих пор в шоке, любила она
мужа-то, только господь нас от него освободил. Измучил совсем, никаких сил не осталось.

— Пил?

— Хуже, — грустно отмахнулась Тамара Павловна, — сначала дрянь всякую глотал, потом колоться начал, а ведь какой приличный человек вначале был, не-
удачник, правда...

— Почему?

Тамара Павловна налила мне еще ужасного чаю и
взглянула на часы. Ей явно хотелось выговориться.

— Вы на машине? — спросила она.

— На электричке.

— Тогда вам придется у меня часок посидеть, сейчас последняя в Москву пойдет, потом перерыв.

Словно торопясь подтвердить ее слова, загрохотал
поезд. В буфете тоненько затренькали рюмки и стаканы,
запрыгала на столе пустая хлебница.

— Заболтались мы, — вздохнула Тамара Павловна.

— Ну и ладно, — улыбнулась я, — надо же иногда и
отдыхать. Поеду через час, не беда, а почему ваш зять не-
удачник был?

Хозяйка грустно улыбнулась:

— Видать, таким уродился, не пришей кобылке хвост,
учителем работал в школе.

— Да? Уважаемый человек!

Тамара Павловна махнула рукой:

— Куда там! Они с Карочкой поженились, когда на
последнем курсе он был. Муж, покойник, злился, все говорил: «Ему прописка нужна, а не Карина».

Но Тамара Павловна о всех людях думает сначала

только хорошее, поэтому и встретила молодого зятя с распростертыми объятиями. Ну и наплевать, что он из провинции, без роду и племени. У самих, чай, не графы и не князья в предках. Дом большой, пять комнат, есть где разместиться. Кариночка счастлива, летает, словно крылья выросли, в хозяйстве еще одни руки прибавились, чего еще надо? Только жить да радоваться.

Но скоро добрейшей Тамаре Павловне стало ясно, что никакого толку от молодого зятя в хозяйстве нет. Руки у него росли оттуда, откуда у большинства людей торчат ноги. Ни гвоздя прибить, ни воды наносить, ни дров наколоть Вадим не мог. Тесть только крякал, глядя, как супруг дочери устраивается за столом с пачкой бумаги. Впрочем, разок он попытался призвать зятька к порядку и сказал:

— Слышь, сынок, мы с матерью уже старые коровам хвосты крутить, ты бы пошел да поменял в хлеву подстилку животине, и поскреби Зорьку, вся в говне стоит.

Вадим сморщился, словно хлебнул уксусу, Карина мигом подскочила:

— Сейчас сделаю.

— Сиди, — велел отец, — для тяжелой работы мужики есть.

Но Вадим даже не шевельнулся.

— Папа, — укоризненно обронила Кара, — Вадик не может терять свое драгоценное время на такую ерунду, как чистка коровника.

— Да? — нахмурился отец. — А почему? Значит, масло с творогом хавать сколько угодно, а Зорьку обиходить никак? Неправильно получается, кто не работает, тот не ест!

Карина быстренько вытолкала не к месту разошедшегося отца из своей спальни и зашипела:

— Папа, Вадим не такой, как мы, он человек интеллектуального труда, пишет философский труд, когда его опубликуют, мой муж сразу станет знаменитым. И как, по-твоему, такого ученого с вилами в хлев отправить можно?

Иван Николаевич только почесал в затылке, но возразить любимой доченьке, и так засидевшейся в девках, не посмел. Неизвестно, как бы повел себя дальше привыкший всю жизнь тяжело трудиться крестьянин, но через пару недель после того разговора Иван Николаевич умер.

Тамара Павловна, добрая и наивная, сначала верила, что зять создает нечто гениальное. На фоне других парней из Аракелово он выглядел белой вороной, не пил, не курил, не бил Карину, был безукоризненно вежлив, никогда не закатывал скандалов. Правда, ничего не зарабатывал. Скромной зарплаты учителя хватало только-только на необходимое самому Вадиму. Первое время теща не могла нарадоваться на зятя, он никогда не отказывался заменить ее в консерватории, а главное, его безо всякого страха можно было подпустить к директорской ложе.

«Господи, — думала иногда Тамара Павловна, мучаясь от противной мигрени, — хоть в чем-то повезло. А нашла бы себе Карина такого, как Павлик Сомов? И делать что? Вечно пьяный!»

Но время шло, Тамаре Павловне стало казаться, что Павлик Сомов не такой уж и плохой вариант. Да, заливает по-черному, порой никаким домой является, зато сколько зарабатывает! Сомовы сделали на зависть всем соседям ремонт, купили «Жигули», а Вадим все пишет и пишет, изредка вежливо сообщая:

— Мне нужна рубашка, — или, — ботинки в негодность пришли.

Карина вертелась колбасой, стараясь выдоить из домашнего хозяйства побольше прибыли, Тамара Павловна в своей консерватории не только обихаживала директорскую ложу, но и подрядилась мыть лестницы. Бедные бабы надрывались, Вадик спокойно творил.

Потом Тамара Павловна стала замечать странности. Зять, раньше с удовольствием наворачивавший гречневую кашу с жирным, деревенским молоком, теперь практически перестал есть, только жадно пил чай.

— Может, у него диабет? — робко спросила мать у дочери.

— Не лезь не в свое дело, — окрысилась Карина, — Вадик здоров, устает просто.

Тамара Павловна пребывала в глубоком недоумении. Ну как можно устать, сидя день-деньской у стола? Вадим даже уволился из школы, мотивируя свое нежелание каждый день ходить на работу просто:

— Платят копейки, а требуют целый воз, и вообще, мне надо больше работать над книгой.

— Конечно, Вадя, — умилилась глупышка Карина, — не стоит себя тратить на идиотских детей, лучше работай дома.

Тамара Павловна, услыхав эти слова неразумной, безоглядно влюбленной дочери, только покачала головой. Теперь придется лентяю «на свои» покупать сигареты.

Затем у Вади начал резко портиться характер, Карина стала подолгу сидеть в ванной, выходила с красными глазами и на все вопросы матери огрызалась, словно неразумный подросток:

— Отстань, все в порядке.

Тамара Павловна продолжала удивляться. Вадим вроде трезвый, а шатается, отвечает невпопад, глаза подозрительно блестят... По всем признакам пьян, но запаха-то нет! Потом настал день, когда, вытряхивая помойное ведро, она обнаружила странный кулечек из плотной коричневой бумаги. Недоумевая, что это такое, женщина развернула пакетик и увидела несколько использованных одноразовых шприцев.

Уж как ни была наивна Тамара Павловна, только даже она сообразила, в чем дело. Вне себя от негодования, она принесла шприцы домой, положила их в кухне на стол и впервые в своей жизни устроила детям разбор полетов.

Сначала Карина тупо молчала, потом разрыдалась и пустилась в объяснения. Оказывается, в последний год у Вадима плохо продвигалась работа. Философский труд буксовал. Чтобы подстегнуть мозг, парень попробовал «экстази». Результат впечатлил, всю ночь он просидел у письменного стола, не ощущая усталости. Через некоторое время «экстази» перестал оказывать нужное действие... В общем, спустя двенадцать месяцев после первого приема наркотика Вадим плотно подсел на героин.

Естественно, Карина была в курсе дела. Чтобы обеспечить муженьку необходимую дозу, жена распродала сначала нехитрые украшения, а потом спустила все накопленные Тамарой Павловной средства на «черный день». Чего было больше в этом поведении? Рабской любви или глупости?

Поняв, что теща в курсе происходящих событий, Вадим перестал стесняться, и в доме начался ад. Те измученные люди, в семье которых имеются родственники-наркоманы, поймут бедных женщин, оказавшихся один на один с несчастьем. Забившись вечером под одеяло, Тамара Павловна с тоской вспоминала то время, когда Вадим сидел за письменным столом, изображая из себя философа. Сейчас бы она все отдала, чтобы зять вновь принялся за рукопись, носила бы ему чай и свежепожаренные оладьи...

Но возврата к прошлому не было. О написании книги парень давно забыл, вся жизнь его теперь превратилась в цепь одинаковых событий: поиск денег, укол, кайф, поиск денег, укол, кайф, поиск денег, укол, кайф...

«Уж докололся бы до смерти, — подумалось как-то раз Тамаре Павловне, уставшей от того, что все заработанные деньги исчезают, словно в черной дыре, — похоронили бы по-людски, отплакали и успокоились». Будучи женщиной верующей, истинной христианкой, Тамара Павловна испугалась, побежала в церковь и стала просить у господа прощения за греховные мысли, только они все равно лезли в голову. А потом случилось то, что случилось.

— Представляю, что пришлось вам пережить! — сочувственно сказала я.

— Нет, — покачала головой хозяйка, — такое трудно понять человеку, который не испытал подобного ужаса. Впрочем, и слава богу, что не знаете. Как мы с Карочкой умом не тронулись! Хотя господь дает каждому посильный крест. Значит, создатель посчитал, что я и дочь можем вынести такое испытание. Но было трудно, ох как трудно!

Она замолчала, потом тихо добавила:

— Человек суетен, все на других оглядывается. Знаете, что оказалось самым тяжелым?

Я покачала головой.

— Нет.

— Сделать так, чтобы соседи не догадались, — пояснила Тамара Павловна, — у нас тут все про всех известно, скрыть ничего невозможно. Через три дома Ольга Кокошенова живет, ее бабка еще до войны в магазин влезла и ткань на пальто украла. Представляете, сколько лет прошло с тысяча девятьсот тридцать девятого года, а? Так наши Кокошеновых до сих пор уголовниками кличут. В маленьком поселке свои правила, это не Москва. Вот и старались мы с Карочкой изо всех сил, чтобы слушок не пополз, делали вид, будто полный порядок дома.

— Вам это удалось, — решила я подбодрить Тамару Павловну, — вот, например, Галина Феоктистовна из гардероба консерватории, похоже, она не слишком добрый человек, и то с завистью рассказывала мне, как вы ее в гости позвали, какой у вас замечательный зять, подменяет, когда болеете, шубу жене купил...

— Я так сразу и поняла, что вы мама Сони, — вдруг ответила Тамара Павловна, — только я зла на нее не держу.

Глава 27

От неожиданности я дернула рукой и уронила на пол пустую чашку. Толстая фаянсовая кружка не разбилась, просто свалилась набок.

— Э-э-э, — протянула я, — ну при чем тут какая-то Соня? Мне творог нужен, яички тоже, хорошо бы покрупней, с темной скорлупой, белые мне меньше нравятся. Спасибо, Галина Феоктистовна подсказала ваш адресок. Раньше-то я на рынке брала, только там обманывают, несвежее подсовывают.

Тамара Павловна неожиданно взяла своей широкой сухой ладонью мою руку.

— Милая, я понимаю вас, как никто другой. Но не надо скрывать, у Вадима есть фото, погодите, я спрятала, чтобы Карина не дай бог не нашла, она-то, дурочка, до сих пор своего супруга прекрасным принцем считает! Подождите секундочку.

Легко поднявшись, она ушла в глубь дома, я осталась сидеть у стола, на котором лежал недоеденный батон и стояла полупустая масленка, в полном недоумении.

— Вот, — донесся из-за спины голос, — держите.

Передо мной оказался снимок веселой компании. Несколько мужчин и женщин стоят около мангала, на котором лежат шампуры с картинно красивым шашлыком. Три женщины и двое мужчин плюс огромная лохматая кавказская овчарка.

— Узнаете Соню? — ткнула пальцем в худенькую, бестелесную девочку Тамара Павловна. — А это Вадим.

Я перевела взгляд на парня, меньше всего походящего на ученого и писателя, занятого философскими размышлениями.

Крупное, даже полное тело, пухлые щеки и «негритянские» губы. Даже на фотографии было видно, как красиво у него блестят волосы и глаза, а цвет лица у Вадика был как у младенца, нежно-розовый, персиковый. У меня не получится такой, даже если намажу на морду всю продукцию «Диор».

— Рядышком вы, — спокойно продолжала Тамара Павловна, — я вас мигом узнала.

Около Вадима вполоборота стояла худощавая кудрявая брюнетка в джинсах и ярко-зеленой майке. Нас и впрямь можно было посчитать похожими, а если учесть, что на фотографии виднелся только профиль дамы, то становилось понятно, отчего Тамара Павловна ошиблась.

— Давно жду, что приедете, — продолжала тем временем хозяйка, — неужто, думаю, ей не интересно, из-за кого с дочерью несчастье произошло.

— Вы очень прозорливы, — пробормотала я, — только я не Сонина мать, а ее тетка. Мать до сих пор в шоке.

Тамара Павловна вздохнула:

— Еще бы. Только никакая я не прозорливица. Галина Феоктистовна в жизни бы ко мне клиентов посылать не стала, злая она очень! Мне знаете когда правда открылась?

На всякий случай я ответила:

— Нет.

— Недавно совсем, — пояснила Тамара Павловна, — произошла странная история.

— И какая?

— Мигрень меня схватила, дело обычное, — спокойно рассказывала капельдинерша. — Раньше меня всегда Вадим выручал, но последнее время, сами понимаете, он уже ни на что не годился, хотя в тот день неожиданно собрался и поехал в консерваторию.

Тамаре Павловне было не по себе. Мало того что ее крутила и ломала болячка, так еще сердце ныло из-за зятя. Раньше она безоговорочно доверяла ленивому, но интеллигентному родственнику. Вадя любил музыку и, не имея денег, чтобы заплатить за билеты, с удовольствием заменял тещу. Да и работа была вполне в его вкусе. Стой себе с пачкой программок в руках да показывай VIP-посетителям их места. В директорской ложе кресел раз, два и обчелся, это не по основному залу бегать.

Но после того как Тамара Павловна узнала, что зять наркоман, всякое доверие к нему пропало, но делать нечего, приходилось прибегать к услугам Вадика, уж очень не хотелось терять место, слава богу, за последний год мигрень не часто укладывала ее в койку, да один раз, смешно кому сказать, Тамара Павловна поскользнулась на отчего-то ставшем скользким линолеуме в прихожей и сильно ударилась лицом о калошницу. Вадя в тот день проявил настоящее сострадание к теще, помог дойти до кровати, уложил, принес таблетку анальгина и велел:

— Отдохните, Тамара Павловна, я съезжу в консерваторию, заодно музыку послушаю.

Анальгин подействовал самым странным образом, капельдинерша заснула, наверное, от страха, уж больно она испугалась, когда пол вдруг сам собою поехал из-под ног. Хорошо еще, что Вадим оказался дома, он даже был во вменяемом состоянии. Правда, Тамара Павловна немного насторожилась, когда зять, укладывая ее в постель, понес чушь. Подсовывая теще под голову комкастую подушку, Вадя бормотал:

— Аннушка масло уже пролила.

— Кто? — забеспокоилась капельдинерша. — Какое масло?

— Ерунда, — усмехнулся Вадя, — спите спокойно...

— Когда же с вами неприятность произошла? — тихо спросила я.

— Упала я седьмого числа, — ответила Тамара Павловна, — да это к нашему делу отношения не имеет, о Соне узнала на пару дней раньше. Мигрень случилась.

Обычно болячка мучает женщину сутки, а тут возьми да отпусти в пять вечера. Вадим уже уехал в консерваторию, но теща посчитала непорядочным оставаться дома, быстро собралась и рванула на работу. Успела к середине первого отделения. Вадим удивился, «сдал пост» и уехал.

Тамара Павловна спокойно сидела в «предбаннике», вдруг тихонько отворилась дверь, но не та, что вела в фойе, а другая, через которую можно было выйти на служебную лестницу, и тихий, совсем детский голосок прошептал:

— Вадюша, извини, как узнала, что ты тут, сразу стала собираться, да мама велела...

Продолжая говорить, девочка вошла, и Тамара Павловна увидела худенькую девушку с огромными, словно плошки, глазами.

— Ой, — осеклась вошедшая и сдуру ляпнула, — а где Вадик? Он же свою заболевшую тещу заменяет?

— Я выздоровела, — сухо сказала капельдинерша.

Девчонка развернулась и опрометью бросилась назад. Тамара Павловна очень спокойный, приветливый, благожелательно настроенный ко всем человек, но сейчас в ее голове зароились самые неприятные подозрения. Девчонка пришла по служебной лестнице, и это говорило о том, что она родственница кого-то из работников. Но вот кого?

Выяснение ответа на этот вопрос заняло пару секунд. Недолго думая, Тамара Павловна спустилась следом. На первом этаже, у двери, ведущей на служебную лестницу, всегда сидит охранник.

— Володя, — улыбнулась капельдинерша, — тут мимо тебя девушка не проходила? Худенькая, светленькая, глаза такие огромные.

— К бабушке побегла, в гардероб, — пояснил секьюрити, перекатывая во рту жвачку.

— К кому? — переспросила Тамара Павловна.

— Так к Розе Михайловне, это ее внучка, Сонечка, студентка наша, — охотно пояснил Володя.

Тамара Павловна медленно пошла в раздевалку. Девица и впрямь стояла возле вешалки. Увидав капельдинершу, Соня стрелой метнулась в глубь помещения, а Роза Михайловна, надев на лицо самую сладкую улыбочку, принялась кивать головой:

— Здравствуй, Тамарочка, а что, у нас уже антракт?

Глаза самой старой работницы гардероба бегали из стороны в сторону, руки нервно постукивали номерком по прилавку. Тамаре Павловне все стало ясно.

— Нет, — сохраняя самообладание, сказала она, — у нас еще первое отделение, меня послали за водой в буфет.

Взяв совершенно никому не нужную бутылку газировки «Шишкин лес», Тамара Павловна прошла в директорскую ложу. Во второй части концерта давали Моцарта, и под чарующие звуки маленькой ночной серенады женщина предалась грустным мыслям.

Роза Михайловна не раз громко и с удовольствием рассказывала о своей внучке Сонечке. Девочка ходила в центральную музыкальную школу и явно была подающей надежды скрипачкой. В прошлом году она поступила в консерваторию, и Роза Михайловна теперь не упускала возможности ввернуть в любой разговор фразу типа:

— Моя внучка учится в классе у профессора Обнорского. Ах, скрипка такой капризный, непредсказуемый инструмент!

Никогда не видя Соню, Тамара Павловна великолепно знала девушку. Та, по словам Розы Михайловны, обожала Сорокина, бегала в музей изобразительных искусств, а на выходные могла отправиться в Питер, чтобы побывать в Эрмитаже.

— Такая несовременная, — восторженно сообщала Роза Михайловна каждому, кто был готов слушать про ее обожаемую внучку, — прямо беда. У других девочек ее возраста вечно любовь на уме и наряды, а Сонечка думает лишь о скрипке.

Но, видно, пожилая гардеробщица ошибалась. Мысли девушки занимали не одни экзерсисы, в них нашлось место и для Вади.

С тяжелым вздохом Тамара Павловна была вынуждена признать, что ее Карина не выдерживает никакого сравнения с Соней.

Кара не имела никакого особого образования, всего восемь классов и педучилище. Книг она не читала, музыкой не увлекалась, по музеям не ходила, с увлечением смотрела «мыльные» сериалы и мечтала накопить на шубу. Наверное, попадись ей на жизненном пути простой рабочий парень, жизнь сложилась бы удачно, но судьба-индейка подсунула Вадима. Скорей всего, покойный супруг Тамары Павловны был прав: зять хотел получить прописку и бесплатную домработницу.

Сидя в полумраке возле двери в директорскую ло-жу, несчастная капельдинерша впала сначала в злобу. Хотелось мигом ринуться домой, надавать негодяю по-щечин, раскрыть глупой Карине глаза на отвратитель-ное поведение изменника, выгнать того с позором на улицу, порвать пожелтевшие листы неоконченной ру-кописи... Еще подмывало побежать в гардероб и выло-жить Розе Михайловне правду в лицо, затопать ногами и заорать:

— Твоя внучка, сучка, дрянь, отбивает мужа у моей дочери! Знаешь, он наркоман! Славная выйдет пароч-ка, проститутка и торчок!

Но к концу второго отделения, когда Моцарта сме-нил Шопен, Тамара Павловна успокоилась и приняла соломоново решение. Никому она ничего не скажет, только опозорится. Соня-то может не появляться в Боль-шом зале консерватории, а ей самой надо каждый день на работу, то-то радость таким людям, как Галина Фе-октистовна, шушукаться по углам: «У Тамарки зятек налево ходит, да еще, говорят, колется».

Незачем было сообщать правду и Карине. Дочь влюб-лена в муженька и только возненавидит мать. Ситуация сама как-нибудь разрешится: либо Вадим убежит к Соне, и так той и надо, либо он останется с Карой. Второй ва-риант нравился капельдинерше намного меньше, но де-лать было нечего.

Потом случилось сразу два невероятных события. Во-первых, наутро после того дня, как Тамара Павлов-на случайно упала в прихожей, к ней в Аракелово за-явилась... Галина Феоктистовна и запричитала:

— Ой, Тамарочка, чего с тобой стряслось? Ехала мимо, дай, думаю, проведаю, а Карина твоя дома? По-знакомила бы нас.

Тамара Павловна удивилась...

— А мне она сказала, что вы сами ее позвали, — влез-ла я.

— Да нет, я как услышала про Кару, мигом смекну-ла, в чем дело. Значит, гардеробщицу прислала на разведку Роза Михайловна. Небось заплатила мерзкой бабе и велела: «Съезди, погляди, как живут».

Решив не показывать врагу мягкое брюшко, Тамара Павловна спокойно сказала:

— Садись, Галя, сейчас чайку попьем, хорошо, что заглянула, смотри, какой у нас дом, много комнат, от бабушки достался!

Не успела Галина Феоктистовна отведать домашнего варенья и окинуть злорадным взглядом располневшую, обабившуюся фигуру Карины, как произошло второе, удивительное событие.

Сначала прогрохотала электричка, а потом на пороге возник Вадим, довольный, даже благостный. Впрочем, добыв дозу, он всегда делался таким, зверел парень лишь при отсутствии наркотика, поэтому умиротворенный вид зятя не изумил, ошеломило другое.

Не обращая внимания на Галину Феоктистовну, Вадим прогремел:

— Тамарочка Павловна, это вам.

Теща чуть не упала в обморок, увидав, как зять ставит на стол коробочку с духами «Аромат сирени». Но основное было впереди. Жестом фокусника Вадя раскрыл большой пакет и вынул... красиво переливающуюся норковую шубку.

— На, — подал он обновку Карине, — меряй, мне деньги заплатили.

Взвизгнув, Кара унеслась в спальню. Тамара Павловна хотела воскликнуть: «Где денег-то дали?»

Но удержалась, при гостях такое не выясняют. Галина Феоктистовна, минуту назад с явным презрением оглядывавшая простецкий интерьер кухни, пошла красными пятнами.

— Какой у тебя, Тамара, зять заботливый, — только и сумела пробормотать она.

И тут Тамара Павловна решила взять реванш. Она не стала восклицать: «Да что ты, Галя! Вадим нигде не работает, сидит у меня на шее, еще и героин употребляет, а подарок впервые за свою семейную жизнь приволок».

Нет, она улыбнулась:

— Да уж, повезло, любит он нас, прямо в лепешку разбивается, чтобы угодить Карочке. Бывает, правда, сходит налево, романчик на стороне закрутит, но такая уж у мужиков кобелиная натура, лишь об одном думают. Вот, шубку видела? Наверное, набегался, и неудобно ему теперь. Вадя, он такой, провинится где, потом с подношением к Кариночке под крыло, обожает он мою дочь!

Тут влетела Кара в обновке, за ней шел улыбающийся Вадим. Галина Феоктистовна сухо обронила:

— Вам идет, хоть толстит немного, — и стала собираться.

Как ни уговаривала ее хозяйка, как ни предлагала: «Ты еще не пообедала», гардеробщица стояла на своем: «Мне пора».

Очевидно, зрелище семейного счастья Тамары Павловны подкосило злобную бабу.

Не успела за Галиной Феоктистовной захлопнуться дверь, как теща налетела на зятя:

— Где взял? Только не ври! Норка жутких денег стоит.

— Да манто искусственное, — принялся отбиваться Вадя, — оно дешево стоит, а за духи и вовсе двадцать рублей отдал.

Тамара Павловна пощупала красивый мех, тот заскрипел под рукой. Капельдинерша удивилась, и правда не настоящий, но красиво сделано.

— Откуда деньги?

Вадя рассмеялся:

— Заработал. Приятелю помог мебель из квартиры на дачу перетащить.

В такое верилось с трудом, но пришедшая в эйфорическое состояние Карина не позволила матери продолжить выяснение, заявив:

— Господи, вечно ты недовольна!

Дело было в пятницу, а во вторник по консерватории разнеслась страшная весть: внучка Розы Михайловны, талантливая Сонечка покончила с собой.

Тамара Павловна остановилась, потом робко закончила:

— У меня к вам претензий нет, через несколько дней после кончины Сони трагически погиб Вадим. Да я бы никогда и не пошла к вашей племяннице разбираться и требовать какой-то компенсации за то, что она пыталась разбить семью моей дочери. Мне жаль Соню. Но если вы думаете, что в ее гибели виновата я...

Капельдинерша замолчала, было слышно в повисшей тишине, как шумно дышит под столом спящий Дик.

— Об одном прошу, — тихо сказала Тамара Павловна, — давайте не будем затевать разборки. Ни Сони, ни Вадима нет в живых, Карина тоже, считайте, умерла, двигается словно автомат, но надеюсь, оправится. Если дочь узнает, что супруг изменял ей, покончит с собой, как ваша Соня. Христом Богом прошу, пожалейте, уходите.

Мне стало не по себе. Я молча кивнула и выскользнула во двор, чувствуя себя гаже некуда.

Глава 28

Очутившись в метро, я глянула на большие часы, висящие над въездом в тоннель, — восемь вечера. Роза Михайловна сейчас на работе, если потороплюсь, успею перехватить старуху и задать ей пару вопросов. Неожиданно заболела голова. Я расстегнула курточку и привалилась к стене. Надо бы выпить кофе, как все гипотоники, я совершенно не переношу духоту, а в подземке буквально нечем дышать. Впрочем, в вестибюле есть кафе.

Еле двигая ногами, я добралась до торговой точки и уставилась на меню. «Мексиканский блинчик буритто острый», «Хот-дог по-американски»... В душе поднял голову квасной патриотизм. Интересно, что у нас осталось русского, если даже в низкопробной забегаловке подобный ассортимент?

Купив «буритто», оказавшийся на самом деле плохо испеченным, жестким блинчиком с жидкой, совсем не острой начинкой, я принялась глотать непрожеванные куски «мексиканского объеденья», чувствуя, как бедный желудок пытается взбунтоваться. Наверное, следовало пойти в «Макдоналдс», хоть там и подают холестериновую, жутко вредную для здоровья котлету, но она вкусная и свежая, да и масло из нее не капает, как из этой подливки!

Масло! Блинчик шлепнулся на пол. Я подобрала его и сунула в урну. Ох, неспроста ноги Тамары Павловны разъехались на скользком линолеуме в тот день, когда убили в директорской ложе Стаса Комолова. Не случайно она тюкнулась лицом о галошницу. И не зря зятек, укладывая тещу в постель, бормотнул:

— Аннушка масло уже пролила.

Тамара Павловна милая, приветливая, но она плохо знает русскую литературу, а я в отличие от капельдинерши читала книгу Булгакова «Мастер и Маргарита» и великолепно помню, что эту фразу «Аннушка масло уже купила, причем не только купила, но и пролила» говорит Берлиозу на бульваре таинственный незнакомец. И что же случается потом? Для тех, кто не знаком с великим произведением, сообщу: трамвай не сумел затормозить и отрезал поскользнувшемуся на рельсах Берлиозу голову.

Вадя, преподававший литературу, очевидно, любил Булгакова...

Выбросив следом за блинчиком картонный стаканчик с жидкостью, менее всего по цвету и вкусу напоминающей кофе, я побежала к перрону, ощущая полную безнадежность. Ладно, предположим, что Вадим задумал лишить жизни Стаса, но почему? Никакой связи между бонвиваном, альфонсом, сибаритом Комоловым и бывшим скромным учителем, а потом безработным

Вадиком не просматривается. Разве что они оба лени-
вы до потери пульса.

Когда из дверей Большого зала повалила плотная
толпа оживленных людей, я улучила момент и шмыгнула внутрь.

— Вы куда? — бдительно осведомилась билетерша.

Учитывая резкое похолодание, я заныла:

— Перчатки обронила, вам никто не передавал?

— Нет, — покачала головой женщина.

— Можно, вернусь и посмотрю в фойе?

Билетерша кивнула и посторонилась.

Концерт закончился, и никакого резона не пускать
меня внутрь не было.

Роза Михайловна ловко подавала куртки послед-
ним слушателям. Я подождала, пока небольшая толпа
рассосется, и приблизилась к старушке. Та спокойно
спросила:

— Ваш номерок?

— Не узнали меня?

Роза Михайловна водрузила на нос очки и приветливо сказала:

— А-а... На концерте были?

— Нет.

— Да? Что же здесь делаете?

— Хочу позвать вас в кафе, тут рядом, за углом.

— Зачем это?

— Поговорить.

Старушка недоуменно скривилась:

— Уж извините, я люблю читать газеты и журналистов уважаю, но сейчас уже поздно.

— Кафе работает круглосуточно, а вы, наверное, про-
голодались после напряженного рабочего дня, — решила я соблазнить старуху ужином.

— Не привыкла по ресторациям таскаться, — отрезала Роза Михайловна, — да и желудок уж не тот, чтобы я общепитовские блюда спокойно ела. Домой пора,
ночь на дворе!

— Что вы, еще десять не пробило!

— Для меня поздно, — не дрогнула старуха. — Во время рабочего дня я согласна общаться, а в свободное время нет.

Мне надоела вредная бабка, и я тихо сказала:

— Вам надо пойти со мной.

— Это почему?

— Поверьте, так будет лучше.

Роза Михайловна сначала выпятила губы, потом поджала их:

— Наверное, вам и правда лучше, а мне хочется домой.

Я посмотрела на старуху и, тяжело вздохнув, сообщила:

— Что ж, очень жаль, хотела помочь приятному человеку, но нет значит нет. Следовательно, завтра сюда явится милиция и начнет задавать вопросы о том, какое отношение ваша внучка Соня и зять Тамары Павловны, Вадим, имеют к смерти Стаса Комолова. Вы, естественно, в курсе, что в ложе директора был убит мужчина?

Роза Михайловна оперлась о прилавок.

— Вы кто? — побледневшими губами поинтересовалась она.

Я пожала плечами:

— Частный детектив.

— Что? — не поняла старуха.

— Вы читаете криминальные романы?

— Эту низкопробную гадость? Нет, конечно, ни разу в жизни не прикасалась!

Я разозлилась. Если ни разу не читала криминальные истории, отчего так уверена, что они низкопробные?

— Дочь Тамары Павловны очень хочет узнать, кто убил ее мужа, милиции она не доверяет, вот и наняла меня...

— Какие глупости, — буркнула Роза Михайловна, но глаза ее лихорадочно забегали из стороны в сторону, — при чем тут Вадим, который, кстати, погиб в результате несчастного случая? Зачем вы пришли ко мне, а?

— Ваша внучка покончила с собой из-за зятя Тамары Павловны!

— Ерунда, — вскипела гардеробщица, — у нас в семье и впрямь недавно случилось несчастье. Сонечка, талантливая, умная, красивая девушка, умерла. Это трагедия, ей было всего двадцать. Потом нам сказали, что у моей бедной внучки был порок сердца, такой компенсированный. Она никогда не жаловалась на здоровье, последний год только говорила, что у нее иногда кружится голова, а потом раз — и не проснулась. Не дай бог вам пережить подобное. Сонечку отпевали в церкви, ни о каком самоубийстве и речи не шло! При чем тут Вадим? Оставьте меня!

В ее глазах стали медленно собираться слезы. Мне было безумно жаль старуху, но альтернативы-то нет.

— Вполне вероятно, что в свидетельстве о смерти и указано «сердечная недостаточность», но вся консерватория судачит о самоубийстве, — тихо сказала я, — наверное, вам лучше рассказать мне, как обстояло дело...

Внезапно Роза Михайловна села на стул и устало сложила руки на коленях.

— Да, делать нечего. Наверное, с Галиной Феоктистовной пообщались?

— Вы же сами подсылали ее к Тамаре Павловне, чтобы узнать, как живут Карина с Вадимом? — вопросом на вопрос ответила я.

Гардеробщица встала, секунду смотрела на меня, потом, очевидно, приняла решение, потому что внезапно сказала:

— Ну и где это кафе?

Через минут десять, устроившись в самом темном углу, Роза Михайловна со вздохом произнесла:

— Последний раз я была в ресторане, когда Сонечка родилась, зять тогда на радостях всю родню повел. Вот как случается, ликовал прямо, прыгал от счастья, а через год бросил Анюту с ребенком и ни копейки никогда не заплатил алиментов на девочку. Я ее сама поднимала, у Анюты зарплата — чистые слезы. Да еще она у меня, дочка, глупая и невезучая. Сонечке годик исполнился, когда Анюта опять влюбилась, и снова как в последний раз. С Альбертом так было, отцом Сони, потом с Федором...

Короче говоря, незнакомая мне Анюта оказалась мастером спорта по наступанию на грабли. Федор, так же как и Альберт, безумно радовался, когда увидел своего ребенка, мальчика, Степочку. Но не прошло и шести месяцев, как Анюта опять осталась одна, то есть без мужа. Одной-то как раз она не была, в каждой руке имелось по ребенку, девочка и мальчик, Сонечка и Степан, наличие «королевской парочки» — большая радость для тысяч семей, но не для одинокой восторженной женщины, совершенно не приспособленной ни к чему. Попробуйте поднять двух ребятишек, работая смотрителем в музее, если не ошибаюсь, оклад у Анюты тогда составлял шестьдесят рублей, на такие деньги особо не разбежишься, лишь бы с голоду не умереть. Роза Михайловна, естественно, пришла на помощь дочери.

— С мальчиком мне не справиться, а Соня пусть переезжает в мою квартиру, — сказала она.

Анюта, к тому времени снова влюбленная без памяти, согласилась, и Роза Михайловна стала поднимать внучку, не забывая заботиться и о Степочке. Господь явно решил вознаградить Розу Михайловну за непутевую дочь: внуки получились отличные. Анюта сходилась и расходилась с мужиками, детей, правда, больше, слава богу, не рожала. Сонечка и Степан носили сплошняком пятерки, радовали бабушку примерным поведением, без эксцессов закончили школу и поступили в вузы. Соня собиралась стать скрипачкой. Наверное, детство, проведенное за кулисами Большого зала, не прошло даром. Лет с семи девочка представляла себя стоящей на сцене перед замершими от восхищения зрителями.

Когда Соня таки оказалась на первом курсе консерватории, бабушка пошла в церковь и поставила перед любимой иконой огромную, толстую свечу.

А потом случилась беда. Всегда ласковая Сонечка стала нервной, дерганой, даже пару раз нахамила бабушке. Роза Михайловна попыталась расспросить внучку, но та, открытая и общительная, не захотела ничего рассказывать, только буркнула:

— Я уже взрослая, ты меня по-прежнему за руку водить хочешь?

Роза Михайловна отступила, но однажды Галина Феоктистовна, стоя в гардеробе, с лицемерной жалостью сказала:

— Да уж, любовь зла...

— Что ты имеешь в виду? — не поняла Роза Михайловна и кивнула в сторону пары слушателей, последними получивших свои плащи. — Ты их имеешь в виду?

— Нет, — хмыкнула противная коллега, — твою Соню.

— Да о чем ты?

— Будто не знаешь?

— Нет, — ответила Роза Михайловна, садясь на стул. У нее отчего-то подкосились ноги. — Что случилось?

— Скажи пожалуйста, — всплеснула руками Галина Феоктистовна, — весь народ гудит, а она не в курсе!

— В чем дело?

Галина Феоктистовна, сплетница и большая любительница чужих секретов, радостно затараторила. Роза Михайловна сидела на стуле, чувствуя, как в не желающих двигаться ногах ползают мурашки. Впрочем, было от чего оторопеть. Из рассказа противной Галины Феоктистовны следовало, что Сонечка влюбилась в зятя Тамары Павловны.

Хуже ситуацию трудно было представить. Во-первых, Роза Михайловна всегда с брезгливостью смотрела на женщин, разбивавших чужие семьи. А во-вторых, Тамара Павловна была ее коллегой, никаких неприятностей на рабочем месте гардеробщица не хотела, у нее за плечами многолетний стаж работы без малейших нареканий, и вдруг такой пердимонокль на закате карьеры.

Роза Михайловна попыталась поговорить с внучкой, но та ощетинилась и отрезала:

— Не лезь не в свое дело!

Бабушка даже не расстроилась, нарвавшись первый раз на грубость, до этого момента Сонечка всегда была ласковой. Розе Михайловне стало понятно, девочка влюблена, и, скорей всего, Галина Феоктистовна сказала правду. Гардеробщица попыталась узнать истину от лучшей подруги внучки Киры Крохалевой. Но Кирочка только твердила:

— Ничегошеньки не знаю.

Потом Роза Михайловна столкнулась с Соней на служебной лестнице Большого зала.

— Ты ко мне? — спросила бабушка. — Вроде собиралась с Кирой в бассейн пойти.

— Она заболела, — покраснела Соня.

Сверху неожиданно раздался кашель, Роза Михайловна машинально подняла голову и увидела стоящего на этаж выше Вадима. Ей сразу стало ясно: внучка ее обманывает, Кира совершенно здорова. Просто Соня захотела встретиться с Вадимом. Соня, правда, не пошла в директорскую ложу. Она отправилась с бабушкой в гардероб и сказала:

— Это не то, о чем ты думаешь! У нас с Вадимом просто дружба.

— Он женат, — отрезала Роза Михайловна, — приличная женщина не станет связываться с тем, кто соединен узами брака с другой!

— Бабусенька, — улыбнулась Соня, — ты отстала на полвека, теперь подобные мелочи никого не останавливают.

— Понятие порядочности во все времена одинаково, — не сдалась старуха.

— Успокойся, у Вадима полный разрыв с супругой!

— Они все так говорят!

— И у нас только дружба! Я, если хочешь знать, люблю другого.

— Зачем же ты тогда бегаешь к Вадиму на свидания? — не утерпела бабушка.

Неожиданно Соня вспыхнула, словно газетный лист, подожженный спичкой.

— Так надо! Ни о чем больше не спрашивай! Только поверь, все в полном порядке.

Старушка промолчала, но в ее душе прочно поселилась тревога. Промучившись больше часа, Роза Михайловна совершила глупость. Она подошла к Галине Феоктистовне и спросила:

— У тебя вроде завтра выходной.

— Да, — ответила та, — а что?

— Тамара Павловна болеет, — вздохнула Роза Михайловна, — а мы такие невнимательные, ни разу не навестили ее. Может, съездишь?

Галина Феоктистовна мигом просекла все и гадко ухмыльнулась:

— Давай двести рублей, и я все тебе разузнаю про их семью в лучшем виде.

Роза Михайловна протянула «засланному казачку» бумажки. Галина Феоктистовна взяла купюры и спросила:

— А на дорогу?

Пришлось добавить еще двадцать рублей.

Глава 29

На следующий день, придя на работу, Галина Феоктистовна сообщила:

— Жаль мне твою Соню, но там без шансов.

Роза Михайловна отложила тряпку, которой старательно полировала прилавок, и спросила:

— Что ты имеешь в виду?

— Похоже, он твоей внученьке ненаглядной мозги пудрит, — радостно сказала коллега и принялась рассказывать про духи и шубу.

У Розы Михайловны от такой информации просто опустились руки. Ее собственный муж, жуткий ловелас, ходок и страстный обожатель женского пола, после очередного похода налево являлся домой и вручал жене сувенирчик: коробку конфет, парфюмерию, чулки. До шуб в их семье дело не доходило, денег было мало. Ублажив жену, супруг недели две исправно приходил со службы вовремя, ездил в субботу на рынок, а в воскресенье пылесосил квартиру. Больше четырнадцати дней он, как правило, не выдерживал, вновь начинались командировки, катастрофы на общественном транспорте, болезни коллег по работе... Муж возвращался домой около двух ночи и, кидаясь в кровать, сообщал:

— Мишку с аппендицитом увезли, пришлось за него обход здания делать.

В молодые годы Роза Михайловна ужасно переживала, даже хотела развестись, но потом родилась дочка, и женщина пришла к выводу, что даже такой отец лучше, чем никакой. Дальнейший их брак строился по расчету. Роза Михайловна не была дурой, она очень хорошо понимала, в какой стране живет. У нас разведенная баба считается существом второго сорта. Сколько бы ни твердили о равенстве полов в России, на поверку этот постулат оказывается пшиком. Мужчинам платят большую зарплату, их охотней берут на работу, а если самец ушел от супруги, то он мигом превращается в лакомый кусочек и объект охоты.

Так что, стремясь сохранить социальный статус и не желая сиротить обожаемую дочь, Роза Михайловна прожила не слишком счастливую жизнь. Правда, умирая, беспутный муж расчувствовался и стал говорить жене о своей любви, но эта маленькая «конфета» не подсластила горечь долгих лет тягостной семейной жизни.

Своей внучке Роза Михайловна зла не желала. Поэтому, вернувшись домой, усадила перед собой Соню и, кратко рассказав ей о собственной судьбе, заявила:

— Немедленно бросай этого Вадима, ничего хорошего не получится. Как все коты, он вернется через какое-то время к жене.

— Но, бабушка... — начала было Соня.

— Даже слушать ничего не желаю, — вскипела всегда спокойная Роза Михайловна, — знаю, знаю все твои возражения. Сейчас скажешь, что Вадим тебя любит, что он бросит семью. Только упаси бог, чтобы это случилось. С таким экземпляром жить отвратительно, уж поверь мне!

Сонечка грустно сказала:

— Бабусечка, ты зря волнуешься, у нас с Вадимом ничего нет, просто... просто дружим.

Роза Михайловна окончательно потеряла голову и заорала:

— О какой дружбе может идти речь! Немедленно прекрати шляться в директорскую ложу!

Соня нахмурилась и решительно отрезала:

— Я не желаю беседовать в подобном тоне!..

Внезапно в кафе заиграла музыка. Старательно перекрикивая резкие звуки, я спросила:

— Дальше что было?

Роза Михайловна вынула из сумочки валидол, сунула под язык большую белую таблетку и, помолчав, сказала:

— Она умерла, заснула и не проснулась, сердце разорвалось. Мне до сих пор страшно... И потом, мы не успели помириться...

Повисла тишина. Роза Михайловна спрятала валидол.

— Если у вас есть дети, всегда прощайте их перед сном, просто входите в комнату, целуйте и прижимайте к себе. В жизни случается всякое, я не успела обнять Сонюшку перед ее уходом, не дай вам бог жить с таким камнем на душе.

Я не нашлась, что ответить. Да и что тут сказать?

— Очень прошу, — сухо продолжала Роза Михайловна, — не трепать имя моей несчастной внучки всуе. Она умерла, даже преступников прощают после смерти. Если вас наняла дочь Тамары Павловны, можете передать ей, что Вадим никогда не имел дела с Соней. Да и какая ей разница теперь, а?

— У Сони было много подруг? — тихо спросила я.

— Нет, — покачала головой старуха, — только Кира Крохалева, они со школы вместе.

— Вы ее телефон не знаете?

Гардеробщица машинально назвала номер и тут же спохватилась:

— А вам зачем?

Но я уже подзывала официантку со счетом.

Выйдя из метро, я наткнулась на большой супермаркет, над главным входом которого горела вывеска «Кураре, 24 часа». Увидав пару дней назад впервые название торговой точки, я вздрогнула и подумала, что кураре[1] не самое подходящее название для места, в котором продают продукты. Но, несмотря на идиотскую вывеску, ассортимент в супермаркете оказался очень хорошим, а цены сразу не отпугивали.

Вспомнив, что у собак кончилось мясо, я вошла в ярко освещенный зал и уперлась в прилавок, где на подносах лежали изумительно красивые куски говядины. Внезапно ужасно захотелось котлет, жирных, домашних, с зажаренной корочкой и мелко порубленным луком. Я пробежалась глазами по ценникам. На небольших картонных табличках было написано «говядина», «свинина». Сверху приписано еще что-то, но, очевидно, мне уже требуются очки, потому как первую строчку, состоявшую из мелких буковок, я прочитать не смогла. Впрочем, и не надо. Главное, что говядина и свинина в наличии. Значит, так, возьму полкило того и полкило этого. Надеюсь, что вспомню, как делать котлеты. Кажется, туда еще следует положить яйцо и хлеб, вымоченный в молоке...

Я раскрыла уже рот, чтобы позвать продавщицу, но тут вдруг увидела еще один ценник «суслятина г.к.». Пораженная до крайности, я уставилась на непонятное слово. Суслятина! Это что же такое, а? Мясо сусликов? Или, может, существует в природе некий незнакомый мне зверь сусл? «Г.к.» — это явно «горячего копчения». Филе сусла горячего копчения? Хотя... Сейчас во многих клубах и дорогих ресторанах начали подавать экзотические

---

[1] К у р а р е — название одного из сильнейших и быстродействующих ядов.

блюда. Стейк из акулы, филе страуса, отбивная из кенгурятины. Может, появился на нашем рынке и сусл? Не в силах сдержать любопытства, я принялась крайне внимательно изучать витрину. Что из этих кусков суслятина? Какова она на вкус?

Толстая продавщица в красном халате сурово поинтересовалась:

— Дама, берете?

Я решилась:

— Да, мне, пожалуйста, полкило говядины.

— Какой?

— Она разная?

Продавщица ухмыльнулась:

— Естественно. Вот видите, табличка «говядина», все, что слева, — это из коровы. Азу, бефстроганов, антрекотное, суповое, край, грудинка, вырезка... Что желаете?

— А справа свинина?

— Верно.

— Пожалуйста, на котлеты, по пятьсот граммов того и другого.

Продавщица повернулась к лоткам.

— И еще триста граммов суслятины, — продолжила я, — никогда не пробовала, скажите, это вкусно?

Продавщица обернулась, уперла кулаки в необъятные бедра и, побагровев, ответила:

— Суслятина — это я.

— Кто?! Вы? Но почему вы горячего копчения?

— Я, — довольно зло прошипела тетка, — фамилия моя такая, Суслятина, Галина Константиновна Суслятина.

— Очень приятно, — заблеяла я, — будем знакомы, Даша Васильева.

Тетка шмякнула на электронные весы кроваво-красный шматок.

— Весь божий день на ногах, — злилась торговка, — а покупатели попадаются чистые сволочи, вроде вас, вечно обхамить норовят!

— У меня и в мыслях не было никого обидеть, — отбивалась я, — ей-богу. Просто тут вот на ценниках написано «говядина», «свинина», «суслятина»...

— Очки надень, — рявкнула бабища, ловко заворачивая мои покупки, — присмотрись хорошенько.

Я покорно приблизила лицо к стеклу и прочитала крохотные буковки. Над словом «говядина» стояло: «охлажденная». Свинина оказалась «парная», а над Суслятиной красовалось существительное «продавец». Оставалось только гадать, кому в голову пришло вешать крохотные таблички рядом.

Провожаемая недовольным бурчанием продавщицы, я побежала домой.

Лето окончательно ушло из Москвы, было сыро и промозгло. Перескакивая через лужи, я добралась до подъезда, потянула тяжелую дверь и остановилась на пороге. Суслятина! А что, если все, чем я занималась до сих пор, и есть такая суслятина? Может, я делаю ошибку за ошибкой? Сколько времени прошло, сколько усилий приложено, а убийца Стаса Комолова так и не найден. Конечно, я обязательно съезжу к этой Кире Крохалевой, но, кажется, дело зарулило в тупик.

Дома, слегка поколебавшись, все-таки будильник уже показывал двадцать три ноль ноль, я набрала номер и услышала хриплый голос:

— Алло.

— Позовите Киру, пожалуйста.

— Слушаю.

— Извините, у меня дело, не терпящее отлагательств, наверное, я вас разбудила...

— Не-а, — ответила девушка, — я поздно ложусь, простыла, поэтому и голос такой. А у вас кто?

— В каком смысле?

— Ну собака или кошка?

Слегка удивившись, я пояснила:

— У меня питбуль Банди, ротвейлер Снап, мопс Хуч, пудель Черри, йоркширская терьериха Жюли, кошки Фиофина с Клеопатрой...

— Всех не смогу взять, только троих, тех, кто помельче.

— Зачем вам мои животные?

— Как это? Сами же звоните!

Тут до меня дошла суть дела.

— Вы берете собак и кошек на передержку?

— Ну да, — ответила Кира, — привозите прямо сегодня.

— Лучше завтра.

— Ладно, пишите адрес, — согласилась девушка.

На следующий день, встав опять ни свет ни заря, я отправилась в район метро «Войковская». Дом, где жила Кира, большой, серый, построенный, очевидно, в 50-х годах прошлого века, стоял самым неудобным образом. Во всяком случае, мне бы не захотелось жить в здании, подъезд которого находится в двух метрах от входа в метро. К тому же прямо под окнами несется по широкому проспекту вереница машин, а вместо садика у вас трамвайная линия, по которой взад-вперед бегают составы из двух вагонов.

Но Кира была иного мнения о своем жилье. Распахнув дверь, девушка весело спросила:

— Быстро нашли, не заплутали? Хотя мы очень удобно устроились, раз — и в поезде.

— Просто замечательно, — покривила я душой.

— А где собачка?

— Знаете, я сначала хотела посмотреть, что к чему...

— Конечно, — ответила Кира, — многие так поступают, пошли.

Комнат оказалось три, животных столько же, болонка, такса и дворняжка с пушистым бело-черным хвостом.

— Вольеров нет, — пояснила хозяйка, — на мой взгляд, это стресс для четвероногого. Всегда лежал на диване и креслах, а потом бац — и в клетку. Поэтому я беру не всех, а только таких, которые способны жить в мире с другими. Вот Эрик, например.

Болонка подняла голову и тихо тявкнула.

— Хороший мальчик, — ответила Кира, — умный и

ласковый, что еще от собачки надо? Злых-то и среди людей полно. Кормлю, как хотите. Желаете сухой корм — без вопросов, надо кашу — сварю. Гуляем тоже в зависимости от привычек. Вот такса Матильда, ее хозяин один режиссер, поэтому она ведет богемный образ жизни, первый раз пописать выходит в четырнадцать часов, второй — около трех утра. У нее «папа» в это время домой приходит, а утром спит. Но это, конечно, редкий случай.

С каждой фразой Кира нравилась мне все больше и больше, но следовало перевести стрелку разговора на Соню.

— Хочу вам мопса оставить, а не тяжело управляться с чужими собаками?

— Нет, — улыбнулась Кира, — они милые.

— Неужели вам никто не помогает?

— А некому. Родители умерли, семьи нет.

— Ну, подруги...

Кира тяжело вздохнула:

— Наверное, я малообщительная. У других знакомых толпы, а у меня всего одна Соня и была.

— Кто? — прикинулась я непонимающей.

— Соня, одноклассница, учились вместе и после школы дружили.

— Почему вы говорите о ней в прошедшем времени?

— Сонечка умерла, совсем недавно.

— Боже мой, — всплеснула я руками, — какой кошмар! Под машину попала?

— Нет, — покачала головой Кира, — от передоза.

Я не поняла, что она имеет в виду.

— Отчего?

— От передоза, — спокойно продолжила Кира. — Соня плотно сидела на героине.

Я опустилась без приглашения в кресло и выпалила:

— Врешь!

Девушка удивленно попятилась.

— Я? Что соврала? Собак кормлю хорошо, гуляю много, все довольны! Вообще стараюсь всегда говорить правду, так жить легче.

Ну это она загнула. Постоянно откровенничать невозможно, психологами давно подсчитано, что среднестатистическая личность лжет примерно двадцать раз на дню.

— Я не о животных веду речь. Зачем ты придумала, что Соня наркоманка? Она интеллигентная девочка, скрипачка...

— Была, — фыркнула Кира, — пока с Темой не познакомилась, он ее и приучил. Кстати, это из-за скрипки она на иглу села.

Выпалив последнюю фразу, хозяйка осеклась и спросила:

— Погодите, а вы откуда про Соню знаете? И вообще, кто вам мой телефон дал?

Я попыталась выкрутиться:

— Понимаете, я шапочно знакома с Розой Михайловной, бабушкой Сони. Мы не дружим, просто она иногда заходит в магазин, где я овощами торгую. Такая милая женщина, часто рассказывает про Соню, хвастается ею, вот я и оказалась в курсе того, что ее внучка скрипачка, а вы вдруг такое сказали! То-то Роза Михайловна не заглядывает!

Кира отвернулась к окну, побарабанила пальцами по подоконнику, потом резко сказала:

— Я уже сообщала, что всегда говорю правду, вот и с вами лукавить не стану, лучше уходите.

— Почему?

— Уж не знаю, кто и зачем вас прислал...

— Так я кошечку хотела пристроить, а Роза Михайловна дала ваш телефончик!

— Насколько помню, в начале разговора это была собачка, — без тени ухмылки заявила хозяйка, — вы не похожи на торговку овощами и, скорей всего, никаких домашних любимцев не имеете!

— У меня куча собак!!!

— И кошечек...

— Да, именно так, и кошек, а еще жаба, хомячки, два внука, четыре бывших мужа и их матушки, живем вместе. Прямо с ума сойти, вот я и хочу...

Кира сморщилась:

— До свидания.

От отчаяния я чуть не зарыдала и неожиданно выпалила:

— Кирочка, помоги!

— В чем? Взять на передержку ваших бывших супругов и свекровей?

— Оно бы неплохо, но дело в другом.

— Да? — издевательски улыбалась хозяйка. — Слушаю внимательно.

— Вы упомянули, будто Соню приучил к наркотикам некий Тема.

Кира кивнула.

— Ляля, моя сестра, она меня намного моложе, тоже учится в консерватории, — принялась я самозабвенно врать, — Соня незадолго до смерти познакомила Лялю с этим Темой. Понимаете? Что я пережила, узнав, что сестра колется, не описать словами! Неделю назад она уехала за дозой и пропала. По консерватории давно идут слухи, что Соня наркоманка. Вот я и примчалась к вам в надежде узнать, где этот Тема живет. Знаю очень хорошо, что Соня покончила с собой, и не рискнула расспрашивать Розу Михайловну, но мне надо во что бы то ни стало найти сестру, живую или мертвую... Помогите! Тема, наверное, знает, где притон нарков.

Кира, не отрываясь, смотрела в окно, пауза затянулась. Ощущая полную безнадежность, я тихо сказала:

— Поняла, прощайте!

Неожиданно девушка резко повернулась, ее глаза горели злым огнем.

— Ничего вы не поняли! Садитесь!

Глава 30

— Я не знаю, где Соня познакомилась с этим мерзавцем, — начала Кира, — она сначала ничего мне про него не рассказывала, хотя мы были очень близки. Просто стала реже приходить, а потом села на иглу.

Кира, узнав, что подруга употребляет наркотики, перепугалась и категорично потребовала:

— Немедленно ступай к наркологу, может, еще не поздно вылечиться!

Но Соня, услыхав разумные слова, как все наркоманы, только обозлилась.

— Не неси глупости, я просто балуюсь, соскочу в любой момент.

— Это очень опасно, — не отставала подруга.

— Да ладно тебе, — отмахнулась Соня, — ерунда, ей-богу. У меня последнее время затык произошел с концертом. Учила, учила — без толку, просто буксовала на месте. Вот Тема и посоветовал кольнуться, для вдохновения. Доза пустяковая, зато вмиг справилась с задачей и лучше всех отыграла. Знаешь, как меня профессор хвалил!

И, увидав, что Кира изменилась в лице, быстро добавила:

— Ерунда, людям искусства всегда допинг требуется. Я же не постоянно, а так, время от времени.

— Наркотики очень дорогие, — попыталась воздействовать на нее другими аргументами Кира. — Вдохновение тебе в копеечку влетит. Может, лучше попытаться чем другим увлечься? Ну, кофе, например, или чай крепкий пить.

Соня рассмеялась и обняла подружку.

— Успокойся, мне Тема так просто герыч дает.

— Кто такой Тема? -- задала вопрос Кира.

Соня, никогда до сих пор ничего не скрывавшая от Киры, вдруг замялась.

— Не хочешь — не говори, — обиделась девушка.

— Вообще-то он просил никому не рассказывать, — протянула Соня, — но тебе можно. Дай слово, что не разболтаешь!

— Могила, — пообещала Кира, сгорая от любопытства.

Соня вскочила с дивана и забегала по комнате. Очевидно, ее так распирали чувства, что рассказывать о любимом сидя она просто не могла. Целых полчаса Кира, не прерывая, слушала подругу. Соня захлебывалась от восторга. Тема самый-самый... Лучше всех, красивый, умный, талантливый, добрый, щедрый, страстный... Жаль только, что женат, но с супругой у него полное непонимание, живет сей ангел в мужском обличье со своей законной половиной исключительно из-за ребенка. Сына Тема обожает, но, когда мальчику исполнится шестнадцать лет, обязательно уйдет и женится на Соне, потому что сохнет по ней, готов целовать землю, по которой ходит девушка.

— А сколько лет мальчику? — поинтересовалась практичная Кира.

— Двух еще нет, — выпалила Соня.

Кира так и подскочила в кресле.

— Ты дура! Да он просто бабник! Хочет на двух стульях сидеть. И с женой, и с тобой... Немедленно уходи!

Соня вспыхнула огнем:

— Я его обожаю! Тебе этого не понять.

— Как же!

— Тема мой идеал.

— Ловелас и пижон.

— Замолчи!

— Нет, кто тебе еще правду скажет!

— Дура!

— Кретинка!

Одним словом, подруги поругались насмерть и целых полгода не общались друг с другом. В начале августа поздно вечером в квартире Киры раздался звонок. Девушка распахнула дверь. На пороге стояла Соня.

— Кирочка, — пробормотала она, — помоги!

Забыв про ссору, Кира втянула подругу в прихожую и испугалась. Соня выглядела ужасно, серо-зеленая, с трясущимися руками, бледными губами и провалившимися глазами. Всегда аккуратно причесанные волосы свисали патлами, и пахло от Сони отвратительно.

— Ты заболела? — едва сумела вымолвить Кира.

— Ломает меня, — прошептала Соня и, шатаясь, пошла в туалет.

Кира стояла под дверью и слушала булькающие звуки. Наконец, с шумом спустив воду, Соня выползла в коридор и навалилась на косяк.

— Сейчас умру, — пробормотала она.

Кира испугалась еще больше, ей стало понятно, что последнюю фразу подруга сказала не ради красного словца. Ей на самом деле плохо, так плохо, что хуже некуда. Требовалось срочно принимать меры.

— Пойдем, — велела Кира, — ляжешь в кровать, вызову «Скорую».

— Не надо.

— Тебе нужен врач.

— Не помогут, лучше сделай другое...

— Что?

— Съезди к Теме за дозой.

Кира растерялась. Ей совсем не хотелось привозить Соне героин.

— Умоляю, — прошептала наркоманка, — только один укол! Завтра же отправлюсь в больницу лечиться, слово даю!

— Адрес говори! — хмуро буркнула Кира.

— Езжай на Коломенскую улицу, там его фирма...

— Ты с ума сошла! Ночь на дворе!

— Да? — удивилась Соня. — Действительно... Тогда домой, пиши адрес, поселок Беляево.

— Где это?

— Совсем рядом с МКАД, возьми такси, плохо мне очень, поторопись.

— Что же я ему скажу? — удивилась Кира. — Небось спит парень!

— Дай телефон, а сама иди собирайся.

Делать нечего, пришлось Кире натягивать джинсы и красить глаза.

— Договорилась, — прошептала Соня, — давай, одна нога здесь, другая там. У них охраняемый поселок, подъедешь к будке вахтера и скажешь: «Мне оставили пакет на фамилию Венедиктовой».

Путь туда и обратно занял больше двух часов, да еще

пришлось отвалить огромную сумму шоферу, который согласился свозить Киру.

Соня схватила довольно большой пакет, заклеенный со всех сторон скотчем, и исчезла в ванной. Через пятнадцать минут она вернулась на кухню другим человеком. На посеревшем лице появился румянец, глаза заблестели, губы налились краской.

— Ты бумажку с адресом выбрось, — попросила она, — ох и влетит мне завтра от Темы, что его адрес дала. Я, правда, соврала, что ты ничего про герыч не знаешь, думаешь, будто деньги везешь, якобы в долг у него попросила, но все равно накостыляет по первое число.

— Что же твой милый такой подлый, — не удержалась Кира, — другой бы велел к врачу идти!

Соня грустно вздохнула:

— У нас сейчас временное охлаждение отношений. Пока я только помогаю ему в бизнесе.

— Чем же твой Тема занимается?

Внезапно Соня уронила голову на руки и разрыдалась. Слова полились из нее быстро, бессвязно, но Кира, похолодев, мигом разобралась в сути. Все оказалось очень плохо, намного хуже, чем ей представлялось раньше. Великолепный Тема торговал наркотиками, и Сонечка, чтобы получить дозу не по уличной, а по оптовой цене, стала распространять среди таких же, как она, прочно сидящих на игле, белый порошок. Самое ужасное, что девушка стала носить героин в консерваторию, и скоро все студенты знали: хочешь кольнуться — ступай к Соне.

— Тебя поймают и посадят, — прошептала Кира.

— Раньше сама умру, — неожиданно спокойно ответила Соня.

— Перестань, — взвилась Кира, — сейчас наркоманов лечат! Скажи родным правду и ложись в больницу.

— Нет, — отрезала Соня, — мои ничего знать не должны, в особенности бабушка. И еще, мне без Темы жизнь не нужна, поняла?

Кира не нашлась, что возразить, столько исступленной решимости слышалось в последних словах подруги.

Утром Соня ушла и больше не встречалась с Кирой. Совсем недавно позвонила Роза Михайловна и, рыдая, сообщила о смерти внучки. Кира пошла на похороны и внимательно оглядела присутствующих, но никаких неизвестных мужчин не было. Немногочисленных людей, пришедших проводить Соню, Кира знала очень хорошо.

— Вы порвали записку с адресом этого Темы? — спросила я.

— Да, — кивнула Кира.

— Жаль.

— Но я хорошо помню дорогу, могу запросто нарисовать!

— Ой, пожалуйста, — обрадовалась я.

— Едете по Киевскому шоссе, — пояснила Кира, — на двадцатом километре, это в двух шагах от МКАД, есть поворот. Вы его не перепутаете, там стоит большая красная кирпичная башня, вроде водокачки, повернете и еще немного проедете вперед, потом упретесь в ворота, на них в ряд десять кнопок. Вам нужен самый последний номер. Нажмете, ответит охранник, спросит: «Кто в десятый коттедж?» Я-то сообщила, что пакет хочу забрать, а уж что вам сказать, прямо и не знаю. В общем, думайте сами, больше ничем помочь не могу. Навряд ли сей фрукт захочет с вами разговаривать...

Поймать машину оказалось легко, намного трудней было сообразить, как попасть внутрь поселка. Пока такси неслось по шоссе, я перебирала в уме различные варианты и отбрасывала один за другим. Прикинуться коробейницей? Уличных торговцев на охраняемую территорию не пускают, во всяком случае, к нам в Ложкино не проник ни один. Притвориться горничной, которая ищет работу? Глупее не придумать! Никому из людей, живущих в загородных особняках, не придет в голову нанимать прислугу «с улицы». Существует множество агентств. Сказать, что хочу снять дачу на лето? Бред! Желаю купить дом в данном поселке? Тем более не пустят, ступай, Дашутка, в риелторское агентство!

Так ничего и не придумав, я тоскливо уставилась в окно. В том месте, где машины съезжали с МКАД на шоссе, естественно, образовалась пробка. Наконец шофер вырулил на магистраль, мелькнула красная башня, похожая на водокачку. Пейзаж отчего-то казался знакомым, но скорей всего он просто напоминал природу около Ложкино. Чтобы попасть к нам домой, тоже следует свернуть с Окружной и ехать по шоссе среди деревьев. Самое смешное, что у нас в его начале тоже стоит нечто, напоминающее водокачку, только желтого цвета.

— Здесь? — спросил шофер, тыча пальцем в бок.

— Похоже, тут, — ответила я.

«Жигули» свернули, и буквально через пару метров я увидела серебристый «Пежо-206» с включенным аварийным освещением. Возле него с самым несчастным видом стояла молодая женщина в красивой, элегантной, явно очень дорогой кожаной куртке.

— Притормозите тут, — попросила я и открыла дверь. — Что случилось?

— Не знаю, — со слезами на глазах воскликнула дама, — не едет! Чуть-чуть до дома не добралась! Взял и встал!

— Вы можете посмотреть, что случилось? — спросила я у водителя.

— Иномарку — ни за что, — отрезал тот.

— Да я капот не умею открывать, — сообщила дама.

Шофер презрительно сморщился, но промолчал.

— Там такой рычажок есть, слева, под рулевой колонкой, — пояснила я.

— Да? Откуда вы знаете? — удивилась женщина.

— У меня точь-в-точь такой «Пежо-206», кстати, вы не в «Арманде» обслуживаетесь?

— Да.

— У них есть сервисная служба, хотите, номер подскажу? Вызовете, приедут.

— Так я мобильный дома забыла! — воскликнула женщина.

Поняв, что встретила на дороге родственную душу, я предложила:

— Запирайте автомобиль. Где ваш дом? Давайте подвезу.

— Совсем рядом, — обрадованно затарахтела дама и, распространяя запах «Кензо», влезла в «Жигули», — чуть вперед, коттеджный поселок Беляево. Как хорошо, что я вас встретила. Тут мало кто ездит, только свои, но днем просто «мертвое» время. Утром на работу спешат, вечером назад, а в обед ну никого, я чуть не зарыдала.

— У нас в Ложкино тоже так.

— А почему вы не на своем «Пежо»? Кстати, будем знакомы, Наташа.

— Очень приятно, Даша. Сломался он, к слову сказать, я очень недовольна этой машиной, вечно с ней какие-то проблемы... И «Арманд» не лучший сервис, там грубые работники, начальства никогда нет, и любую новую деталь по три месяца ждать надо.

— Согласна, — воскликнула Наташа, — лучше поменяю его на «Фольксваген».

— Вы давно живете в Беляево? — осторожно поинтересовалась я.

— Достаточно, а что?

— Хотела посмотреть на поселок изнутри. В агентстве предложили купить тут дом, а нам надоело Ложкино, там стало слишком шумно, здесь же вроде всего двенадцать домов.

— Десять, — поправила Наташа, — мы с Темой живем в последнем.

— С кем? — медленно переспросила я.

— С Темой, — повторила она, — это мой муж. Ой, я вам так благодарна за помощь! Прыгать бы мне на дороге до вечера возле неработающей машины. Может, выпьете у нас кофе, а потом я покажу вам поселок. Если надумаете строиться, обязательно подружимся! Впрочем, хочу предупредить сразу, тут такой контингент, никто ни с кем общаться не желает, буркнут при встрече «здрасти», и все.

Слушая довольное щебетание Наташи, я с трудом сдерживала рвущуюся наружу радость. Ну надо же случиться такому везению! Ломала голову, как подобраться к обитателям десятого коттеджа, а судьба подбросила потрясающий шанс. Сейчас покофейничаю с Наташей, разузнаю все про ее мужа, авось что-нибудь интересное выплывет.

Возле железных ворот «Жигули» притормозили. Мы вышли наружу, Наташа нажала кнопку.

— Кто там? — послышалось из динамика.

— Откройте, Сережа, это я.

Охранник распахнул калитку.

— Наталья Сергеевна? Пешком?

— Машина сломалась, — пояснила моя новая знакомая, но секьюрити ничего не сказал в ответ.

Отчего-то он, выпучив глаза, уставился на меня.

— Пойдемте, Дашенька, — радушно предложила Наташа, — наш дом последний, вон там, у леса.

Мы двинулись по безукоризненно выметенной дорожке. Внезапно мне стало не по себе, и я обернулась. Охранник разговаривал по мобильному телефону, не спуская с меня глаз.

— Странный парень, — пробормотала я.

Наташа тоже обернулась и пояснила:

— Новенький, он тут едва ли месяц работает, не привык еще, наверное, из бывших военных, они все такие, нерасторопные.

Оставив в большом холле куртки, мы двинулись в гостиную. Наташа принялась отдавать горничной указания по поводу чая, я молча разглядывала мебель. Скользнула глазами по столу, стульям, креслу, наткнулась на буфет и вздрогнула.

На полированной полке стояла большая фотография женщины в траурной рамке. Несмотря на то что снимок был явно сделан лет десять тому назад, я сразу узнала... Дарью. Свою тезку, любовницу Стаса Комолова, бабушку похищенного Петеньки, ту самую Дашу, которую убили на тропинке в лесу.

— Это кто? — отбросив всякие церемонии, поинтересовалась я, указывая на портрет.

— Моя свекровь, — пояснила Наташа, — в нашей семье недавно произошла самая настоящая трагедия...

Но я уже не слышала ее. Все кусочки разрезанной картинки мигом встали на нужные места. Тёма — это Арсений. Тот самый удачливый бизнесмен, который посадил свою мать в золотую клетку. Вроде Дарья говорила, что он работает в сфере услуг. Помнится, я еще удивилась, каким образом можно столь быстро разбогатеть, делая ремонт людям. Оказывается, он торговец наркотиками, а Наташа — мать украденного ребенка. В голове вихрем взметнулись мысли. Комолов, Вадим, Соня... Хотя, может, ошибаюсь, Тёма — это уменьшительное от Артема.

— Что случилось? — испуганно схватила меня за руку Наташа.

— Ваш муж Арсений Петров?

— Откуда вы знаете? — изумилась Наташа.

— А почему его зовут Тёма?

— Детское прозвище, — ответила Наташа, — его мать рассказывала, что он в детстве боялся оставаться в комнате без света и всегда говорил: «Тёма нет, тёма нет». Тёма — так он называл темноту. Вот и осталось с ним это слово вместо имени.

Я схватила Наташу за плечо.

— Слушай, твой сын жив! Я даже знаю место, где его до недавнего времени прятали.

Вся кровь отлила у хозяйки от лица. Серые глаза стали огромными, и в них заплескалась чернота.

— Вы кто? — прошептала она. — Кто?

Продолжая судорожно сжимать ее хрупкое плечико, я принялась вытряхивать все, что знала: про убийство Стаса, смерть Арины и Дарьи, гибель Риты, пожар в квартире Свиньи, непонятную кончину Сони и глупую гибель Вадима. Про то, что по моему следу с высунутыми языками бегут ищейки, а главное, о том, что Петенька в добром здравии.

Глаза Наташи делались все больше и больше. Наконец она резко спросила:

— И где варежки?

— У меня, в сумке.

— Покажи!

Слегка удивленная ее грубым тоном, я принялась рыться в ридикюле. Где же крохотный пакетик?

— Вы не сомневайтесь, — болтала я тем временем, — Петечка жив, скорей всего, его можно найти. Если мальчика не убили сразу, значит, он нужен похитителям. Впрочем, думается, эту женщину, которая увозила ребенка из квартиры Свиньи, будет очень легко обнаружить! Понимаете, до меня только что дошло, каким образом это можно сделать!

— Ну и как? — напряженным голосом поинтересовалась несчастная мать. — Интересно послушать ваши соображения.

— Я уже говорила, что ревнивая Настя Полищук следила за Стасом, она увидела, как он с «женой» и «сыном» садится в автомобиль. Девушка чуть не сгрызла от досады угол дома, за которым пряталась, но все же отметила, что на «супруге» Комолова костюмчик от Зырянова. Леша мой хороший знакомый, вещи он шьет эксклюзивные и, естественно, хорошо помнит, кто заказывал тройку, да еще такую оригинальную, красно-бело-синюю. Хотите, прямо сейчас смотаемся в Дом моделей, и имя негодяйки, укравшей мальчика, у вас в руках!

— Давайте варежки! — выкрикнула Наташа.

Голос ее звенел от плохо сдерживаемого волнения. Впрочем, женщину можно понять. Я рылась в сумке, но под руку, как назло, попадалось что-то ненужное: расческа, носовой платок, губная помада. Пальцы нащупали длинный, непонятный предмет. Я вытащила его наружу. Ну надо же! Ручка-пистолет, забавный прикол, который я забыла вернуть Модестову, вот раззява, нехорошо получилось...

— Варежки... — прохрипела Наташа, — живей.

— Наверное, дома забыла.

— Едем к вам, скорей.

Я последний раз залезла в кошелку и вытащила пакетик. Наташа выхватила его из моих пальцев. Ее глаза погасли, из лица ушло напряжение.

— Они, — пробормотала женщина, — точно! Говорите, их нашла официантка Алена из кафе «Манеръ»?

Я кивнула:

— Именно. Понимаю ваше волнение, но ради ребенка вам следует держать себя в руках.

— Да, конечно, — кивнула Наташа, — вы правы! Мы можем прямо сейчас поехать к Зырянову?

— Да, — кивнула я без всяких колебаний.

Вообще говоря, я собиралась расспросить Наташу о Тёме, но речь идет о жизни крохотного ребенка, которого травят снотворным. И потом, поговорить можно и в машине.

— Только прихвачу кошелек, — подхватилась хозяйка.

Я молча принялась сгребать в сумку рассыпанные вещи.

Наташа вернулась через мгновение.

— Пошли лесом, — сказала она, — моя машина не работает, по тропинке быстрей доберемся до шоссе.

— Можно вызвать такси на дом.

— Долго ждать, больше часа, быстрей бомбиста взять.

Мы вышли через маленькую дверь и побежали вдоль забора.

— Иди вперед, — предложила Наташа, — узко очень.

Я покорно двинулась по извилистой тропке, чувствуя неприятное волнение. Где-то тут лежало тело несчастной Дарьи, убитой грабителями.

Внезапно на плечо упало дерево. Удар был настолько силен, что я свалилась на бок и заорала:

— Мама!

С чего бы это рухнула береза? Ветра нет, может, дерево старое, подгнило. Не успела я сообразить, что к чему, как сверху шлепнулся еще один суковатый ствол. Чудом он не угодил мне по макушке. Корявая палка скользнула по другому плечу.

— Наташа, — завизжала я, — спасайся, лес рушится!

Перед глазами возникла качающаяся береза, я увернулась, подняла глаза и увидела свою спутницу, сжимавшую в руках дубину. Мигом стало понятно: деревья и не думали падать, просто радушная хозяйка решила убить меня.

Я попыталась встать, но следующий удар опять сшиб меня с ног. Наташа явно метила по голове, но промахивалась.

— Прекрати, — закричала я, — на помощь, помогите, спасите, кто-нибудь, сюда!..

Место для совершения преступления было выбрано грамотно. Абсолютно глухой уголок, в который, скорей всего, не заглядывают даже грибники. Навряд ли мое тело обнаружат до зимы, а там пойдет снег, и весной неустановленную личность быстренько сожгут в крематории, если, конечно, труп кто-нибудь найдет. Но мне совсем не хочется умирать! Жизнь только-только повернула ко мне улыбающееся лицо.

— Эй, — завопила я, — давай поговорим! Что случилось? Из-за чего ты озверела?

Наташа коротко выругалась и вновь взмахнула дубинкой. На этот раз она угодила по моей руке. Сумочка откатилась чуть вбок, раскрылась, все содержимое высыпалось на пожухлую траву. Бац, дубина врезалась мне в ребра. Еле живая от боли, я увидела ручку-пистолет, схватила игрушечку и нажала на кнопочку. Послышался легкий щелчок, и наступила темнота.

Глава 31

Я лежала на песке с закрытыми глазами. Нещадно палило солнце, левый бок болел, впрочем, оба плеча тоже. Так, все ясно, я нахожусь в Испании, на пляже, заснула около моря на лежаке и теперь обгорела.

— Наподдавать ей как следует, — неожиданно раздался голос Аркадия, — по рукам и заднице!

— Ты чего, — заверещала Маня, — мусечке и так досталось!

— Маловато будет за все!

— Садист!

— Молчи лучше, пока в спальне не запер!

— Права не имеешь!

— Это тебе только так кажется!

Я вздохнула, Маня и Кеша нежно любят друг друга, но жить им лучше на расстоянии километра друг от друга. Оказавшись же за одним столом, они мигом принимаются ругаться. Надеюсь, Маруся не затеет драку на радость любопытным испанцам, небось полпляжа смотрит в нашу сторону.

— Ладно, замолчали все, — сказал Дегтярев.

Минуточку! А откуда в Испании взялся Александр Михайлович?

Я села и попыталась открыть глаза. Отчего-то распахнулся только правый, левый упорно не желал повиноваться. Мигом показалось сердитое лицо сына.

— Привет, — пробормотала я, оглядывая свою спальню, — а мы дома?

— Именно дома, в Ложкино, — рявкнул Кеша, — где же еще?

— Ну, я думала, в Испании...

— Мусенька, как ты себя чувствуешь? — заорала Маня.

— Ничего, только все болит, а глаз отчего-то не открывается.

— На, — полковник сунул мне в руки зеркало.

Я уставилась на отражение.

— Кто это?

— Ты, — ответил хор голосов.

— Я? Вот это блинообразное лицо в синяках? А что у меня с глазом? Мамочка! Да он совсем заплыл! Вы абсолютно уверены, что это я?

— «Поднимите мне веки», — буркнул Кеша, — это ты, не сомневайся.

— Но что со мной случилось? Попала в аварию?

— У нее амнезия! — закричала Машка. — Реактивный психоз.

— У нее обострение идиотизма и воспаление глупости, — рявкнул Дегтярев, — ну-ка оставьте нас вдвоем.

Машка и Кеша пошли к двери. На пороге дочь обернулась и жалобно простонала:

— Полковник, не бей ее!

— Очень руки чешутся, — заявил Дегтярев, — но сегодня я забыл шланг с песком на работе. Попинаю пару раз ногами, и все.

Дети ушли. Я уставилась на приятеля.

— В самом деле ты не помнишь, где заработала синюю морду, или прикидываешься? — спросил Александр Михайлович.

— Ничего не помню!

— Ладно, Стас Комолов...

Мигом в мозгах словно зажгли электролампочку.

— Ой!

— Что? Знаешь, кто его убил?

— Нет.

— Да ну? Неужели? — ехидничал Дегтярев. — Теперь припомнила, кто тебе глаз подбил?

— Наташа, жена Арсения Петрова.

— Почему?

— Понятия не имею, наверное, у нее от горя помутился разум.

— От какого горя?

— У Наташи украли сына...

Александр Михайлович сел в кресло, набил трубку и велел:

— Поподробней, пожалуйста.

Чувствуя себя мышью, попавшей в банку, я начала рассказывать, что знаю. Полковник не прерывал, только изредка кривил губы и вздергивал брови. Спустя два часа Дегтярев открыл дверь и крикнул:

— Оксана!

Появилась моя ближайшая подруга со шприцем.

— Можешь усыпить ее? — поинтересовался Александр Михайлович.

— Насовсем нет, — на полном серьезе заявила Оксана, — Дашка дорога мне как память об ушедшей молодости.

— А на двое суток? — не успокаивался полковник.

— Запросто, заодно и синяки подживут, — ответила Оксана.

— Эй, эй, — забеспокоилась я, — не надо!

Оксана с жалостью глянула на меня.

— Молчи уж, наломала дров!

— Но я не хочу спать!

— Кто же больного спрашивает, — хмыкнул Дегтярев, — доктор сказал в морг, значит, в морг. Действуй, Ксюша.

Я не успела даже ойкнуть, как в руку вонзилась иголка, и через пару секунд потолок завертелся и пропал.

Глава 32

Мне пришлось проваляться в кровати не двое суток, а четырнадцать дней. Ушибы болели невыносимо. До туалета я добиралась, ахая, держась за стенки, а глаз приобрел нормальные очертания только к середине октября. Аркадий объявил мне бойкот и демонстративно заявлял, появляясь на пороге спальни:

— За глупость и награда!

Машке было меня жаль, и она без конца притаскивала в спальню новые детективы и корзинки с фруктами. Десятого числа в комнату вошел Кеша и швырнул на одеяло упаковку с «Биг маком».

— Небось соскучилась по этой дряни.

— Ты больше не сердишься, — обрадовалась я, радостно разворачивая обертку.

Сын фыркнул и вышел. Пятнадцатого октября меня привезли к Дегтяреву на работу, и мрачные парни задали несчастной больной женщине кучу вопросов. Аркадий сидел около меня с непроницаемым лицом адвоката, иногда он пинал мать безукоризненно начищенным ботинком и шипел:

— Говори суть, не разводи сопли.

Такое поведение законника даже возмутило одного из допрашивающих, брюнета с нервным лицом, и он протянул:

— Вы, Аркадий Константинович, весьма странно обходитесь с клиенткой, честно говоря, я впервые сталкиваюсь с таким защитником.

— Она моя мать, — рявкнул Кеша, — ты бы со своей как в подобном случае поступил?

Брюнет мигом ответил:

— Убил бы.

Дегтярев хмыкнул, но ничего не сказал. Продержав меня почти до вечера, Александр Михайлович велел:

— Все, едем домой.

По дороге в Ложкино мужчины молчали как рыбы, любые мои попытки завести разговор пресекались на корню.

— Сегодня хорошая погода, — начала я, глядя на хлещущий за окном дождь.

Кеша мигом включил почти на всю мощность радио. Понимая, что переорать Земфиру не сумею, я замолчала.

В Ложкино меня отвели в спальню. Я плюхнулась на кровать и схватила книгу. Не хотят общаться, и не надо, когда-нибудь же домашним надоест дуться! Они и раньше иногда злились на меня, но следует честно признать, что так долго не обижались никогда.

В десять вечера дверь в мою комнату распахнулась, на пороге появилась группка людей: Аркадий, Оксана, Александр Михайлович и Манюня.

— Мы решили простить тебя, — заявил полковник.

— А я и не сердилась на мусечку, — влезла Маня, — ни одной минуточки.

— Замолчи, — велел ей Аркадий.

Я усмехнулась, Манюня терпеть не может, когда ущемляют ее свободу, сейчас старшему брату мало не покажется. Но неожиданно девочка забормотала:

— Ладно, ладно, не лезь в бутылку, — и захлопнула рот.

Я удивилась до крайности. Что за чудеса? Машка никогда не выступает в роли послушной младшей сестрички, ее амплуа совсем другое: казак, размахивающий шашкой.

— Спускайся в гостиную, — велел полковник.

Я порысила вниз. Первый, на кого упал взор, был Женька, мирно щелкающий пультом телевизора.

— Привет, — радостно заявил он, — у вас ТНТ не ловит? Вот жалость, хотел...

— Предатель, — затопала я ногами, — уходи немедленно! Ты вызвал ментов в пиццерию!

— Никого я не вызывал, — попятился Женька.

— Не ври! Очень хорошо видела, как защитники правопорядка проверяли документы у людей.

— Ну и что? В Москве все время облавы. Профилактика терроризма.

— Ага, — взвыла я, — только твои засланцы интересовались не лицами кавказской национальности, а женщинами-блондинками.

— Всем молчать! — рявкнул полковник. — Сесть на диван, ноги вместе, руки сложить на коленях!

— Мы там все не уместимся, — пискнула Оксана.

— Молчать, — гремел Дегтярев, становясь синекрасным, — надоело спорить с придурочными бабами, слушать меня, захлопнуть рот!

Я испугалась. Полковник невысок ростом, весьма тучен, и сейчас его давление явно зашкалило за сто восемьдесят. Как бы приятеля не прихватил гипертонический криз. Только забота о здоровье Александра Михайловича подвигла меня на послушание. Я покорно плюхнулась на диванчик.

— Вот и молодец, — неожиданно мирно заявил крикун. — Значит, так! Сейчас я объясню всем, что за история у нас приключилась, а потом совместно решим, как поступить. Имейте в виду, говорить буду только я!

Тот, кто начнет перебивать, мигом вылетит за дверь. Ясно?

— Что ты смотришь в мою сторону? — обозлилась я. — Сижу, молчу.

— Вот и молчи, — вновь налился синевой приятель.

— Ты лучше начинай, — вздохнула Оксана, — а то голова заболит. Хочешь, укол сделаю?

— Засунь его себе в жопу, — огрызнулся всегда вежливый полковник.

Маня захихикала.

— Молчать! — завопил полковник. — Ты тоже хороша, всех обманула! Выдрать ремнем, лишить сладкого, отобрать видик, поставить на горох, запретить ходить в школу!

Аркадий хмыкнул:

— Ну со школой ты перегнул.

— Молчать!!!

— Все, все, говори сам.

Александр Михайлович схватил со стола бутылку боржоми, одним махом проглотил литр минеральной воды и мирно сказал:

— Слушайте.

Стас Комолов, нищий паренек, прибыл в столицу из местечка под названием Веденеево. Вроде и близко поселок от Москвы, а жуткая провинция. У себя дома Стасик работал шофером, особого образования у него не имелось, зато была интересная внешность, отличная фигура и исключительные мужские способности. Правда, последние вместо радости доставляли одни неприятности. Веденеево крохотное, жителей по пальцам пересчитать, свободных девушек и молодых вдовушек мало, а Стасик просто не мог подолгу жить с одной и той же. К слову сказать, обаять он мог существо женского пола минут за двадцать. Пару раз его пытались бить обиженные женихи и рогатые мужья. Скорей всего, Стасик бы сгинул в какой-нибудь драке, но тут, на его счастье, в Веденеево занесло госпожу Анну Лапшину.

Анечка, чей паспортный возраст точно не знал никто,

кроме врача-косметолога, регулярно делавшего ей подтяжки, обожала молодых мужчин.

В тот судьбоносный для Стасика день престарелая Анечка возвращалась с дачи. На въезде в Веденеево машина зачихала и остановилась. Фортуне было угодно, чтобы мотор заглох возле ворот Комолова. Стас вышел, Аня, издали сходившая за девушку, кокетливо протянула:

— Вы можете помочь красивой даме?

— Попробую, — буркнул Стас.

Поломку удалось устранить лишь на следующий день. Ночь Аня провела в избе Комолова. Утром она уехала в Москву, за рулем починенной машины сидел Стас. Анечка увозила в столицу свою новую игрушку.

Целый год Аня обтесывала парня, старательно обучая того мыться, одеваться, разговаривать, пользоваться одеколоном и делать маникюр. Стас оказался хорошим учеником. Скоро в элегантном мужчине, небрежно достающем из кармана золотой портсигар, невозможно было узнать паренька-шофера из провинциального Веденеева. Несколько лет Аня и Стас жили душа в душу, но потом Комолов надоел Лапшиной, и та избавилась от любовника, передав парня Элен Войнович. Затем в жизни Стаса появилась Рената Горская, следом Лена Шумская...

Шло время. Беззаботная жизнь альфонса пришлась по душе Комолову. Угождать богатым дамам казалось ему намного более комфортным, чем пытаться добиться самому успеха в жизни. Тем более что подруги не скупились. Одна подарила машину, другая квартиру, третья дачку. От Стасика требовалось только всегда быть в хорошем настроении, не замечать капризов и укладываться в постель по первому свистку.

Принято считать, что молодость самый сексуально активный период в жизни человека, если речь идет о мужчинах, это правда, но с женщинами ситуация выглядит наоборот. Самые смелые сексуальные желания приходят после сорока. Комолов только диву давался, какие акробатические трюки выделывали в кровати его любовницы, великолепно сохранившиеся светские дамы пенсионного возраста.

Представьте теперь ужас почти сорокалетнего парня, зарабатывающего на хлеб с икрой древнейшим способом, когда он понял, что его «милый дружочек» не такой резвый, как раньше. Со Стасом начали случаться обидные обломы. Пару раз, понимая, что сейчас ударит в грязь лицом, он прикидывался простуженным. В ход пошли возбуждающие средства. Сначала невинные стимуляторы типа китайского лимонника, кураги с медом и витаминов. Честно говоря, особого эффекта они не дали. Комолов схватился за снадобья посильней: шпанская мушка, таблетки, повышающие давление, мази и гели, купленные в магазинах «Интим». Вскоре стало ясно, что он катастрофически быстро превращается в слабака, способного только один раз в неделю доставить даме удовольствие. Может, такой ритм и устраивает супружеские пары со стажем, но любовницы Стаса требовали иного графика.

Впереди замаячил призрак нищеты. Нет, Стас с крестьянской предусмотрительностью откладывал деньги «на черный день», но заветных долларов было очень мало, Комолов-то считал, что уйдет из большого секса лет в шестьдесят, женится на молоденькой богатой дурочке и заживет спокойно. Почему в мечтах ему виделась юная жена? Ну, во-первых, за годы «работы» старухи ему просто надоели, а во-вторых, обеспеченные дамы, справившие пятидесятилетие и охотно бравшие Стасика в любовники, вовсе не собирались идти с ним в ЗАГС. Стать женой стареющего альфонса могла только глупенькая, влюбленная девица.

И вот теперь Комолову приходилось менять планы. Супругу требовалось отыскать прямо сейчас. Но судьба, столь долго показывавшая ему нежное, улыбающееся лицо, внезапно повернулась задом. Фамилия Комолова была на слуху у многих в богатых кругах, и поиск невесты превратился в трудное дело.

Боясь, что среди «клиентуры» поползут слухи о его

мужской несостоятельности, Стас от отчаяния нюхнул кокаин и понял, что угадал. Дорожка белого порошка оказывала воистину чудесное действие. После употребления наркотика Стас мог сутками не вылезать из койки. Одна беда, кокаин дорогое удовольствие, и денег на него улетало немерено. Потом случилось еще одно событие. Во время очередного фуршета Комолов свел знакомство с Ариной Сладковой. Девушка сначала показалась ему достойной кандидаткой в жены. Одета по высшему классу, на шейке и пальчиках переливаются сверкающие брюлики, да и квартира, в которую Арина в первый же вечер знакомства привела Стаса, выглядела на все сто: евроремонт, встроенные шкафы, дорогая бытовая техника...

Стасу понадобилась неделя, чтобы понять, что новая любовница бедна, как церковная мышь, она не собирается тратить деньги на кавалера, а ждет этого от него. Альфонс и содержанка ошиблись в расчетах, и им следовало, мило улыбнувшись друг другу, разбежаться в разные стороны. Но! Но Арина влюбилась в Комолова, как кошка, и стала вешаться ему на шею. А Стас обнаружил странную закономерность: после ночи, проведенной с Ариной, он полностью восстанавливал свои мужские качества и мог целую неделю не прибегать к кокаину. Совсем бросить дурную привычку не удавалось. С одной стороны, Стасик привык употреблять наркотики, с другой, для того чтобы захотеть Арину, не требовалось нюхать кокаин. Девушка совершенно не нравилась Комолову, и он только недоумевал: ну отчего она действует на него лучше любых стимуляторов?

Весной на одной из тусовок к Стасу подошла хитро улыбающаяся Аня Лапшина и, указав ручкой, усеянной бриллиантами, на молодого парня в безукоризненном костюме, сказала:

— Арсюша Петров хочет с тобой поболтать.

Стас повернулся к юноше. Тот оказался деловит и краток.

— Говорят, вы любите женщин среднего возраста и испытываете финансовые затруднения?

— На что вы намекаете? — оскорбился Стас.

Кстати, он усиленно прикидывался успешным журналистом и бизнесменом, часто говорил о своей работе в газете «Листок» и турагентстве. Самое смешное, что это было чистой правдой. В «Листок» Комолов иногда сообщал информацию о всяческих сплетнях. Платили ему копейки, зато выдали удостоверение с золотыми буквами «Пресса», и Стас с огромным удовольствием демонстрировал бордовую книжечку. А в турагентстве он имел небольшой процент, отправляя туда кое-кого из своих многочисленных знакомых. Естественно, на эти заработки жить с размахом невозможно, но служба давала возможность спокойно ронять в разговоре:

— Ах, я так устал сегодня — сдавали номер.

Или:

— Просто замучился, пока договорился, чтобы Никитинских отправили в Испанию со скидкой.

И потом, в светском обществе свои правила. Все вокруг знали, каким местом Комолов добывает доллары на жизнь, но усиленно изображали, что считают альфонса журналистом. А этот наглый молодой человек заявил вот так, прямо в лоб, про деньги и женщин.

Видя, что Стас перекосился, Арсений буркнул:

— Ладно, я человек бизнеса, к вашим светским реверансам не приучен, пошли выпьем.

Когда мужчины отошли в сторону, Арсений быстро изложил суть дела. У него есть мать, еще вполне молодая женщина, изнывающая от скуки и безделья. Лишенная работы и подруг, она куксится, устраивает истерики и скандалы, шпыняет невестку, приматывается к сыну.

— Ты поухаживай за ней, — спокойно предложил Арсений, — букеты, духи, кино, театр... Впрочем, думаю, учить тебя не надо, сам сообразишь, как поступить. Естественно, накладные расходы за мой счет. Об одном прошу, чтобы она с тобой не носилась по тусовкам, мне перешептывания не нужны, и ваши отношения должны длиться не более полугода. Через шесть месяцев получишь десять тысяч долларов и уйдешь. И вот еще что... даже не надейся на брак.

— О чем вы тут болтаете? — раздался за спиной веселый женский голос.

— Ерунда, дорогая, — улыбнулся Арсений, — скучные мужские разговоры о бизнесе. Стас, знакомьтесь, моя жена Наташа.

Комолов вежливо поцеловал надушенную ручку. По тому, как дрогнули тоненькие пальчики, он понял, что понравился молодой женщине...

— Значит, Арсений сам нанял матери любовника! — не утерпела я.

— Еще раз перебьешь меня — и окажешься в коридоре, — пригрозил Дегтярев.

Я быстренько закрыла рот. Полковник, помолчав секунду, продолжил:

— Стас незамедлительно принялся обхаживать Дарью, но одновременно закрутил роман и с Наташей.

И если в первом случае ему перепадали от дамы сердца мелкие сувениры, то Наташенька практически ничего не могла дать любовнику. Арсений контролировал все расходы жены.

— Зачем же Комолов связался с ней? — удивилась Оксана. — Я поняла, что его интересуют только бабы при деньгах.

Александр Михайлович хмыкнул:

— Тут чистый Зигмунд Фрейд получается. Арсений унизил Комолова, откровенно нанял мужика в качестве платного партнера, вот тот и решил отомстить. Дескать, ты такой крутой, богатый, можешь себе позволить швырять мне деньги в лицо, так получи рога в качестве украшения. Кстати, Стас очень скоро начал тяготиться отношениями с Наташей Петровой.

По истечении «контракта», через полгода, Стас рвет отношения с Дарьей. Вернее, он делает так, что дама сама с грустью сообщает:

— Нам следует расстаться.

Комолов опытный альфонс и знает, как следует избавляться от ставших ненужными любовниц. Одновременно он хочет прекратить общение и с Наташей. Гордость его удовлетворена, и продолжать «любовь» с ней он не намерен. Но Наташа влюблена в Стаса, как мартовская кошка, и вовсе не собирается оставлять любовника. Комолову приходится ей заявить:

— Извини, дорогая, я очень люблю тебя, но не имею никаких средств. Как станем жить? Ты привыкла к комфорту, имеешь ребенка... Лучше оставайся с мужем, я, конечно, буду очень переживать, но, что поделать, всегда считал, если не могу обеспечить женщине достойное существование, лучше уйти. У тебя богатый супруг...

Наташа швырнула трубку. Стас несказанно обрадовался. Слава богу, эта идиотка обиделась, и не придется больше тратить на нее время! Драгоценные часы нужны для другого, на горизонте появилась дочь «алмазной горы», глупенькая молодая Настя Полищук, самая лучшая кандидатка на роль госпожи Комоловой. Ну не разорваться же Стасу! Наташа, Настя, Арина... Так и заболеть от переутомления недолго, да и трудно крутить романы одновременно с тремя. Арину бросить Стас не мог. Он теперь обходился только одной порцией кокаина в неделю, а если избавиться от Сладковой, мигом придется увеличивать дозу. Вот сыграет свадьбу с Настей, получит доступ к желанным денежкам и пошлет Арину подальше. Семейному человеку стимуляторы ни к чему...

Лежа на диване, Стас размечтался. Он бросит кокаин, расстанется со Сладковой и будет проводить дни в свое удовольствие. Настенька по уши влюблена в кавалера, денег Зямы Полищука хватит на любые прихоти. Надо внедрить молодой супруге в голову мысль, что лучшее времяпрепровождение — это путешествия по странам Европы, и уехать куда-нибудь в Испанию, купить там квартирку...

Из приятных раздумий его вырвал телефонный звонок, Стас нехотя взял трубку и услышал нервный голос Наташи:

— Я знаю, что ты любишь меня! Ты благородный человек...

Комолова перекосило, но он нашел в себе силы сказать:

— Дорогая...

— Молчи, — велела Наташа, — приезжай сегодня к восьми вечера в гостиницу «Зеленая утка», там и поболтаем.

— Любимая, — со вздохом произнес Стас, — мне очень трудно далось решение уйти от тебя. Лишнее свидание только причинит нам страшную боль, к чему разговоры...

— Я знаю, где взять два миллиона долларов, — заявила Наташа, — получив деньги, мы сумеем уехать и жить вместе в маленькой стране, счастливые до конца дней.

Естественно, Стас явился на свидание, и на его голову водопадом хлынули удивительные сведения.

— Арсений торгует наркотиками, — без всяких обиняков заявила Наташа, — контора по ремонту квартир всего лишь прикрытие, хотя она дает неплохой доход, но сам понимаешь, что огромных денег сей бизнес не приносит.

Стас только хлопал глазами, слушая любовницу. А та излагала дьявольский план.

— Артем обожает Петьку, ради него он пойдет на все. Если спрячем сына в укромном месте, то запросто получим миллионы. Ладно, пусть не два, но один-то точно, а еще мои драгоценности, они тысяч на пятьсот потянут...

— Ты хочешь сказать, — залепетала я, — что мать сама похитила Петю?

— Именно, — кивнул Дегтярев.

— Невероятно, — прошептала Оксана, — может, она больна психически?

— Экспертиза пришла к выводу, что гражданка Петрова вполне вменяема, — пожал плечами полковник, — дело в другом.

— В чем? — удивился Аркадий.

— Бедного ребенка держали в притоне и поили снотворным, — возмущалась я, — хороша твоя экспертиза! Наташа сумасшедшая.

— Нет, — покачал головой Александр Михайлович, — все обстоит по-другому, просто и мерзко.

Арсений встретил Наташу уже после того, как разбогател. Девушке не очень нравился парень, но привлекали деньги, и она охотно пошла на интимные отношения. Вокруг Арсения, как, впрочем, и большинства обеспеченных холостяков, крутилось множество дамочек, любящих тугой кошелек. У Наташи имелся только один, старый как мир способ отправиться с вожделенным объектом в ЗАГС. Девушка быстро забеременела. Расчет оказался верен. Арсений мигом превратился в чадолюбивого папашу. Петечка стал для него светом в окошке, ради ребенка парень был готов на все.

Принято считать, что, родив младенца, женщина автоматически становится хорошей матерью. К слову сказать, в большинстве случаев это правда, но бывают и исключения. Петечка не вызывал у Наташи никакой радости. Мальчик был крикливый, нервный, не спал ночи напролет. Большинство обеспеченных людей нанимают к новорожденному няню, но Арсений настаивал, чтобы жена сама заботилась о Петечке. Не разрешил он и перевести младенца на искусственное вскармливание, приказав жене:

— Не смей перетягивать грудь.

— Но, Арсюша, — попыталась возразить жена, — все отвиснет, красота пропадет.

Муж глянул на нее бешеными глазами.

— С ума сошла, дура! Речь идет о здоровье сына, а она о сиськах беспокоится.

Пришлось, роняя слезы, прикладывать младенца к груди и сцеживаться. Через полгода, когда молоко окончательно исчезло, Наташа встала обнаженной перед большим зеркалом и зарыдала. Красивый, высокий, упругий бюст был потерян безвозвратно. Добрые чувства к Петечке испарились окончательно. От младенца были лишь одни неприятности: сначала беременность с мучительным токсикозом, потом выматывающие бессонные ночи и под конец физическое уродство. Наташенька, любившая загорать на пляже топлесс и смело снимавшая верхнюю часть купальника под одобрительные мужские возгласы, теперь была обречена до конца дней носить закрытые лифчики. Слезы текли по лицу, в душе рождалась ненависть к Арсению и к... Пете.

Поколебавшись немного, Стас согласился. Дело казалось ерундовым. Комолову было все равно, с кем жить в Испании, с Настей или с Наташей. Тем более что последняя полностью бралась организовать «похищение», от Стаса требовалось сущие пустяки: следовало найти квартиру и няню, которая станет присматривать за ребенком в отсутствие матери.

— Вот видишь! — торжествующе воскликнула Оксана. — Значит, она все же любит мальчика.

— Но странною любовью, — парировал Дегтярев, — правда, сейчас Наташа со слезами на глазах уверяет, что хотела получить сначала деньги, потом развод, а затем укатить в безвизовую страну типа Кипра и начать там новую жизнь со Стасом и Петей, но мне отчего-то кажется: сработай ее план, судьба мальчика оказалась бы печальной. Но не будем строить догадки на пустом месте. Говоря языком протокола, Комолов и Наталья вступают в преступный сговор.

Стас боится сам снимать квартиру и не желает искать няню — а ну как дело сорвется и его поймают. Но Наташа неожиданно проявляет твердость.

— Я рискую больше тебя, давай, действуй.

Поколебавшись немного, Стас решает привлечь к делу Арину. Естественно, он не рассказывает девушке всю правду, просто говорит, что один из его приятелей украл собственного ребенка у бывшей жены и теперь хочет спрятать его примерно на месяц в каком-нибудь укромном месте, таком, где хозяева не станут смотреть у жильцов паспорт.

— Если найдешь в двухдневный срок убежище и няню, триста баксов твои, — сообщает Комолов.

Арина с энтузиазмом берется за дело. Квартиру она подыскивает случайно, идет на рынок и натыкается на полупьяную бабу с картонкой в руках «Комнаты понедельно». Сладкова записывает адрес и радуется. С няней получается еще проще. Девушка просто покупает «Из рук в руки» и звонит по первому попавшемуся на глаза объявлению. Она получает триста баксов и мигом тратит их на косметику.

Тем временем в семье Петровых события начинают разворачиваться стремительно. Наташа в слезах возвращается домой и заявляет:

— Петечку похитили.

На самом деле мальчик, накормленный для пущей безопасности снотворным, спит в квартире Свиньи под наблюдением Риты, но Арсений-то об этом не знает. Муж ведет себя так, как и предполагала жена. Он мигом добывает деньги и, боясь за жизнь Пети, не обращается в милицию. Помариновав муженька несколько дней, Наташа сообщает время и место встречи с киднепером. Она умоляет мужа не идти на свидание, но тот непреклонен. Потом случается небольшой промах. Стас, который звонил к Петровым в особняк под видом похитителя, случайно налетел на Дарью. Сначала он пугается, но потом успокаивается, бывшая дама сердца его не узнала.

Уйдя в сад, Наташа советуется с любовником.

— Что делать? Арсений явно попрется вместе со мной.

— Не волнуйся, — успокаивал ее Стас, — встанешь у входа с ридикюлем, у тебя его выхватят, бабушка убогая подойдет, только не сжимай крепко ручку.

В роли старухи выступает Арина. Стас, который открыл в себе недюжинные способности вруна, говорит Сладковой:

— Хочешь заработать еще триста баксов?

— Каким образом? — осторожно осведомляется девушка.

— Наденешь эти лохмотья, спрячешь волосы под платок, спустишь его на лоб, согнешь спину, одним словом, прикинешься убогой старушонкой. Я покажу тебе женщину на Тверской у магазина, выхватишь у нее из рук сумочку, вбежишь внутрь книжного, выскочишь через другой выход, там буду ждать я. Отдашь кошелку — и свободна.

— Да? — недоверчиво протягивает Арина. — И зачем весь спектакль?

Стас громко смеется:

— Один мой приятель хочет проверить, как сработает охрана жены. Мы с ним поспорили на деньги. Я уверен, что ты сумеешь удрать, а он хвастается, будто нанял лучших секьюрити в Москве.

— А вдруг поймают!

— Никогда, — уверенно говорит Стас, — и потом, мы же будем наблюдать за действием. Ты только поворачивайся проворней, и денежки твои.

Поколебавшись, Арина соглашается, все идет как по маслу. Сумочка перекочевывает к Стасу. Наташа, старательно изображая, что торопится, на самом деле еле-еле идет сквозь толпу в магазине, сдерживая Арсения. Потом она поднимает валяющуюся курточку, достает напечатанное на принтере письмо и обвиняет в неудаче мужа.

— Поняла, — закричала я, — поняла!!!

— Что? — спокойно поинтересовался полковник.

— Сообразила наконец, — не успокаивалась я, — в курточке лежало письмо, напечатанное при помощи компьютера, в послании имелась фраза: «Вы привели с собой мужа». Откуда похититель узнал, что к книжному магазину явится Арсений, а? Листок-то с текстом был заготовлен заранее.

— Неувязочка вышла, — хмыкнул Дегтярев, — впрочем, Арсений не обратил внимания на этот просчет преступников.

— У них приключилась еще одна несостыковка, — забубнила я.

— Да? — поднял брови полковник. — И какая же?

— Так голубенькая курточка Петеньки, приметная вещичка, с яркой аппликацией в виде морковок на карманах, осталась лежать на тротуаре у магазина, верно?

— Абсолютно, именно в ней и нашлось письмо.

— Ага, тогда каким образом ревнивая Настя, подглядывавшая за Стасом, могла увидеть Петю в этой одежде, а? Думаю, дело обстояло просто. Неожиданно наступило похолодание, пошел дождь, и Наташа взяла из дома эту курточку, чтобы одеть ребенка. Она же не предполагала, что за ней будут наблюдать чужие глаза.

Александр Михайлович хмыкнул:

— Следует признать, даже в твою голову приходят конструктивные мысли. Однако идем дальше. Получив кучу денег, Наташа и Стас ликуют, но им хочется иметь еще больше средств. Поэтому через неделю операцию повторяют. На этот раз похититель якобы усыпляет Наташу на чердаке и отнимает у нее сумочку с драгоценностями. Наташа абсолютно уверена, что муж тайком поедет за ней, поэтому просто ложится на грязный пол и притворяется глубоко спящей.

И опять их план срабатывает. Безутешный Арсений привозит домой жену, Наташа кричит:

— Все из-за тебя, развод!

Она хлопает дверью и тихо ликует в запертой спальне. У нее теперь есть не только огромные деньги, но и повод для разрыва с опостылевшим супругом. Наташе кажется, что она полностью контролирует ситуацию. Дарья сидит часами в своем «лесном убежище» и боится попасться невестке на глаза. Однажды свекровь робко говорит:

— Может, лучше все же обратиться в милицию?..

Но невестка хватает со стола нож и начинает резать себе руку с истерическим воплем:

— Только попробуйте, сразу покончу с собой!

Она наносила себе легкие порезы, но кровь все равно

текла красными струйками. Арсений мигом отнял у жены ножик и накинулся на Дарью:

— Заткнись, дура!

Многих преступников погубила элементарная жадность. Удачно провернув одно дельце, они теряют разум и идут на другое преступление. «Повадился кувшин по воду ходить, тут ему и голову сломать», — пословица придумана не нами и даже не нашими дедами.

Вдохновленная легким исполнением задуманного, Наташа решает еще разок пощипать мужа. Но тут косяком пошли события, приводящие к крупным неприятностям.

Во-первых, вечно пьяная Свинья выходит утром из своей комнаты и, получив от Наташи очередную бутылку водки, бормочет:

— Сто рублей в день мало, с тебя теперича пятьсот!

— С ума сошла! — взвивается женщина. — Совсем мозги пропила, нет таких цен!

Свинья хитро прищуривается:

— Да поняла я все! Небось проституткой работаешь. По ночам-то исчезаешь!

Наташа молча слушает корявую речь хозяйки. Она проводит с Петей день, а на ночь уезжает в Беляево. Мальчик может в светлое время суток закапризничать, начать плакать, не дай бог придут соседи. Нанимать круглосуточную, дорогую няню Наташа боится. У профессионалки мигом зародятся сомнения: отчего это ребенка держат в таких условиях? Рита, караулящая Петю ночью, абсолютно устраивает Наташу, девчонка кажется глуповатой, искренне радуется, что ребенок спит как сурок с восьми вечера до полудня, не задает лишних вопросов и хватает деньги. Свинья тоже казалась подходящей хозяйкой, и вдруг выяснилось, что пьяница на самом деле не растеряла все мозги.

— Ребеночка-то где взяла? — ухмыляется она. — Чай, не родной! И ваще, я твой паспорт не видела, давай документ.

Наташа пугается, отдает алкоголичке деньги и начинает звонить Стасу на мобильный.

Но в тот день Комолов забывает сотовый дома у Арины. Наташа безостановочно трезвонит, Арина, которая не знает, как отключить телефон, нервничает и в конце концов отвечает:

— Да.

— Кто это? — кричит Наташа.

— Арина.

— А где Стас?

— Он оставил у меня телефон, — начинает девушка.

Но договорить она не успевает, Наташа отсоединяется. Арина смотрит на мобильник и видит в окошечке номер Свиньи, в телефоне Комолова есть определитель.

События нарастают стремительно. Примерно через полчаса Арина выходит к метро за булочками, покупает «Листок» и находит там сообщение о помолвке Насти и Стаса. В полном негодовании девушка прибегает домой и, переколотив пару тарелок, плюхается на диван, чтобы поразмыслить, как поступить. Настя Полищук богата до неприличия, Арина понимает, что устраивать Стасу скандал нельзя. Хлопнет дверью и уйдет к состоятельной невесте. Следует поступить хитро, но как?

Пока Арина теряется в догадках, возвращается Комолов.

— Тебе на мобильный звонила баба, — буркнула Арина, — извини, я сняла трубку, но она два часа звенела без перерыва.

Стас бросает взгляд на окошечко, видит номер Свиньи и спокойно отвечает:

— А! Это Лека Лазарева, хочет путевку в Египет со скидкой!

Но Арина-то помнит, чей это номер! Ведь квартиру нашла она! И этот телефон ей известен. Комолов берет сотовый, идет на балкон, но, увы, батарейка разряжена, разговор длится всего секунду, он только слышит, как Наташа в тревоге говорит:

— У нас неприятности... — и связь обрывается.

Стас входит в комнату и хватает трубку радиотелефона. Из ванной слышится плеск воды, любовница моется и не услышит разговора, но Комолов все равно вновь уходит на балкон и соединяется с Наташей.

— Срочно нужна другая квартира, — говорит она.

— Почему?

— Свинья потребовала полтыщи в день.

— Отдай.

— Не поможет, она знает, что ребенок украден.

— Откуда?

— Не знаю, догадалась, будет шантажировать, поторопись.

— Ты не ошибаешься? Успокойся, дорогая, она даже не знает, как тебя зовут!

— Все равно, быстро ищи квартиру.

Стас возвращается в комнату. Из ванной появляется улыбающаяся Арина.

— Мы поедем в ресторан?

— Да, дорогая, — говорит Стас, — одевайся.

Комолову невдомек, что девушка слышала весь разговор. Он совсем забыл, что у телефона две трубки. Вторую Арина забрала с собой в ванную и, когда услышала потренькивание, не утерпела. Выключила воду и подслушала, с кем болтает Стас.

Угостив любовницу ужином, Комолов просит:

— Ариночка, не могла бы ты еще раз найти квартиру? Помнишь, рассказывал тебе о приятеле, который увез ребенка от бывшей жены...

Арина не верит Стасу, она понимает, что тут дело нечисто, и в ее голове мигом рождается план, как избавиться от Насти и заработать денег.

— Ну надо же, — восклицает она, — буквально за час до твоего прихода звонила Катя Ломидзе и спрашивала, нет ли кого желающего пожить у нее в квартире два месяца, причем бесплатно, собаку надо кормить и выгуливать!

— На ловца и зверь бежит, — радуется Стас.

Кстати, насчет Ломидзе это правда, и Арина перезванивает Катерине.

— Пусть приезжает, — велит Катя, — у меня рейс ночью.

Комолов получает ключи и сообщает Наташе:

— Собирайся, утром переезжаешь.

Между тем Арина, которая знает адрес Свиньи, это ведь она нашла квартиру, едет в Рокотовский проезд и звонит в квартиру. Дверь открывает Наташа.

— Вам кого? — спрашивает она.

Арина мигом узнает даму, у которой она отнимала сумочку, но ухитряется спокойно ответить:

— Вот, дали адрес, сказали, вы комнату сдаете.

— Хозяйки нет, — отвечает Наташа, — приходите завтра, в районе обеда.

Она видела Арину в гриме старухи и, естественно, сейчас ничего не заподозрила.

— А вы жиличка? Значит, свободного помещения нет?

— Мы с мужем завтра утром уезжаем, — бросает Наташа, и Арина спешит домой и звонит Насте. Дальнейшее известно. Ревнивая девушка наблюдает семейный выход и уезжает в Якутск, к папе, зализывать раны. Арина торжествует, свадьбе не бывать! Комолов тем временем пугается, ну откуда Настя могла узнать про Наташу и Петю?

Арина же, вдохновленная удачей, едет на квартиру к Кате Ломидзе и спокойно заявляет ошарашенной Наташе:

— Я знаю все!

Женщина собирает волю в кулак и равнодушно спрашивает:

— Что вы имеете в виду?

— Вы украли ребенка, если не хотите неприятностей, гоните деньги!

— Откуда столь дикая информация? — старается не показать ужаса Наташа.

Она достает паспорт, свидетельство о рождении Пети и заявляет:

— Не понимаю, почему я должна вам это объяснять, но смотрите, мальчик — мой родной сын.

Арина теряется и ляпает глупость:

— Но почему тогда вы со Стасом его прячете? Что за идиотство с украденной сумкой?

— Какое отношение вы имеете к Комолову? — спрашивает Наташа.

— Он мой любовник, давно!

— Бедная детка, — корчит мину Наташа, — садись поудобней, все мужики сволочи, слушай!

Арина сидит, разинув рот. Наташа преспокойно говорит:

— Мы со Стасом давно живем вместе, а сейчас решили уехать. Понимая, что муж не отдаст сына, я его украла.

— Он врал мне, — лепечет Арина.

— И мне.

— Какой гад!

Наташа лицемерно соглашается. Она понимает, что Арина проиграла, Стас никуда не денется от дамы, обладательницы огромных денег. И в отличие от Арины и Насти Наташа не ревнива, она хорошо знает, мужчина должен иногда побегать в чужих лесах. Важно не то, что уходит, главное, к кому возвращается!

В полном негодовании Арина вылетает на улицу, ее просто трясет от злобы. В голове колотятся молоточки, виски ломит, руки дрожат, никогда в жизни ей не было так плохо, как сейчас. Огромным усилием воли Арина подавляет отвратительное самочувствие. Как все истерички, она обожает демонстративные поступки, поэтому сладостно планирует скандал. Вечером они с Комоловым собирались в консерваторию. Стас — меломан, старающийся не пропускать интересные концерты, Арину он будет ждать у памятника Чайковскому, самое подходящее, на ее взгляд, место для бурного выяснения отношений. Девушка тщательно одевается, красится, укладывает волосы и нанимает на два часа «Мерседес» с шофером. Пусть Стас увидит свою любовницу прекрасной, выходящей из шикарного авто, пусть поймет, что потерял...

Прибыв на место встречи, Арина демонстративно давит каблуком золотое колечко, подарок Комолова, и уезжает. Ей опять становится плохо. Голова просто разрывается от боли, ноги дрожат, по спине течет пот. Она приезжает домой и в злобе выдергивает из стены телефонный шнур. Пусть Комолов поволнуется, названивая Арине, пусть понервничает, пусть приедет, потребует объяснений.

Но Стас и не думает дергаться. Баба с возу — кобыле легче. Если Арина решила его бросить, это просто замечательно. Деньги с Наташей они уже добыли, осталась сущая ерунда, еще раз «раскрутить» Арсения, потом развод, и прощай Россия!

Полный радужных надежд, Стас приглашает на концерт Дашутку и... умирает!

— Кто убил его? — завопила я. — Кто?

Дегтярев хмыкнул:

— Знаешь, пока я не скажу. Давай уж, выслушай до конца. Просто прими как факт, Стас мертв, а тем временем события продолжают стремительно развиваться.

Глава 33

Арина просыпается в своей квартире и не понимает, утро сейчас или вечер. Сколько времени она провела в кровати? Сутки? Двое? Или час? В глазах у нее темно, она почти ослепла, предметы потеряли четкие очертания, ноги отказываются повиноваться, голова кружится, из желудка поднимается тягучая тошнота. Ей так плохо, что девушка дрожащей рукой нашаривает телефон, желая вызвать «Скорую помощь». Но в трубке молчание, Арина забыла, что, проваливаясь в сон, вырвала шнур из розетки.

Кое-как она встает и бредет к соседке. Когда пожилая дама открывает дверь, Арина хочет сказать: «Мне плохо, вызовите врача», — но язык не слушается, колени подламываются, а потом в голове словно взрывается ракета, и она проваливается в черную мглу.

— Кто ее убил? — подскочила я. — Наташа? Как? Отравила, да? Чем?

— Нет, — покачал головой полковник, — Арину никто не трогал, если хочешь, можно считать, что она виновата в своей смерти сама.

— Покончила с собой? — изумилась я.

— Думаю, нет, — сказала Оксана, — аневризма сосудов головного мозга, да?

— Правильно, — кивнул Дегтярев. — Арину и раньше мучили головные боли, но они проходили от анальгетиков, и девушка не спешила к врачу. В молодости мы никогда не думаем о смерти. Сладкова не знала, что больна и ей требуется соблюдать режим, не курить, рано ложиться спать, а главное, не нервничать. Арина тяжело переживала разрыв с любовником, вот пораженный сосуд мозга и не выдержал, еще хорошо, что смерть пришла мгновенно.

— Бедняжка, — прошептала Маня.

— Аневризма — коварная штука, — вздохнула Оксана.

— Наташа же со своей стороны, — продолжил полковник, — попала в жуткую ситуацию.

Утром, около девяти, когда Арсений уехал на работу, Дарья вошла в комнату невестки и со свойственной ей бесхитростной прямотой заявила:

— Наташа, я не понимаю, что ты задумала.

Невестка захлопала глазами:

— В чем дело?

Свекровь показала ей каталог домов Испании, выставленных на продажу. Возле фотографий надписи, сделанные рукой Наташи: «слишком дорого», «плохая ванная», «неудачно стоит».

— Где ты его взяла? — спросила невестка.

Дарья без улыбки ответила:

— Извини, я никогда не роюсь в чужих вещах, но мне срочно понадобился фен, а мой сломался. Зашла в твою ванную и нашла это издание в пакете, рядом с клизмой. Странное место для каталога. Ты хочешь купить дом в Испании? Почему тогда тайно? Арсений в курсе?

Наташа, старательно сохраняя спокойствие, ответила:

— Хотела сделать Арсению сюрприз, найти маленький особнячок и показать. Он так страдает, может, чуть-чуть отвлечется, занимаясь покупкой.

Честно говоря, объяснение глупое, но ничего лучше Наташе в голову не пришло. Дарья пошла к двери, на пороге обернулась и медленно сказала:

— Знаешь, я все ломаю голову, отчего голос похитителя показался мне знакомым? Надеюсь, что соображу, где слышала его раньше.

Наташа теряет дар речи от ужаса. Она еще не знает, что Комолов мертв, и несколько дней безуспешно пытается дозвониться до него. Но мобильный отключен, а дома никто не отвечает. И тогда Наташе в голову пришла простая мысль. Дарья любит сидеть на полянке, а потом идти домой через лесок.

Никого не удивит, если на увешанную драгоценностями даму нападет грабитель. В Подмосковье полно бомжей, готовых убить человека за двадцать рублей. Ближе к вечеру она звонит свекрови на сотовый и самым невинным голосом спрашивает:

— Ну ты где? Опять прячешься?

— Иду, — отвечает Дарья и пускается в свой последний путь.

На тропинке она сталкивается с невесткой, которая, не подозревая о том, что свекровь сидела на полянке не одна, со всей силы бьет женщину палкой.

Убедившись, что Дарья мертва, Наташа выдирает у нее из ушей серьги, срывает с пальцев кольца и уходит. Она надеется, что тело найдут не сразу, и для нее становится неприятным сюрпризом, что милиция появляется в доме буквально через два часа. Ментов вызвала Дашутка, тщетно прождавшая даму.

С этого момента удача окончательно отворачивается от Наташи. Ей на сотовый звонит Рита и заявляет:

— Надо встретиться.

— Зачем?

— Надо! — настаивает бывшая нянька.

Наташа назначает встречу в кафе «Манеръ», сама приезжает на полчаса раньше, ей надо зайти в детский магазин. Мальчику стали малы ботинки. Наташа покупает новую обувь и получает в подарок на кассе крохотные голубенькие варежки с вышитыми зайчиками, симпатичную вещичку, великолепно подходящую к курточке и шапочке.

Сунув презент в карман, Наташа идет в «Манеръ» и встречает Риту.

— Гоните сто баксов, — заявляет та.

— Это за что?

— Вы лишили меня работы, не предупредив заранее!

Слово за слово разгорается ссора. Наташа вскакивает в гневе, отвешивает нахалке оплеуху и уходит. Она не боится Риту, та даже не знает настоящее имя хозяйки, но, убегая с перекошенным от злобы лицом из кафе, Наташа теряет пакетик с варежками, которые подбирает официантка Алена.

Проходит пара дней, и вечером Рита опять звонит Наташе. Та, услыхав знакомый простонародный говорок, с сожалением думает: «Надо избавиться от этого номера мобильного», — и шипит:

— Ну что еще надо?

— А все то же, — наглеет Рита, — денег, только теперь намного больше!

— Немедленно забудь этот телефон, — вопит Наташа, — не то худо будет!

— Да? — издевается Рита. — А вас ищет женщина, любые деньги готова заплатить за этот номерок, может, мне лучше с ней договориться?

— Кто? — пугается Наташа.

— Тысяча баксов, — отрезает Рита.

— Хорошо, — мигом соглашается Петрова, — приезжай в десять вечера в кафе «Ямайка», получишь доллары.

Обрадованная, жадная девчонка спешит к месту своей гибели. Наташа, уже убившая одного человека, не боится убивать снова, идет в сад. Там, в сарайчике, садовник держит яд от грызунов. В начале лета он, показав Наташе яркую банку, сообщил:

— Хорошая штука, убивает крысу не сразу, а примерно через час.

— Зачем же такой срок? — удивилась она.

— Грызун уходит в нору и там умирает, — пояснил садовник, — его тело разлагается, и другие члены стаи покидают жилище. Крысы умные, страсть!

Место для разговора Наташа выбрала идеально. «Ямайка» — кафе, где собирается «продвинутая» молодежь. Там очень шумно, публика в основном пьяна или под кайфом.

Рита сообщила Наташе о разговоре с Дашей и получила деньги.

— Надеюсь, ты никому не сообщишь этот телефон, — бормочет убийца, пододвигая к жертве вазочку с мороженым, куда незаметно подсыпала отраву.

— Нет, — отвечает Рита.

Она совершенно счастлива, столько долларов! Решив не отказываться от угощенья, девчонка съедает пломбир.

— Значит, номерок не разболтала, — уточняет Наташа, вставая.

— Не бойся, — успокаивает ее Рита, вылизывая креманку, — я сказала, что он у Свиньи на обоях записан и я его не помню.

Наташа медленно садится назад:

— Это правда?

— Что?

— Про обои?

— Ага, — спокойно отвечает Рита и уходит веселая, как птичка, совершенно не предполагая, что скоро умрет.

А Наташа принимает решение избавиться от Свиньи. Задуманное она выполняет легко. Приезжает к бывшей хозяйке, угощает ту водкой со снотворным и спокойно поджигает квартиру. Наташа совершенно не думает о том, что вокруг живут люди, ей требуется уничтожить Свинью, еще начнет болтать, алкоголики трепливы. Убегая из полыхающей квартиры, она на всякий случай отдирает кусок обоев с номером своего телефона. Теперь она абсолютно спокойна. Все свидетели мертвы.

Представьте теперь изумление, а потом липкий ужас Натальи, когда дама, которая помогла ей на дороге, вдруг начинает рассказывать о Комолове, Пете, Свинье и Рите. Оказывается, еще есть официантка Алена, нашедшая варежки, а главное, красно-бело-синий костюмчик Наташа и впрямь заказывала у Зырянова. Модельер мигом назовет имя клиентки, Алексей не тиражирует вещи. И Наташа, уже привыкшая решать все проблемы одним способом, приглашает Дашутку прогуляться к шоссе через лес.

Полковник замолчал.

— Знаешь, — сказала я, — мне сразу стало ясно, что пожар у Свиньи вспыхнул не просто так. Когда я приходила в ее квартиру под видом клиентки, хозяйка категорически заявила: «Курить не разрешаю, боюсь пожара». Саня, несмотря на алкоголизм, была аккуратной. Она жива?

— Да, — кивнул Александр Михайлович, — и даст показания. Во всяком случае, я сильно надеюсь на это.

— Но кто убил Комолова, — воскликнула Оксана, — и почему в его смерти обвинили Дашу?

Александр Михайлович спокойно взял со столика яблоко, с хрустом откусил и сообщил:

— А ее никто не обвинял!

— Как это? — взвилась я. — Сюда заявились двое молодых людей и хотели меня арестовать!

— Глупости, — рявкнул приятель, — просто они хотели задать тебе пару вопросов, что совершенно понятно. В конце концов, минеральную воду с отравой Комолов получил из твоих рук.

— Но у них был ордер на арест!!!

— Кто сказал?

— Зайка.

Аркадий фыркнул:

— Вы с Ольгой друг друга стоите. Одна, не разобравшись, визжит об аресте, вторая удирает из дома, прихватив с собой мопса. Цирк, ей-богу. Ну зачем тебе понадобился Хуч? Думала сидеть в переходе возле коробки с табличкой «Подайте на пропитание для собачки»?

— Но Женька! — затопала я ногами. — Женька!!!

— Что я сделал-то? — забубнил тот.

— Ты велел мне явиться с повинной!

— Я? Никогда.

— Сказал, что нужно приехать к тебе на работу!

— Правильно, был целый ряд вопросов, поговорили бы, и все!

— А патруль в пиццерию кто послал?

Женька вскочил и забегал по комнате.

— Ну не делал я ничего такого!

— Врешь! Отчего они проверяли паспорта у блондинок?!

— О боже! Понятия не имею! Никого никуда не отправлял. Вот Александру Михайловичу из-за тебя пришлось прервать отпуск, — отбивался Женька, — я его вызвал.

— Откуда? — изумилась я.

— Как это? — изумился Женюрка. — Из его любимой деревни.

— Но там нет телефона!

— Это он его вам не дает, чтобы зря не трезвонили, — хихикнул Женька.

Я задохнулась от негодования и едва сумела пробормотать:

— Но я столкнулась с тобой на улице, отчего ты не сказал мне, как обстоит дело?

— Так я только и крикнул: «Даша!» А ты как чеса-
нешь через заборчик, — обиженно протянул Женька, —
прямо резвый сайгак, а не баба. Пока из машины вылез, твой след простыл!

— А почему Ирка, когда я звонила, сообщила заго-
ворщическим тоном: «Белье можете не привозить»?
Я-то подумала, что в доме обыск!!!

— Мать моя женщина, — воздел к потолку руки
полковник. — Ну почему мне господь послал это испытание! Не знаю, отчего Ирка ляпнула эту фразу. У нее в
голове солома, как, впрочем, у тебя, Зайки и Мани тоже. Куриные мозги.

— Ты нас оскорбляешь, — взлетела ракетой Маня.

— Молчи уж лучше, — рявкнул Дегтярев, — уже свое
отболтала, заговорщица. Решила помочь матери в сыск-
ной деятельности.

— Я только перебралась к ней жить, — заныла Маня. — Кстати, в квартире у Тины очень неудобно!

— Еще бы, в двух крохотных комнатках с безумным
количеством собак.

— Постой, — пробормотала я, — а ты откуда знаешь
подробности про ту квартиру?

— Так участковый рассказал!

— Какой?

— Извини, забыл его имя, вроде Андрей Иванович.
Молоденький парнишка. Он потом мне доложил: «Там
порядок, собачки живы-здоровы, все брюки мне изо-
рвали, Дарья Ивановна тоже в целости и сохранности,
деньги в «Канди» стирает!»

— Но откуда ты узнал, где я живу?

Александр Михайлович вздохнул:

— Нет, ты неподражаема. Элементарно, Ватсон! Ма-
нюня-то удрала к тебе.

— И что?

— Но в школу она продолжала ходить. За ней просто проследили, Манька и привела «хвост» на квартиру
Тины.

Я уставилась на дочь, та зашмурыгала носом.

— Но если ты все знал, отчего не пришел ко мне, не объяснил?

— Господи, избавь меня от друзей, а от врагов я сам избавлюсь, — вздохнул полковник. — Ты же ненормальная любительница приключений, считающая себя всегда правой. Ну что бы ты сделала, увидав мою стройную фигуру?

Я призадумалась.

— Только честно, — ухмыльнулся полковник.

— Если откровенно, то мигом бы удрала.

— Вот-вот, мы и подумали с Кешей, охота тебе играть в детектива в изгнании — милости просим. Надоест — вернешься. Нам даже интересно было, как ты справишься с обстоятельствами, считай, поставили с Аркашкой эксперимент. Все гадали, когда до Дашутки дойдет, что ее убежище всем известно.

Я попыталась возмутиться, но слова застряли в глотке. Они поставили эксперимент? Использовали меня в качестве лабораторной мыши?

— А кто из милиции приходил в кафе «Манеръ»? — все же пробормотала я.

— Ваш покорный слуга, — раскланялся полковник.

— Зачем?!!

— Ну, — улыбнулся Дегтярев, — я только вернулся в Москву и немного забеспокоился. И куда, думаю, ты делась? Естественно, потряс Оксану, вижу, та не в курсе, да и другие подружки ничего не знали, в гостиницах тебя нет, напрашивался вывод: сняла квартиру. Только неофициально, паспорт на временную прописку не сдавала. Вот и решил заглянуть в «Манеръ».

— Откуда тебе известно, что я хожу в это кафе?

Александр Михайлович крякнул, а Кеша засмеялся:

— Мать, неужели думаешь, что мы не знаем твои дурацкие привычки? Примерно два раза в неделю ты появляешься в Ложкино с коробками в руках, на которых стоит фирменный логотип «Манеръ». «Торговый комплекс «Охотный Ряд», верхний уровень». Кстати, ты довольно часто говорила, что разлюбила «Делифранс», потому что нашла «Манеръ».

Я только вздыхала, это — абсолютно верно.

— Естественно, я нашел бы тебя по своим каналам, — мирно бубнил Дегтярев, — хоть через банк, куда ты явно отправишься за деньгами, но не успел я вернуться домой, как Ирка, кося глазами, соврала, что девочка уехала... забыл куда, какую-то ерунду сбрехнула, а собак отдала Когтевым. Ничего глупей и придумать было нельзя, дальнейшее ясно.

Он замолчал и принялся аппетитно доедать сочное яблоко. Я постаралась собрать в кулак силу воли. Главное, не разрыдаться сейчас тут у всех на глазах. Поплакать можно будет потом, в своей комнате, накрывшись с головой одеялом.

Неожиданно Дегтярев отложил огрызок и продолжил разговор совсем иным тоном:

— Кстати, должен отметить, ты действовала очень хорошо, откопала кучу интересных фактов и практически в одиночку раскрыла дело о похищении Пети. Честно говоря, не ожидал от тебя подобной прыти, для меня было большим потрясением узнать, что Даша приехала в Беляево, да еще вместе с Наташей. Ты должна сказать спасибо Николаю, он узнал тебя и позвонил с сообщением: «Ваше ПДН у Петровых». Кстати, дело могло кончиться плохо. Наталья довольно сильно избила тебя, земля холодная, воспаление легких — это самая маленькая неприятность, которая ожидала неуемную Дашутку.

— Кто такой Николай, — прошептала я, — и как он узнал меня в гриме? Что такое ПДН?

— Дорогая, — спокойно пояснил Александр Михайлович, — неужели ты не в курсе, что почти все наши сотрудники называют Дарью Ивановну Васильеву короткой аббревиатурой ПДН. Позволь я ее расшифрую — постоянно действующее несчастье полковника Дегтярева. Николай работает у нас, он, мадам, вас встречал в моем кабинете.

— Я его не помню.

— Главное, что он тебя вспомнил и позвонил мне.

— Но я была в гриме!

Александр Михайлович скривился:

— О женщины! Готовы превратить в ад жизнь мужчины из-за такой ерунды, как сумка.

— Не понимаю.

— Жена Николая, Тоня, служит у нас секретаршей. Когда ты, дорогая, появляешься в коридоре, вся дамская часть нашей серьезной организации мигом принимается обсуждать, в чем явилась любовница Дегтярева на этот раз.

— Нас считают любовниками?!

— Так давно, что сей факт перестал всех волновать, а вот твои костюмы, туфли, духи, помада вызывают незатухающий интерес. В последний визит Тоня заметила у тебя на плече потрясающую сумку. Она не поленилась, вызвонила мужа и велела: «Иди глянь, какой ридикюль у Даши, хочу именно такой на день рождения, ничего другого, только его». Николай покорно отправился посмотреть на аксессуар, припоминаешь?

Я кивнула, вспомнив, как удивилась, когда в кабинет Дегтярева влез долговязый парень, постоял пару минут молча и потом ляпнул:

— Если не секрет, где сумочку брали?

Ладно бы услышать подобную фразу из уст дамы, но мужчина, интересующийся адресом точки, в которой продают дамские сумки?

— Николай поехал в магазин, — продолжил Дегтярев, — и приуныл. Продавцы живо объяснили ему, что модель эксклюзивная, одна на Москву, можно по каталогу заказать вторую, но цена!

Тоня расстроилась и принялась при каждом удобном случае попрекать мужа и требовать понравившуюся вещь. Можно сказать, что твоя сумка стала яблоком раздора, она просто снилась Николаю по ночам. Поэтому, когда парень, который под видом нового секьюрити следил за Арсением Петровым, увидел мечту своей жены на плече спутницы Наташи, он насторожился, повнимательней пригляделся к ней и понял все.

— Я была в гриме!

— Мало изменить цвет волос и сделать другой макияж, нужно еще по-иному ходить, улыбаться, разговаривать. Согласен, обычному человеку тебя было не узнать, но Коля профессионал. Стоило «брюнетке» сказать: «Здравствуйте» и улыбнуться, как он сообразил, что к чему.

— Вот почему он так уставился на меня! Но отчего вы следили за Арсением?

— Он торговец наркотиками, — пояснил Дегтярев. — Долго объяснять, да и незачем, но правоохранительные органы разрабатывали его, а ты помешала осуществить хорошо продуманную операцию, мы так и не узнали всего до конца.

— Почему Наташа не добила меня?

— Неужели не помнишь? Ты же выстрелила в нее из «ручки» и, что удивительно, попала.

— Я убила человека!!!

— Нет, только ранила. Кстати, где ты взяла этот пистолет?

— Он не мой, принадлежит Сан Санычу Модестову.

— Так кто убил Комолова? — заерзала в кресле Маня.

Александр Михайлович тяжело вздохнул:

— Это другая история, она не имеет никакого отношения к похищению Пети.

— Как? — заорала я. — Не может быть!

— Ты стояла в двух сантиметрах от разгадки, — пожал плечами полковник.

— Не тяни кота за хвост, — возмутилась Оксана, — рассказывай!

Александр Михайлович усмехнулся:

— Дашутка совершила весьма распространенную ошибку. Она объединила дела, которые не имели ничего общего друг с другом. Ну ладно, так и быть, видите, какой я добрый, слушайте.

Арсений Петров торгует героином. Получает белый

порошок он из-за границы под видом стройматериалов. Его ремонтная контора ввозит из Италии, Испании, Германии кучу всяких вещей: краски, лаки, мебель. Но важно не только доставить отраву, следует еще и наладить сбыт. При Арсении крутится куча молодых людей, которые служат дилерами. В основном это студенты и школьники. Они, естественно, не выходят прямиком на хозяина, общаются с посредниками. Но в случае с Соней получилось по-другому.

Петров сначала заводит с хорошенькой девчушкой роман, просто дурит ей голову. Потом сажает дурочку на иглу, а затем, когда Сонечка надоедает любовнику, превращает ее в дилершу. Консерватория — огромное поле. Конечно, это немного неосторожно, Соня знает все координаты Арсения, но парень спокоен. Он понимает, что скрипачка обожает его и скорей отгрызет себе правую руку, чем выдаст милиции. И потом, Петров занимается уголовно наказуемым бизнесом несколько лет и начинает считать себя неуязвимым наркобароном.

Сонечка исправно таскает наркотики по коридорам учебного заведения. Уже ни для кого не секрет, что у нее можно получить все: героин, кокаин, «экстази», марихуану... Однажды к девушке подходит Вадим. Зять Тамары Павловны вечно нуждается в деньгах. Пару раз он берет дурь в долг, потом не может расплатиться... Соня предлагает ему стать распространителем.

— Продашь десять «чеков», — обещает она, — одиннадцатая доза твоя, бесплатная.

Вадим начинает создавать собственную сеть. В качестве места встречи с Сонечкой, которая передает «оптовые партии», выбрана ложа директора Большого зала. Соня легко попадает туда: во-первых, она студентка консерватории, а во-вторых, ее бабушка, Роза Михайловна, работает в гардеробе. Удобно и Вадиму: теща часто просит его о помощи.

Накануне того дня, когда умер Комолов, события разворачиваются следующим образом. Вечером, придя с работы, Тамара Павловна рушится со стоном в кровать:

— Проклятая голова, боже, какое мучение.

Вадим знает, что болячка уложит тещу на сутки, поэтому он мигом перезванивает Соне и договаривается о встрече. Но утром Тамара Павловна неожиданно просыпается совершенно здоровой. Вадим пытается найти девушку, но у той выключен мобильный, Сонечка сидит на занятиях.

В принципе ничего страшного нет. Соня заглянет в ложу, увидит Тамару Павловну и уйдет. Но у Вадима кончился наркотик, и он чувствует приближение ломки. Теща собирается на службу, Сонечка скоро явится в Большой зал с вожделенной дозой, Вадима трясет от нетерпения, и он решает вывести Тамару Павловну из строя, разливает в темной прихожей растительное масло. Пожилая женщина падает. Вадим, тихо радуясь, укладывает тещу в кровать и, трясясь от озноба, заступает на дежурство в директорской ложе.

Ему плохо и с каждой минутой становится все хуже и хуже, а Сонечка, как назло, не торопится. К концу первого отделения у Вадима просто начинается истерика, а ну как девушка вообще не придет?

Но тут звенит звонок, и приходится исполнять служебные обязанности. Продавая программки, Вадим с надеждой смотрит на дверь, ведущую на служебную лестницу, и, о радость, видит Соню. Улучив момент, он выскальзывает из ложи.

— Давай скорей!

— Облом вышел, — шепчет Соня, — через два часа у памятника Чайковскому, извини, так получилось.

— Мне очень плохо, — шепчет Вадим.

— Понимаю, — сочувственно кивает Соня и сует парню маленькую бутылочку минералки без газа, — выпей быстро.

Она хочет еще что-то сказать, но тут на лестнице появляется Галина Феоктистовна, и Сонечка мигом убегает, шепнув:

— У памятника, жди, все принесу, воду выпей.

Вадим возвращается в ложу, недоумевая, зачем ему минералка, пить он не хочет, организм требует героина. И тут на него налетает Дашутка с сообщением о том, что Комолову плохо.

Вадим сует даме бутылочку с водой, дает из аптечки валокордин и в полубессознательном состоянии отлавливает одну из капельдинерш.

— Марья Сергеевна, — бормочет он, — приглядите за ложей.

Женщина смотрит на Вадю и пугается:

— Господи, ты заболел.

Надо сказать, что никто из служащих Большого зала не знает о привычке парня употреблять наркотики. Вадима считают милым, интеллигентным мужчиной, любящим зятем, кое-кто завидует Тамара Павловне, поэтому Марья Сергеевна проявляет искреннюю заботу.

Услыхав от парня: «Похоже, отравился, съел несвежую рыбу», она мигом отвечает.

— Езжай, милок, скорей домой, ты на смерть похож, не волнуйся, пригляжу за ложей.

Вадим садится на скамейку у памятника, моля бога, чтобы Соня не опоздала. Та и впрямь прибегает вовремя, передает «чеки» и говорит:

— Извини, случайно вышло, надеюсь, работин помог.

— Что? Какой работин?

— Ты про него не знаешь?

— Нет.

— Господи, — всплескивает руками Соня, — мне и в голову не пришло, всем вокруг известно, а тебе нет. Ладно, ты выпил воду, стало легче?

— При чем тут минералка? — начинает злиться Вадя.

— В ней был растворен работин, — говорит Соня и пускается в объяснения: — Любой торчок в курсе, если начинает ломать, а дури нет, бегом в аптеку. Там без рецепта, буквально за копейки, можно купить работин[1].

---

[1] Препарата «работин» не существует. В продаже имеется лекарство аналогичного действия, автор из этических соображений не дает его подлинное название.

Вообще-то, это препарат от кашля, но в больших дозах, если растворить в стакане воды всю упаковку из пятидесяти таблеток, он действует как наркотическое вещество.

Понимая, что Вадима ломает, Соня, чувствуя свою вину, ведь это она не привезла вовремя «чек» парню, забегает в аптеку и готовит «коктейль».

— Помогло ведь, — говорит девушка, — только имей в виду, работин часто употреблять нельзя, он хуже героина, мигом сердце посадишь. Ну раз, два, и все, больше не пей.

— А я и не пил, — бормочет Вадя...

Дегтярев остановился, набил трубку, закурил и добавил:

— Может, Стас бы и остался жив, но у него от духоты заболело сердце. Перед походом в консерваторию Комолов зашел в ресторан и плотно поел, он вообще любил покушать. На этот раз заказал салат из редьки и мясо. Закуска оказалась такой вкусной, что мужчина слопал целых три порции, наплевав на запах. В конце концов, можно купить жвачку. Редька коварный овощ, усиливающий сердцебиение, Комолов съел ее слишком много, в директорской ложе было душно, вот мужика и прихватило. Впрочем, сорок капель валокордина привели бы его в чувство, но, на свою беду, он залпом выпивает воду, в которой был растворен работин. Сердце не выдержало, Стас умер.

Я почувствовала, как по щекам потекли слезы.

— Значит, его никто не убивал!

— Правильно, произошла трагическая случайность. Впрочем, винить Вадима тоже нельзя, он-то считал, что держит в руках простую воду!

— Кто же рассказал про работин? — удивилась я. — Соня-то умерла от передозировки.

— Вадим, — спокойно ответил полковник.

— Как? Он мертв! Парня случайно убил пенсионер, стрелявший в воров, которые грабили его огород.

— Все-то ты знаешь, — покачал головой Дегтярев, —

везде побывала, ветеран ранил Вадима, зять Тамары Павловны сейчас в больнице, под охраной.

— Но зачем объявили о его смерти?

Александр Михайлович положил трубку на столик.

— Его разрабатывали и вели те, кто занимается борьбой с распространением наркотиков. Такова была оперативная необходимость, никакого отношения к нашей истории это не имеет. Ты же любишь детективы и знаешь, что иногда главного свидетеля прячут, а Вадим в курсе многих дел, Арсений бы постарался избавиться от парня, узнай он о расследовании. У Петрова есть свои люди в милиции. Надеюсь, теперь все ясно?

— Мне да, — заявил Кеша, — осталась только одна нерешенная проблема.

— Какая? — удивился Дегтярев.

— Что делать с матерью? Как отучить везде совать свой нос?

— Трудная задача, — кивнул Александр Михайлович, — надо подумать.

Эпилог

Арсений забрал Петю и быстро женился на женщине с ребенком, которая теперь старается заменить мальчику мать. Сколько средств парень потратил на то, чтобы выйти сухим из воды, неизвестно, но против него не стали возбуждать никакого дела. Несколько адвокатов и продажные сотрудники милиции постарались на славу. Арсений предстал просто ангелом, белым и пушистым, оклеветанным недругами. А поскольку я сорвала тщательно подготовленную операцию, то парням из отдела борьбы с наркотиками осталось только кусать локти от злости. Хитрый Арсений мигом оборвал все связи и принялся усиленно ремонтировать чужие квартиры. Его фирма по-прежнему получает товары из-за кордона, но это просто краска, лак, и в мебели ничего не спрятано.

Наташу он не простил. Более того, пообещал, что, если бывшая жена окажется на свободе, дышать вольным воздухом ей предстоит не больше суток, на голову убийцы его матери упадет кирпич. Естественно, никакого защитника для Натальи он не нанимал и передач той, которая была его супругой, не передавал.

Наташа оказалась в СИЗО, и сокамерницы быстро научили ее, как себя вести. Женщина мигом изменила показания и настрочила жалобу в прокуратуру, суть которой сводилась к простым вещам: она и не думала похищать ребенка, просто спрятала любимого сына, чтобы вместе с ним убежать от постылого мужа. Риту не убивала, пожар не устраивала, Дарью не трогала... Почему же оговорила себя на первых допросах? Оперативники били ее смертным боем, чтобы выколотить нужные показания.

Одним словом, Наташа ушла в глухую несознанку и не собирается сдавать свои позиции, поэтому следствие затягивается, а судебный процесс обещает быть сложным. Радует только одно: все время, пока машина разбирательства ползет по кочкам, мерзкая баба будет сидеть в следственном изоляторе, а поскольку денег у нее нет, я искренне надеюсь, что Фемида проявит принципиальность и жесткость.

Вадим «воскрес», приведя в полный ужас тещу и обрадовав жену, но ему предстоит курс принудительного лечения в спецбольнице.

«Ручку» Модестову я вернула с глубокой благодарностью. Узнав, что игрушечка спасла мне жизнь, Сан Саныч решил не продавать ее, а поместить в коллекцию. Старик обожает пистолеты «с историей».

В субботу я, нагруженная продуктами, поехала к Тине. Запарковав «Пежо» в маленьком дворике, поднялась по лестнице, а когда хозяйка распахнула дверь, весело сказала:

— Давай спускайся, поможешь еду таскать, там мясо для собак...

— Погоди, — мрачно буркнула Тина, — разборка у нас, входи.

Я вошла в комнату и застыла. Вещи на полу, около кучи тряпок зареванная Аллочка.

— Вон чего удумала, — скривилась Тина, — я на дежурство ушла, да сдуру день перепутала, вместо воскресенья в субботу заявилась, пришлось назад катить. Вхожу, а эта из шкафа все выбросила! Ну, быстро говори, зачем везде лазаешь? Деньги ищешь? А если милицию позову, понравится?

— Ой, не надо, тетенька, — зарыдала Аллочка, — это мама мне велела, сама найти никак не может, нам уезжать скоро. Хорошо ей, за покупками побегла, а мне сказала: «Ищи, доча, непременно тут спрятана!» Я ей говорю: «Небось давно продали и прожили», а мамонька на своем стоит: «Нет, такие вещи берегут, просто найти не можем, сховано хорошо». Ой, не вызывайте милицию, мы же все-таки родственники.

— А ну быстро говори, — налетела я на Аллочку, — что искала?

— Брошку, — всхлипнула та.

— Какую? — в один голос воскликнули мы с Тиной. Аллочка вытерла сопли:

— А то не знаете!

— Не жуй мочалку, — велела я, — не хочешь оказаться в «обезьяннике», тогда мигом рассказывай все.

Аллочка плюхнулась на диван и ввела нас в курс дела.

Галина и Володя, покойный муж Тины, двоюродные брат и сестра. То есть их матери — сестры. Анне Николаевне, матушке Вовы, досталась по наследству дорогая вещь: золотая брошь с огромным бриллиантом удивительно чистой воды. Елена Николаевна, мать Галины, всю оставшуюся жизнь чувствовала себя обиженной. По ее разумению, брошечка должна была быть продана и деньги поделены между сестрами поровну. На все стоны сестры: «У меня нет средств, давай отнесем брошь в скупку», — Анна Николаевна твердо отвечала: «Извини, я потеряла драгоценность».

Потом Володя женился на Тине и уехал к жене в Москву, Галя осталась в родном городе. Все детство и юность она слушала стоны матери:

— Нас обокрали!

Сестры умерли разом, сначала Елена, а через полгода Анна. Галя первой вошла в квартиру тетки и тщательно обыскала все, но брошку не нашла. Напрашивался вывод: Анна Николаевна отдала раритет сыну.

Галя попыталась восстановить историческую справедливость, съездила к двоюродному брату в столицу и попробовала вытребовать свою долю. Но Володя попросту выгнал ее, нагло заявив:

— Брошь моя, перешла от матери, какое отношение ты к ней имеешь? Езжай назад и не смей больше ко мне являться!

Пришлось убираться.

Шли годы, в душе Галины жила обида. Потом умер Володя, Галя узнала о его смерти через много лет, чисто случайно. Никаких связей родственники не поддерживали. Весть о кончине двоюродного брата не огорчила Галину. Она собралась в Москву и явилась к Тине, наврав, что Аллочка собирается поступать в институт. На самом деле перед матерью и дочерью стояла другая задача — найти брошь. Стоило мне и Тине уйти, как бабы начинали лазить по закоулкам, но безуспешно. В конце концов, Гале пришла в голову мысль, что в задней стенке шкафа есть тайник, и она велела Аллочке разобрать гардероб. Но тут некстати вернувшаяся Тина застала девушку на месте преступления.

— У тебя есть такая брошь? — повернулась я к подруге.

Та, чуть помедлив, спросила:

— Такая желтая, с огромным прозрачным камнем?

— Ага, — кивнула Аллочка, — мамочка говорит, бриллиант просто здоровенный, а вокруг сапфиры.

— Минутку, — сказала Тина и вышла в коридор.

Через пару секунд она вернулась, неся в руках довольно грязную тряпку из непромокаемой ткани.

— Смотри, — ткнула она мне под нос обноски, — похоже?

Я уставилась на брошь, прикрепленную к вещи. Овальная оправа из желтого металла, в центре торчит невероятных размеров кусок стекла, окруженный россыпью синих камешков.

— У меня только такая брошка имеется, — усмехнулась Тина, — золото кастрюльное, камни дорожные.

Но в моей душе уже зародились сомнения: слишком весело переливался электрический свет на гранях «страза». Ни слова не говоря, я выхватила из рук Тины брошку, подошла к окну и резко провела камнем по стеклу. Появившаяся глубокая царапина не оставляла сомнений: в моих руках бриллиант.

— Мать моя, — всплеснула руками Тина, — никак и впрямь настоящая! Во дела!

— Разве тебе муж не говорил о драгоценности?

Тина покачала головой:

— Один раз обронил, что у его матушки была дурацкая брошка, которую она считала очень дорогой. Только Володя думал, что мать зря болтает, ну откуда у нее антиквариат? Они всю жизнь бедно жили. А после смерти мужа я стала разбирать его вещи и нашла эту штуку. Честно говоря, посчитала ее бижутерией, уж больно здоровенный камень, чуть не выкинула. Я ее в комбинезон Розы фон Лапидус Грей воткнула, у него «молния» сломалась, вот брошка и служила застежкой. Значит, эти ворюги по всем углам пролезли, а в шкафчик, где собачьи поводки валяются, не заглянули.

— Кто бы мог подумать, что Роза фон Лапидус Грей щеголяет в уникальных драгоценностях, — медленно сказала я.

— Мамонька с ума сойдет, — прошептала Аллочка, не отрывая глаз от блестящего камня, — небось жутких денег стоит.

Что правда, то правда. Тина продала драгоценность и купила себе просторную квартиру в приличном районе. Ей хватило на мебель, новую бытовую технику, посуду, одежду, и еще осталась вполне приличная сумма. Аркашка пошептался кое с кем из своих влиятельных клиентов, и Тину взяли на работу в рекламное агентство. Она пишет там всякие тексты и очень довольна. Зарплата позволяет ей покупать собакам мясо, а себе полюбившийся кофе «Лавацца». Мы никогда не разговаривали с ней на эту тему, но я знаю, что, продав бриллиант, Тина вызвала в Москву Галю и поделилась с той выручкой.

Вот так и закончилась эта невероятно запутанная история. Жизнь наша вернулась в прежнее русло. Зайка выздоровела и опять работает на телевидении, Аркашка мотается между юридической консультацией и клиентами, Маня грызет гранит науки, близнецы растут. Собаки здоровы и веселы, кошки тоже не болеют. Частенько на уик-энд приезжает Тина. Альме и Розе фон Лапидус Грей очень нравится носиться с громким лаем по саду. Дегтярев горит на работе. А я читаю детективы, уютно устроившись на диване с коробкой шоколадных конфет. Погода испортилась, в окно уже дышит зима, и Хучик предпочитает спать, забившись под теплый плед. Это все, мне больше нечего сказать. Ах да! С Ленкой Глотовой и Натой Ромашиной, с противными бабами, говорящими за спиной обо мне гадости, я больше не дружу.

Букет
прекрасных
ДАМ

————————————————— ГЛАВЫ ИЗ НОВОГО РОМАНА

ИРОНИЧЕСКИЙ ДЕТЕКТИВ

Глава 1

Не храните конфеты в ботинках! Большинство людей, услыхав данную фразу, начинают вертеть пальцем у виска и глупо хихикать, намекая на то, что сие заявление абсурдно. И впрямь, кому в голову придет засовывать шоколадки и карамельки в штиблеты. Всем очевидна глупость подобного поступка!

Вздохнув, я подошел к подземному переходу. С неба валил снег, и ступеньки покрывал толстый слой жидкой грязи. Запросто можно поскользнуться и загреметь вниз на пятой точке, сломав руку или ногу. Перед глазами мигом возникло видение: вот я, в добротном пальто, лежу у подножия лестницы и издаю громкие стоны. Богатое воображение — это моя основная беда. Стоит представить какую-то ситуацию, как она мигом появляется перед глазами.

Впрочем, переломать себе конечности этим вечером не хотел никто. Женщины, пытавшиеся попасть в метро, все, как одна, спускались вниз, держась за поручни. Вот оно, преимущество принадлежности к дамскому полу. Совершенно естественно, если нежное существо осторожно хватается за перила, но мужчине этого делать никак нельзя. Ну не могу я себе позволить уцепиться за перила и ползти вместе с тетками по обледенелым ступенькам, хотя это было бы разумно. Почему? — спросите вы. А потому. Не следует быть смешным. И вообще, не храните конфеты в ботинках!

Кое-как я спустился вниз и направился по переходу на ту сторону проспекта. Справа и слева сверкали витрины ларьков. Плохая погода загнала в переход всех тех, кто обычно стоит снаружи: бомжей, ищущих пустые бутылки, студентов из ближайших институтов и даже мамаш с детьми. Последние таращились на витрины и ныли, выпрашивая шоколадки, жвачки и игрушки. Студенты же, как всегда, были пьяны, впрочем, когда я проходил мимо одной группки, мне в нос ударил сладковатый запах травки. Вот как странно устроен человек! Фраза о конфетах в ботинках заставляет его хохотать, но ведь есть и другие столь же очевидные истины. Не кури — заработаешь рак легких, не пей — превратишься в алкоголика, не употребляй наркоту — станешь слабоумным идиотом... Но отчего-то люди, услыхав эти фразы, не смеются... Впрочем, сам я курю, правда, к горячительным напиткам совершенно равнодушен, наркотиков же не пробовал и, честно говоря, не испытываю ни малейшего желания проделать это в ближайшее время.

Переход закончился, я вышел наверх, завернул за угол, прошел вперед по проспекту и встал у киоска «Роспечати». Сейчас сюда приедет Рита, восемнадцатилетняя внучка моей хозяйки Элеоноры. Мне велено встретить ее здесь, в относительно людном месте, и проводить до дома. Элеонора боится, что ее любимицу изнасилуют или ограбят, напугав до полусмерти. По мне, так Рита сама нарывается на неприятности. Одевается она так вызывающе, что при взгляде на ее открытые почти до пятой точки ноги желание затащить девицу в кусты возникает почти у всех представителей мужского пола. Рита знает о том, что хороша, и вовсю пользуется этим. Кофточки она носит короткие и облегающие, мне все время кажется, что они сейчас лопнут на ее довольно пышном бюсте. Про юбки я уже говорил, впрочем, в брючки она, наверное, влезает с намыленными ногами, потому что штанины обтягивают ее, словно вторая кожа. И неизвестно, что выглядит более сексуально: голые колени или «кожаные» ножки? Еще господь наградил ее хорошенькой мордочкой, пышными кудряшками и полным отсутствием ума... Но с такой бабушкой, как моя хозяйка Элеонора, мыслительные способности Рите не понадобятся никогда. Она просто станет тратить капитал, который нажила Нора.

— Вава, — раздалось с той стороны пустой улицы. — Вава, ты ждешь?

Я повернул голову, веселая Риточка махала мне рукой.

— Что такой мрачный? — верещала она. — Извини, опоздала...

И она стала спокойно, совершенно не торопясь, пересекать проезжую часть. Этой улицей редко пользуются водители, в двух шагах шумит многолюдный проспект, а здесь тишина, сонное царство. Но троллейбус, на котором прикатила Рита, останавливается именно на этой пустой магистрали, самом подходящем для разбойника месте.

— Не грусти, Вава, — орала Рита, вышагивая по шоссе, — чего нос повесил!

Я демонстративно отвернулся в другую сторону. Вава! Меня зовут Иван. К простому мужицкому имени прилагается звучная фамилия Подушкин. Род мой известен издавна. Бояре Подушкины были одними из тех, кто возводил на трон Михаила Романова. Поколения Подушкиных верно служили царю и отечеству, больших чинов не имели, но пользовались уважением и были стабильно богаты. В 1917 году почти весь род сгинул в пучине революции. Чудом выжил только мой отец, ему еще не исполнилось и года, когда в имение Лыково, расположенное под Петроградом, ворвался отряд красноармейцев и перестрелял проклятых буржуев.

Моего папеньку спасла повариха, у которой недавно умер от крупа младенец. Когда возбужденные пролетарии ворвались на кухню, они увидели толстую бабу в цветастой юбке. На коленях у нее лежал младенец, сосущий необъятную грудь.

— Тише, ироды, — замахала бабища руками, — дите перебудите, закатится ща воплем, вам лялькать дам!

Солдаты на цыпочках ушли в комнаты и стали грабить барские покои. Примечательно, что никто из слуг не выдал Анну. Ни камердинер, ни лакеи, ни горничные. Впрочем, прислуга, жившая в имении много лет, глубоко переживала смерть хозяев. Вместе с кончиной Подушкиных лопнуло и благосостояние обслуживающих их людей. Никакой радости от свершившейся революции они не испытывали.

Анна, прихватив младенца Павла, подалась в Москву, где проживала ее старшая сестра Нина. Сначала они голодали, как все, потом жизнь потихоньку наладилась. Аня устроилась на фабрику, стала ткачихой, уважаемым человеком, получила целых две комнаты в коммуналке. Павла она выдала за своего сына. Может быть, поэтому, а может, потому что фамилия Подушкин звучала для пролетарского уха простецки, отца моего не коснулись репрессии. Оболенские, Вяземские, Волконские... Вот этим не повезло, уже одна фамилия вызывала классовую ненависть. А Подушкин? Никому и в голову не приходило, что ее обладатель дворянин в двенадцатом колене. Впрочем, большевики не слишком хорошо разбирались в фамилиях. Помню, как удивлялся в свое время мой отец:

— Надо же, отправили первым в космос Гагарина!

Я полюбопытствовал:

— А что тут странного?

— Видишь ли, Ваняша, — ответил папенька, — были на Руси князья Гагарины, известный, старинный род. Сомневаюсь я, что Юрий Алексеевич, наш первый космонавт, им не родственник. Ну сам посуди, в тысяча девятьсот шестьдесят первом году ему было двадцать семь лет, значит, родился он в тысяча девятьсот тридцать четвертом... Нет, он точно из тех Гагариных, какая-нибудь дальняя ветвь. Недоглядели коммунисты... А может, специально так сделал тот, кто желал, чтобы героем стал дворянин.

Я не обратил тогда на слова отца никакого внимания. Папеньку частенько заносило. У любого человека, сделавшего в жизни маломальскую карьеру, он искал благородные корни и именно их наличием объяснял успех. Кстати, сам папенька был человеком талантливым, изумительно владеющим словом. Способность его к литературе отмечали еще в школе. Как «кухаркин ребенок» он без всяких проблем поступил в свое время в Институт философии, литературы и искусств, легендарный ИФЛИ, в стенах которого обучался весь цвет интеллигенции. Отец получил диплом в 1940-м и, имея безупречное пролетарское происхождение, устроился на завод, по-моему, станкостроительный, в редакцию многотиражной газеты. В анкетах он указывал имена своих «родителей», в графе происхождение сообщал — из рабочих. К тому же совершенно хладнокровно писал: «Отец погиб во время Гражданской войны, воспитан матерью, заслуженной ткачихой, орденоноской». И это было святой правдой. Анна к тому времени стала уважаемым человеком и, несмотря на возраст, продолжала бегать по цеху между станками. Впрочем, не было никакого лукавства и в фразе о погибшем отце. Ведь он и впрямь сгинул в горниле революции, просто папенька никогда не упоминал, на какой стороне он сражался, а у читавших анкету вопросов не возникало.

Всю Отечественную войну отец благополучно пересидел на заводе, получив бронь. В 1952 году его взяли сначала в «Труд», потом в «Литературную газету», начался его карьерный взлет. Во время «оттепели» папа опубликовал первый роман. Критика, хоть и отметила легкую «сыроватость» вещи, в целом приняла ее благосклонно. Так он стал писателем. «Живой язык», «яркий слог», «увлекательное повествование» — вот цитаты из газет 60-х годов, посвященные Павлу Подушкину. Но, кроме литературного дара, у отца было редкое трудолюбие и почти патологическое усердие. Из глубин памяти всплывает картина. Вот я, маленький мальчик, подглядываю в щелку, приоткрыв дверь кабинета отца. Услышав скрип, папенька поворачивается и, улыбаясь, говорит:

— Что, дружочек любезный? Иди, иди, мне еще надо поработать.

Будучи подростком, я как-то спросил у него:

— Неужели тебе не надоедает целый день сидеть за столом?

— Понимаешь, Ваняша, — ответил отец, — господь дает многим людям шанс, только большинство бездарно растрачивает талант. Зайди в Дом литераторов да спустись в буфет, в подвал. Там за столиками сидят одни и те же, каждый день говорящие о своей талантливости и исключительности, только дальше праздной болтовни дело-то не идет.

Отец писал исторические романы, выбирая для своих повествований совсем уж далекие времена, десятый век, например. Успех его книги имели фантастический, в особенности у дамской аудитории. Теперь я понимаю, что на книжном рынке СССР это были единственные любовные романы. Читательницы млели от описания замков, пиров и отважных викингов. И, конечно же, постельные сцены. В целомудренной Советской стране они считались почти порнографией, но отец ухитрялся договориться с редактурой и цензурой, поэтому читатели замирали, смакуя детали. Впрочем, посмотрев кое-какие его книги сегодня, должен сказать, что ничего особенного в «сексуальных» страницах я не увидел. Дальше описания обнаженного тела героини и поцелуев отец не шел. Но вы не забудьте, какие годы стояли на дворе, конец шестидесятых. Женщин в брюках не пускали в ресторан, бородатым студентам декан, словно Петр Первый, велел немедленно избавляться от растительности на лице. Папины книги уходили влет, и мы великолепно жили, имея все атрибуты богатства тех лет: четырехкомнатную квартиру возле метро «Аэропорт», дачу в Переделкино, «Волгу» с шофером, «кремлевский паек» и отдых в Болгарии.

В 1984 году отца не стало. Дачу отобрали, но маменька не очень переживала. На руках у нее имелась тугая сберкнижка, поэтому я мог позволить себе выбрать специальность поэта и поступить в Литературный институт. Вернее, в год смерти отца я его как раз окончил, и последнее, что сумел сделать в этой жизни папа, — это пристроить меня редактором в журнал «Литературный Восток».

Что было потом, известно каждому. Перестройка, резкий скачок цен, бешеная инфляция... Мы с маменькой разом стали нищими. Матушка моя — актриса, разбалованная отцом до невероятности. Впрочем, о ней как-нибудь в другой раз. Поверьте только, что несколько лет нам приходилось ой как несладко. Я пристраивался в разные издания, но все они благополучно прогорали. Можно было, конечно, наняться в процветающий «Господин Н» или «Вашу газету», но меня воспитали таким образом, что при виде подобных изданий к горлу подступала тошнота. Пару лет мы перебивались с хлеба на квас. Стихи совершенно были не нужны в новых, стихийно возникающих издательствах. Красота слова, завораживающие рифмы — на все это современным Сытиным[1] было глубоко наплевать.

Время поэзии минуло вместе с Серебряным веком, современное поколение выбирает пепси, детективы и триллеры. Только не подумайте, что я осуждаю кого-нибудь. Нет, просто констатирую факт: поэты в нынешней действительности — лишние люди, а стихи совершенно непродаваемый товар. Впрочем, Союзы писателей (их теперь то ли семь, то ли восемь) иногда выпускают поэтические сборники, но, чтобы попасть на их страницы, следует таскать бутылки коньяка составителю, хитрить, ловчить, отпихивать локтями конкурентов... Увольте, сие не для меня. Я, наверное, истинный графоман, потому что получаю удовольствие от процесса вождения ручкой по бумаге и совсем не горю желанием

---

[1] С ы т и н И. Д. — крупнейший издатель и книготорговец царской России. *(Прим. автора.)*

увидеть свое произведение напечатанным. Графомания — это любовь к письму, о чем все сейчас благополучно забыли. Истинных графоманов мало, они редки, как алмаз «Орлов», люди, осаждающие редакции и издательства с криком: «Напечатайте!», — не имеют никакого отношения к графоманам. Это жаждущие славы и денег...

— Эй, Вава, — продолжала орать Рита, — не дуйся, котик! Пошли тяпнем пива на проспекте.

Я повернул голову в ее сторону и хотел уже было ответить: «Ты же знаешь, я не люблю спиртного», но в ту же секунду слова застряли у меня в глотке.

Из-за угла на бешеной скорости вырвалась роскошная черная иномарка, лаковая, блестящая, с хищно поднятым задом и тупым носом. Что-то в ее облике показалось мне странным, но что, я не успел понять, потому что автомобиль на огромной скорости ринулся к Рите. Девчонка взвизгнула и побежала, но машина, быстро вильнув в сторону, догнала ее. Раздался глухой удар. Тело Риты взлетело в воздух и стало падать. Я в ужасе смотрел на происходящее. Действие, казалось, заняло целую вечность. Сначала мостовой коснулась ее голова, ударившись об асфальт, девушка подскочила и вновь опустилась на землю, странно, ужасно вывернув шею. Потом послышался сочный шлепок, это упало туловище и ноги. Красивые ботиночки с опушкой из меха отлетели от владелицы метров на сто, там же оказалась и сумочка, раскрывшаяся от удара. В полном оцепенении я уставился на кожаный ридикюльчик. Бог мой, какой только дряни женщины не таскают с собой: расческа, пудреница, губная помада, конфетки, кошелек, носовой платок, плюшевая собачка, плеер — все лежало в декабрьской слякоти. Кое-как оторвавшись от вещей, я перевел глаза на Риту и почувствовал, что земля уходит у меня из-под ног.

Девушка лежала на спине, широко разбросав руки и ноги, голова ее была повернута на 180 градусов, лица я не видел, впереди парадоксальным образом оказался конский хвост из роскошных кудряшек, и было заметно, как быстро растекается под трупом черная глянцевая лужа.

Откуда ни возьмись появились люди, понеслись сочувственные возгласы, охи и ахи, мне же на голову словно опустилась толстая меховая шапка, и отчего-то предметы потеряли четкие очертания. Прибыла милиция, один из патрульных оглядел кучу вещей, вываленную из сумки на мостовую, и крикнул:

— Похоже, паспорта нет, оформляй как неизвестную.

Тут какая-то сила разжала мои челюсти, и я просипел:

— Ее зовут Маргарита Родионова...

— Вы знаете погибшую? — обрадовался представитель закона.

Я кивнул. Милиционер окинул меня взглядом и неожиданно проявил сочувствие:

— Идите в патрульную машину.

Я покорно влез в бело-голубой «Форд», ощущая странную отупелость. Никогда до сих пор не имел дела с правоохранительными органами, разве что обращался в паспортный стол. Но я наслышан о том, какие порядки царят в среде синих шинелей. Однако о мужиках, приехавших к месту происшествия, не могу сказать ничего плохого. Они были предупредительны и даже сунули мне в руки банку с кока-колой.

Кое-как справившись с эмоциями, я начал отвечать на бесконечные вопросы. Марку машины не знаю. Могу описать дизайн, агрессивный, багажник тупой, приподнятый...

— Такая? — ткнул пальцем один из дознавателей в проезжающую мимо иномарку.

— Да, только черная.

— Значит, «Вольво», — пробормотал парень, назвавшийся Алексеем, — номер заметили?

Я покачал головой, и в ту же секунду до меня дошло, что было странным в облике авто. Машина была чистой, сверкающей, ее явно только что вымыли, а номера оказались заляпаны грязью. Я не успел рассказать об этом милиционерам, потому что в кармане ожил мобильный.

— Ваня, — раздался высокий, резкий голос моей хозяйки Элеоноры, — где ты? Сколько времени можно идти от проспекта до дома? Поторопись! Чем вы там сейчас занимаетесь?

Я смотрел на трубку. Честно говоря, я никогда не вру, но не потому, что являюсь таким уж принципиальным, нет, просто, если всегда говоришь правду, живется легче. А то соврешь что-нибудь, потом забудешь... Но сейчас невозможно было чистосердечно ответить Элеоноре, не могу же я заявить: «Чем занимаюсь? Даю показания милиции, рассказываю о смерти вашей внучки». Поэтому пришлось мямлить:

— Тут, в общем, неприятность....

— Какая?

— С Ритой.

— Она опять напилась?

— Нет, нет, выглядела трезвой.

— Почему ты говоришь о ней в прошедшем времени? Я замолк.

— Отвечай же, — настаивала Нора, — ну, быстро, говори!

Когда со мной начинают беседовать командным голосом, я, как правило, теряюсь и машинально выполняю приказ, но сегодня промолчал и поглядел на Алексея. Милиционер вздохнул, взял трубку и официальным голосом сказал:

— Капитан Резов, насколько понимаю, вы родственница погибшей Маргариты Родионовой...

Я закрыл глаза и, ощущая легкую тошноту, прислонился головой к стеклу. Слава богу, роковое слово «погибшая» было произнесено не мной.

Глава 2

Прошла ужасная неделя, наполненная неприятными хлопотами: похороны, поминки, соболезнования. Все друзья и знакомые, а их у Норы были тучи, бились в рыданиях, моя маменька, прибывшая на панихиду под огромной черной вуалью, рухнула оземь, когда гроб понесли к выходу из церкви. Я, естественно, кинулся приводить ее в чувство, но в глубине души был уверен, что она просто решила не упустить момента, чтобы оказаться в центре внимания. Как у всякой актрисы, у нее острая тяга к публичности. Впрочем, на церемонии стало плохо еще одному человеку, профессору Водовозову. Но заподозрить Льва Яковлевича в неискренности невозможно. Он старинный друг Элеоноры, принимаемый в доме на правах родственника. Иногда мне кажется, что у них был бурный роман, Нора временами так странно смотрит на мужика... Впрочем, сейчас ни о каких амурах речи не идет. Моей хозяйке шестьдесят пять лет, а сколько Водовозову, не знаю, но думаю, не меньше.

Когда роскошный гроб с телом Риты стали вталкивать в катафалк, профессор побледнел до синевы и схватил меня за руку ледяными пальцами.

— Сейчас принесу валокордин, — сказал я.

— Не надо, Ваня, — ответил Водовозов, — само пройдет.

Спокойствие сохраняла одна Нора, вовсю командовавшая сотрудниками похоронного агентства и официантами, нанятыми на поминки. Кое-кто из гостей даже осудил мою хозяйку, не пролившую ни слезинки, но я-то знал, что по ночам, запершись в своей спальне, Нора плачет. Просто у нее такой характер, не разрешающий демонстрировать горе прилюдно.

Именно благодаря своим личным качествам Элеонора добилась успеха в жизни. Моя хозяйка фантастически богата, ей принадлежит куча всяких заведений, парочка газет, две радиостанции, несколько магазинов... Всего и не перечислить. Начинала Нора буквально с нуля, состояние она начала наживать в 1986 году, открыв один из первых кооперативов по пошиву женских блузок. В создание производства она вложила всю имеющуюся наличность, влезла в долги, продала машину и дачу, оставшуюся от покойного мужа. А все доллары, оказавшиеся «лишними» в результате аферы, вложила в производство. Стоит подивиться ее чутью бизнесмена, ведь до перестройки Нора работала преподавателем математики в каком-то заштатном институте и никогда не имела дела с коммерцией.

С тех пор ее дела постоянно идут в гору, она выдержала и дефолт, по-моему, стала только богаче тогда, когда остальные бизнесмены разорились.

Но, очевидно, господь считает, что в жизни каждого человека должно быть поровну зла и добра. Норе потрясающе не везло в личной жизни. Ее муж, кстати, тоже профессор математики, погиб в автомобильной катастрофе. Год я вам точно не назову, что-то в начале восьмидесятых. Его смерть открыла череду несчастий. Через два года двадцатидвухлетняя дочь Норы, красавица Олечка, решила родить ребенка незнамо от кого. Сколько мать ее ни пытала, Олечка не открыла ей имени отца ожидаемого ребенка. Отделывалась фразами типа: «Это будет только мое дитя» и «Я с ним не успела познакомиться как следует». Я думаю, что в конце концов бы Элеонора «сломала» Ольгу, заставив ее назвать имя любовника, но, родив Риту, Оля скончалась. Нора забрала младенца к себе и превратилась в бабушку-одиночку. Наверное, за все несчастья господь и послал ей редкую удачливость в делах. Нора, словно царь Мидас, превращает в золото все, к чему прикасается, деньги так и липнут к ней, она ухитряется без конца придумывать новые выигрышные проекты.

В 1990 году на нее обрушилось новое несчастье. Было время дикого передела собственности, и Нора перешла дорогу каким-то крутым парням. Несильно сомневаясь, они наняли киллера, который и подстрелил женщину. Но то ли за дело взялся непрофессионал, то ли Норе в очередной раз повезло, только она выжила, потеряв, к сожалению, всякую возможность ходить. Впрочем, врачи долго говорили, что при таких ранениях позвоночника больные, как правило, превращаются в «овощи», лежащие неподвижно в кроватях. Но они просто не знали Элеонору. Через три месяца она села, потом за огромные деньги выписала из-за океана суперсовременную инвалидную коляску. Чего только не умеет делать ее «машина», впрочем, она уже третья по счету, Нора постоянно покупает себе новейшие модификации. Последняя, например, запросто шагает по лестнице. И еще она оборудована особым устройством, которое мигом поднимает сидящую Нору на один уровень со стоящими на ногах людьми. Мне кажется, что инвалиды, смотрящие на всех снизу вверх, должны ощущать некий комплекс неполноценности... Впрочем, моя хозяйка лишена всяческих комплексов, и еще она не теряет надежды когда-нибудь встать на ноги.

Меня она взяла на работу почти десять лет тому назад. Норе потребовался секретарь-мужчина, неженатый, способный жить в одной квартире с дамой, то есть не шумный, не грязный и не хамоватый. Насчет курения никаких ограничений не было, Нора сама дымит, как паровоз. Впрочем, она не прочь пропустить и рюмочку, а еще моя хозяйка обожает детективные романы, я скупаю ей все новинки, и она крайне невоздержанна на язык. Первое время меня страшно коробили выражения, слетавшие с ее уст. Теперь, правда, я привык и не вздрагиваю, когда она кричит утром из спальни горничной:

— Лена, твою мать, дрыхнешь? Давай на рысях сюда, жопа безмозглая.

В доме у Норы я занимаю особое место, с одной стороны, я, безусловно, не являюсь прислугой. Я сижу вместе с хозяйкой за одним обеденным столом, мои рубашки стирает и гладит горничная Лена, а кухарка Туся всегда интересуется:

— Иван Павлович, вы будете на ужин омлет или сготовить для вас чего посытней?

Мою комнату убирают, а машину, кстати, на которой я езжу без всякого удовольствия, моют. С другой стороны, я получаю от Норы зарплату, между прочим, весьма хорошую, и обязан выполнять все приказы хозяйки. Естественно, она основала специальный фонд, куда поступают заявки от неимущих.

Моя хозяйка никогда не помогает организациям и учреждениям, только конкретным лицам, и мне в обязанность вменяется вступать в переписку с теми, кто желает получить помощь. Еще частенько приходится ездить к этим людям и лично проверять, так ли уж они нуждаются, как рассказывают.

Кроме того, я делаю всякую ерунду: пишу для Риты доклады по русской литературе, а когда она училась в школе, вдохновенно ваял сочинения. Ночами, когда Норе не спится, она просит меня почитать ей вслух. Как правило, это бывают ее любимые детективы. Естественно, она может и сама взять в руки книгу, но, наверное, Элеонора чувствует себя иногда одинокой, поэтому и велит мне усаживаться в кресло под торшером с томиком Рекса Стаута в руках.

Кроме того, я обязан просматривать кучу газет и журналов, включая самые низкопробные, и отмечать все, что представляет интерес для хозяйки: у Норы нет времени на изучение прессы, но ей надо быть в курсе событий. Еще я развлекаю гостей во время вечеринок... Одним словом, как понимаете, работа у меня не пыльная, оклад отличный, а Нора не самый отвратительный вариант начальницы. Может, кому-то и покажется нагрузкой жить в одном доме с работодательницей, но я доволен. Ведь иначе мне пришлось бы обитать вместе с маменькой, а это, поверьте, намного хуже.

За несколько лет, проведенных с Норой под одной крышей, я научился понимать ее с полуслова, даже с полувзгляда. Поэтому, когда сегодня она вкатилась в мою комнату и со светской улыбкой на безукоризненно намакияженном лице заявила: «Ваня, есть разговор», я сразу понял, что она находится в сильном волнении.

— Слушаю вас, — сказал я и встал.

— Садись, — махнула рукой Нора, — не разводи китайские церемонии, дело есть.

Я сел и посмотрел на хозяйку. Кажется, я ошибся, она совершенно спокойна, просто, очевидно, заболела: глаза лихорадочно блестят, а на щеках проступают красные пятна.

— Ты можешь еще раз рассказать мне о наезде?

Я замялся.

— Понимаю, что заставляю вновь вспоминать не слишком приятные вещи, но очень надо, — тихим голосом продолжила Нора.

Я вздохнул и в который раз начал повествование:

— Рита сошла с троллейбуса и пошла ко мне.

— Она ничего не говорила?

— Нет, только крикнула: «Вава, извини, опоздала!» — или что-то в этом роде.

— Ты, конечно, обозлился на дурацкую кличку, но вида не подал, — усмехнулась Нора.

Я пожал плечами. Какой смысл обижаться на Риту? Она бы только стала хохотать. Если кому-то нравится называть меня идиотским детским прозвищем, пожалуйста.

— Дальше, — поторопила Нора.

— Ну, она шла по проезжей части...

— Машины были?

— Ни одной. А потом невесть откуда вылетела «Вольво», или вылетел, я не знаю, как правильно сказать.

— Насрать на чистоту речи, — рявкнула Нора, — откуда ты знаешь, что это был «вольвешник», ты же вроде в автомобилях не слишком разбираешься.

— Милиция сказала.

— Дальше!

— Ну и все! Он на нее наскочил, автомобиль.

— Рита не заметила машину?

— Увидела и даже попыталась убежать, но та все равно ее сбила!

— На пустой широкой дороге! Тебе не показалось это удивительным?

Я вспомнил, как тупорылое авто вильнуло вслед за несущейся к тротуару девушкой, и осторожно сказал:

— Вероятно, водитель был пьян. Честно говоря, мне...

— Говори!

— Видите ли, «Вольво» казался безукоризненно вымытым, прямо сверкал весь, а номера были заляпаны грязью...

— Вот! — стукнула кулаком по подлокотнику кресла Нора. — Вот и я про то же! Риту убили.

— Ну что вы, — попытался я образумить хозяйку, — девушка, молодая, никому в жизни не сделала зла, коммерцией не занималась, жила, как птичка, не мешая другим. Ну зачем лишать ее жизни?

— Вот это-то главный вопрос, — протянула Нора и побарабанила пальцами по подлокотнику, — очень, очень интересный вопросик, и мне хотелось бы знать на него ответ...

Повисла тишина. Моя хозяйка уставилась в незанавешенное окно, подергала себя за волосы и сообщила:

— Ладно. Значит, так, Ванечка, я теперь ни есть, ни спать не смогу, пока не докопаюсь до истины.

— Что вы имеете в виду? — решил уточнить я.

Элеонора вытащила из кармана пачку сигарет, золотой «Ронсон», и, щелкнув зажигалкой, спокойно ответила:

— Буду искать убийцу Риты.

Я попытался вразумить Нору:

— Дорожное происшествие — вещь распространенная. Капитан Резов, ну тот, что составлял протокол, сказал мне, если водитель, сбивший человека, сам не остался на месте происшествия или если свидетели не запомнили точно номер, то найти преступника практически невозможно.

— Мне насрать, кто ее сбил, — прошипела Нора.

Я оторопел:

— Как это?

— Просто, глубоко плевать на того, кто сидел за баранкой, гораздо интересней узнать, кто заплатил киллеру. Меня волнует не исполнитель, а заказчик, понял?

— По-моему, вы слишком усложняете ситуацию, — осторожно начал я, — дело было вечером, шофер скорее всего пьяный...

— Ее убили, — спокойно заявила Нора.

— Это мнение милиции?

— ... — рявкнула Элеонора, — милиции! Тоже мне, блин, специалисты фиговы! Да они там во весь голос твердят, что Рита нарушила правила дорожного движения. Перелезла через железное ограждение и пошла через дорогу. Следовало направиться к пешеходному переходу, а тот в двухстах метрах от места происшествия. Да еще алкоголь!

— Какой?

— У нее в крови нашли алкоголь, — хмуро пояснила Нора, — незначительное количество, эксперт сказал, что скорей всего один-два фужера вина.

— Для Риты ерунда.

— Мы с тобой знаем, что Ритка могла выпить две бутылки коньяка и не окосеть, — вздохнула Нора, — а специалист твердит, что для девушки ее хрупкого телосложения такого количества спиртного вполне достаточно, чтобы съехать с катушек. Вот и получается картина: пьяная, вечером, на темной улице.

— Там великолепное освещение, — перебил я Нору, — извините, пожалуйста, что не дал договорить, но прямо у остановки установлена гигантская реклама, лампочек сто, не меньше, горят, Риту было видно как на ладони, и потом...

— Что? — резко спросила Элеонора. — Что потом?

Я вновь вспомнил, как «Вольво» вилял вслед за Маргаритой, и сказал:

— Машина так странно себя вела. Рита побежала, на шоссе было полно места, автомобиль запросто мог ее объехать.

— Вот видишь, — прошептала Нора, — даже такому, как ты, ясно, что дело нечисто. Ладно, хватит трепаться попусту. С завтрашнего утра начинаю сама искать убийцу.

— Как? — изумился я. — Сама? Зачем?

— А кто еще этим займется? — фыркнула Нора и раздавила в пепельнице окурок.

— Милиция.

— Ой, не смеши меня, они давным-давно списали данное происшествие в разряд «глухарей». Никто и палец о палец не ударит. И потом, наши доблестные правоохранительные органы способны только на битву с бабушками, торгующими возле метро укропом.

Я попытался вразумить Нору:

— Ладно, если не доверяете милиции, наймите частного детектива, сейчас много контор.

— Шаромыжники и обманщики, — дернула плечом Нора, — не нужен никто, сама найду.

Я рассердился:

— Нора, жизнь — это не ваши любимые детективы.

— Не занудничай!

Я обозлился вконец и от этого весьма бестактно ляпнул:

— Но как вы собираетесь, интересно, заниматься оперативной работой? Извините, конечно, но в инвалидной коляске это достаточно трудно проделать.

Нора прищурилась:

— У меня есть ноги, молодые, здоровые, резвые.

— Откуда? — удивился я, оглядывая хозяйку. Элеонора — это совершенно необыкновенная женщина, у такой и впрямь могут оказаться запасные конечности.

— Мои ножки — это ты, — спокойно заявила Нора и вновь вытащила сигареты. — Помнишь, мы читали Рекса Стаута, про Ниро Вульфа и Арчи?

— Конечно.

— Так вот, я — Ниро, а ты — Арчи.

— Я?!

— Именно. Ты станешь ходить там, где мне не пройти, собирать информацию, а по вечерам докладывать результаты. Подумай сам, какая чудесная пара из нас получится. Ты молод, здоров, а я умна. Моя голова, твои ноги.

— Но я совершенно не приспособлен к подобной работе.

— Глупости.

— У меня плохо с логическим мышлением.

Элеонора в раздражении ткнула недокуренной сигаретой в хрустальную тарелочку.

— От тебя никто не требует наличия серого вещества.

— Но я не умею быстро бегать, стрелять...

— Ты насмотрелся фильмов про Джеймса Бонда.

— Не люблю подобного рода ленты, кстати, и детективы читаю только тогда, когда следует развлечь вас.

Нора вздернула брови, подкатила к моей кровати и схватила книги, лежащие на ночном столике.

— Ага, Маркес «Сто лет одиночества» и Брюсов «Стихотворения». Ты обожаешь занудство.

— Можете называть данные произведения занудством, они от этого хуже не станут.

— Вава, — коротко сказала Нора, — я плачу тебе деньги, следовательно, могу заставить делать все, что угодно.

— Ну...

— Не «ну», а слушай, — резко перебила меня хозяйка, — с завтрашнего дня ты начинаешь сбор информации. Я буду говорить, куда и к кому идти, понял?

Возможно ли спорить, когда на тебя с бешеной скоростью несется бронетранспортер? Я кивнул.

— Вот и отлично, — повеселела Нора, — завтра и начнем.

На этой фразе моя работодательница вынеслась в коридор и заорала:

— Лена, черт тебя побери, где мое какао?

Я смотрел на захлопнувшуюся дверь. Бывают же такие дамы! Просто ведьма на помеле. Ведь великолепно знает, что я терпеть не могу, когда кто-нибудь зовет меня дурацкой кличкой Вава. Вот наберусь окаянства и выложу ей это прямо в лицо.

Глава 3

Утром я покинул дом ни свет ни заря. В карман пиджака положил крохотный диктофончик, в отличие от Арчи, с которого предлагалось брать пример, у меня не слишком-то хорошая память, лучше подстрахуюсь техникой.

Путь мой лежал к Насте Королевой, ближайшей подруге Риты. Это у нее на вечеринке была в день своей смерти внучка Элеоноры. Настя, как и ее покойная приятельница, считается студенткой, только мне кажется, что на занятия она ходит так же, как Рита, раз в неделю, к третьей паре. И если с Маргаритой было ясно, что Нора не даст девчонке умереть с голоду, то на что рассчитывает Настя, мне непонятно. Богатых родственников у девушки нет. Воспитывает ее одинокая мать, неделями мотающаяся по командировкам. Поэтому глагол «воспитывать» тут совершенно ни при чем, Настя растет, словно лопух в придорожной канаве, и, честно говоря, мне всегда казалось, что она не лучшая компаньонка для Риты.

Но, как вы понимаете, моего мнения по этому вопросу никто не спрашивал, а Нора позволяла Рите практически все. Она ее баловала совершенно без меры, тот же, кто говорил о Маргарите нелицеприятную правду, мигом становился для Элеоноры врагом. Холодная, расчетливая в сфере бизнеса, она делалась совершенно безголовой, когда речь шла о внучке. Впрочем, справедливости ради следует сказать, что Риточка вовсе не была такой уж противной. Избалованной — да, частенько капризной, вздорной, ленивой. Но, с другой стороны, доброй, готовой помочь людям, отзывчивой и совершенно нежадной. Хотя, если разобраться, денег у нее всегда было столько, что Рита не знала, куда их деть, и потом, она их не зарабатывала. А то, что легко достается, мигом тратится.

Припарковавшись около дома Насти, я поднялся на четвертый этаж и позвонил в звонок. Сначала за дверью царило молчание, потом послышался сонный голосок:

— Кого черт принес?

— Открой, Настенька.

— Да кто там?

— Иван Подушкин.

— Сейчас, — ответила девица и загремела замками.

Через секунду дверь отворилась, и на пороге предстала Настасья во всей красе своих восемнадцати лет.

Мне недавно исполнилось сорок, но для Анастасии я глубокий старик, ее мать моложе меня на два года, поэтому девушка совершенно не воспринимает меня в качестве представителя мужского пола. Настя стояла в коридорчике в коротенькой рубашонке, открывающей молодые круглые коленки, из довольно глубокого выреза высовывалась стройная шея и виднелось начало груди. Если бы в дверь позвонил ее одногодок, девушка бы мигом накинула халат, но я воспринимался ею как некое бесполое существо.

— Здравствуйте, Иван Павлович.

— Добрый день, дорогая, — ответил я.

— Случилось чего? — поинтересовалась Настя, зевая.

— Можно пройти?

— Ступайте, конечно, — милостиво разрешила хозяйка, — только не пугайтесь, гости вчера были, убрать не успела.

Хорошо, что она меня предупредила, потому что при виде дикого беспорядка я сумел удержать возглас укоризны. Комната походила на трактир, который наконец после трехдневной гулянки покинули гусары. Повсюду: на столе, стульях, даже на полу — виднелись грязные тарелки с объедками, чашки и стаканы. Пустые бутылки батареей выстроились у балконной двери, а из железных баночек, заменявших тут пепельницы, просто вываливались окурки. И запах стоял соответственный. Я курю, но вонь от окурков просто не переношу, поэтому предложил:

— Настенька, мне кажется, лучше открыть форточку.

— Ни за что, — отрезала девица, — похоже, я простыла, голова болит, и в глазах прямо щиплет.

Я хотел было возразить, что эти симптомы она заполучила, проведя ночь в затхлой атмосфере, вдыхая застоявшийся воздух, но удержался: в мои планы не входило злить Настю.

Устроившись в засаленном кресле, я осторожно спросил:

— Что ты думаешь по поводу кончины Риты?

— Ужас! — воскликнула Настя. — Всех их поубивать надо.

— Кого?

— Пьяных, которые за руль садятся.

— Почему ты решила, что Риту задавил алкоголик?

— А кто еще? — захлопала глазами девица. — На поминках все говорили про это. Шофер нализался, и тут ему на беду попалась Ритуська. Я бы ему яйца оторвала, ублюдок! — Выпалив последнюю фразу, Настя схватила халат и накинула его на плечи. — Холодно чегой-то.

Я посмотрел в ее опухшее лицо и вздохнул. Похоже, девчонку мучает жестокое похмелье.

— Скажи, Настенька, у тебя в тот день было много гостей?

— Ну, — забормотала девушка, — Толян приходил, еще Наташка заглянула, а больше никого, тихо посидели и ведь не выпили ничего, так, ерунду, детскую дозу, всего-то грамм по сто на рыло вышло.

— По сто чего? — решил уточнить я.

— Так водки, конечно, — пояснила Настя, — у нас была одна бутылочка.

Да уж, и впрямь ерунда. Рита обладала редкой устойчивостью к алкоголю и могла безболезненно выпить море горячительных напитков. Очень хорошо помню, как несколько месяцев назад Элеонора с шумом отмечала свой день рождения. Моя хозяйка не является кокеткой и возраста своего не скрывает, поэтому, недолго сомневаясь, сняла банкетный зал в гостинице «Украина» и собрала 250 человек. Естественно, было полно журналистов. Я знаком со многими из борзописцев и совершенно не удивился, когда ко мне, шатаясь, подошел Николай Львов из газеты «Финансовое право».

— Слышь, Ванька, — еле ворочая языком, спросил Николаша, — скажи, вот эта телка кто?

Я проследил за его корявым пальцем и увидел весело смеющуюся Риточку с тарелкой снеди в руках.

— Это внучка хозяйки, Маргарита, а что случилось?

— Ну, гирла, — икнул Николай, — прямо мастер! Пили на равных, у меня мозги в узел завязались, а она свежа, словно не ханку, а газировку жрала. Уж поверь, Ванька, баба меня первый раз перепила.

Так что сто граммов беленькой для Риточки не доза.

— И все у вас было нормально? — продолжал я.

— Естественно, — пожала плечами Настя, — посидели спокойно, потом разошлись.

— Кто первый ушел?

— Рита, Толян с Наташкой позже.

— Значит, ничего сверхъестественного?

— Не-а.

— Не ругались?

— Зачем? Просто потусовались.

Понимая, что к Насте сходил абсолютно зря, я попросил:

— Дай мне адрес Толи и Наташи.

— Толян тут живет, — показала Настя указательным пальцем вниз.

— Где? — не понял я.

— А подо мной квартира, только зачем он вам?

Проигнорировав ее вопрос, я задал свой:

— Теперь подскажи координаты Наташи.

— Чего?

— Ну адрес девушки дай.

— Не знаю.

— Как же так, дружишь с ней — и не в курсе.

— Оно мне надо? — фыркнула Настя. — Да никто с ней не дружит.

— Но ведь Наташа пришла к тебе в гости.

— И чего?

Я слегка растерялся.

— Ты ведь не всех пускаешь в квартиру, или я ошибаюсь?

Настя встала, схватилась за голову и, не говоря ни слова, вышла в коридор. Через секунду послышался шум воды, и девушка вновь возникла в комнате с огромной, почти литровой кружкой в руках. Сделав несколько жадных глотков, она утерла кулачком хорошенькие пухлые губки и пробормотала:

— Сушняк замучил.

Да уж, в пьянстве замечен не был, но по утрам жадно пил сырую землю. Но вслух я, естественно, этой фразы не произнес. Настя опять припала к кружке. Я терпеливо ждал.

— Наташка везде с Толяном шляется, — пояснила наконец девушка, — если ее адрес надо, то у него и интересуйтесь.

— Дай мне телефон.

— Чей?

— Анатолия.

— Так я не знаю.

Честно говоря, ситуация стала меня слегка раздражать.

— Как это?

— Просто, на фига он мне?

— Но, предположим, ты хочешь позвать его в гости...

— И чего? Спускаюсь вниз.

— Каждый раз? А вдруг его нет? Не жаль ноги натруждать?

— Ой, ё моё, — тяжело вздохнула Настя. Потом она схватила ложку и с силой постучала той по батарее.

Через какое-то время раздался ответный стук.

— Слыхали? — сообщила Анастасия. — Дома Толян, ну за каким фигом мне его телефон?

Анатолий выглядел не лучше Насти. Щеки его покрывала редкая щетина, очевидно, парень не брился несколько дней кряду, да и спал скорей всего прямо в одежде. Во всяком случае, майка, обтягивающая его накачанный торс, выглядела отвратительно. Грязно-серая, в желтых и оранжевых пятнах, мятая. Не лучше оказались и брюки: их словно корова жевала, а потом выплюнула, решив, что дешевые спортивные штаны ей не по вкусу.

— Вам чего? — поинтересовался парень.

— Я от Насти.

— Входите, — радушно пригласил меня хозяин.

Несмотря на жуткий вид парня, в комнате было относительно прибрано.

— Садитесь, — предложил Анатолий.

Я устроился в кресле и почувствовал запах кошачьей мочи. Толя сел на тахту, прикрытую ковром, и спросил:

— Случилось чего?

— Скажите, мой друг, вы хорошо знали Риту, подругу Анастасии?

— Ту, что под машину угодила?

— Да.

— Ну, встречались.

— В тот день, когда она погибла, вы вместе выпивали.

— Это кто сказал? — удивился Анатолий.

— Мне так кажется, или я ошибаюсь?

— Не, не было ее, — ответил парень.

— Как? — удивился я. — Совсем?

— Совсем, — подтвердил Толик, — она не приходила.

— Хорошо помните?

Анатолий поскреб щетину.

— Вообще-то бухой был. Я к Настьке уже хороший пришел, под газами. Мы с Наташкой сначала у Сашки на дне рождения накушались, потом, правда, его мать явилась, разоралась, развопилась, всех вон повыгоняла. Ну мы пошли на проспект, купили по баночке джин-тоника, на большее пиастров не хватило, а потом к Насте дернули. Честно говоря, я как к ней вошел, так в кресло рухнул и часа два продрых, но, когда проснулся, Ритки не было, совершенно точно это помню. Небось она уже ушла, ей бабка не разрешает по ночам шляться.

— А который час был, когда вы проснулись?

— Хрен его знает, на улице темень стояла.

Я тяжело вздохнул. Сейчас декабрь, солнце, если оно и появляется, заходит рано. Сумерки спускаются на город после обеда, в семнадцать часов уже совсем черно...

— Зачем вам знать про Ритку? — поинтересовался Толя.

Мне всегда было трудно врать, но говорить правду в данной ситуации было не с руки, поэтому я быстро задал вопрос:

— А ваша девушка, Наташа, тоже была не в лучшем состоянии?

— Ну, — протянул Толя, — нет, она меня все время тащила, значит, соображала.

— Не подскажете ее телефон?

Анатолий напрягся:

— Сто пятьдесят один ноль четыре двадцать... Черт... Не помню!

— Посмотрите, пожалуйста, в записной книжке.

— Да зачем?

— Элеонора, бабушка Риты, хочет знать, как внучка провела последний день своей жизни.

— А-а-а, — протянул парень, — это я понимаю, жаль, конечно, что так вышло, Ритка хорошая девка была, не жадная. И водки купит, и закуски, и сигарет... Только вот ничего сказать не могу, плохой был. А Наташка наболтает, она ничего, нормальной казалась. Ща погляжу.

Минут пятнадцать он искал книжку, потом выудил потрепанный блокнотик и забормотал:

— Ща, тут где-то, ща, погодите...

Я терпеливо ждал. Наконец Анатолий разочарованно протянул:

— Нету.

— Посмотрите внимательно, сделайте одолжение.

— Так уж все проглядел! Небось не записал!

Современное поколение иногда ставит меня в тупик.

— Вы не знаете телефона любимой девушки?

— Кого? — заржал Толя. — Любимой девушки? Ну умора!

— Разве у вас с Наташей нет романа?

Парень, продолжая гнусно хихикать, заявил:

— Я с ней трахаюсь, и все дела!

Решив перейти с ним на тот сленг, который будет понятен юноше, я спросил:

— Ну а когда вам приходит охота потрахаться, каким образом вы ставите в известность Наташу, как ищете ее?

— Чего ее искать, — веселился Толя, — она всегда под рукой, учимся мы вместе, в одной группе.

Я посмотрел на него и подавил вздох. Кто бы мог

подумать, что юноша — студент, меньше всего он походит на парня, увлеченного учебой. Хотя, если вспомнить мои годы, проведенные в Литературном институте, то справедливости ради следует признать, пили мои однокашники, словно верблюды, пересекшие пустыню Гоби. Кстати, именно из-за того, что я совершенно не переношу спиртного, у меня не сложились отношения с однокурсниками.

— А в каком институте вы учитесь?

— В педагогическом, — ответил Анатолий.

— Где? — изумился я.

— В педагогическом, — совершенно спокойно повторил парень, — на Орловской улице, если хотите с Наташкой поговорить, туда езжайте, на занятиях она.

— Фамилию подскажите.

— Чью?

— Наташину, или вы ее не знаете, как и телефона? Постель — не повод для знакомства?

Я думал, что парень обозлится, но он широко улыбнулся:

— Это верно, если с каждой знакомиться, кого в койку укладываешь, охренеть можно. Но фамилию Наташки я знаю, Потапова она.

Глава 4

Я вышел на улицу и увидел, что мои «Жигули» «заперты» между огромным джипом и серой «Волгой». В легковушке никого не было, а во внедорожнике сидела женщина, одетая в коротенькую курточку из меха неизвестного мне животного. Я постучал пальцем по стеклу. Дама высунулась в окошко.

— В чем дело? — спросила она, перекатывая во рту жвачку.

— Будьте любезны, подайте чуть-чуть вперед.

— Зачем?

— Я не могу выехать.

— А ты покрути рулем, — хмыкнула женщина и выплюнула «Орбит» на асфальт.

— Тут, как ни выворачивай колеса, не выбраться, — пояснил я, — сделайте одолжение.

— Еще чего! — хмыкнула баба.

Потом она вытащила губную помаду, пудреницу и принялась осуществлять текущий ремонт лица. Я посмотрел на невозмутимую тетку и отошел. В конце концов, я никуда особо не тороплюсь. Либо джип уберется восвояси, либо явится водитель «Волги», надеюсь, с ним договориться будет легче.

Сев в «Жигули», я с наслаждением закурил, потом вытащил из бардачка «Властелина колец» и погрузился в чтение. Грешен, люблю фантастику, но только качественную, из наших хорошо отношусь к Стругацким, а из иностранных авторов уважаю классика жанра Клайва Льюиса с его романами про Нарнию (кстати, многие ошибочно считают Льюиса детским писателем), Артура Кларка, Джона Уиндема, Абэ Кобо, хотя последний не является чистым фантастом, и, конечно же, Джона Толкиена. Истории про хоббитов я могу перечитывать бесконечно, и с каждым разом они мне нравятся все больше и больше.

— Эй, — раздалось с улицы.

Я глянул в окно. Девушка из джипа стояла на тротуаре.

— Эй, чего сидишь?

— Книгу читаю.

— Почему не уезжаешь?

— К сожалению, лишен возможности отъехать. Сзади «Волга», впереди ваша машина.

— И долго куковать намерен?

Я со вздохом отложил книгу.

— Жду.

— Чего?

— Либо падишах умрет, либо осел сдохнет.

— Что? — наморщилась женщина и задвигала челюстями.

Она явно не читала книги Соловьева про Ходжу На-среддина и не знала истории про то, как хитрый крестьянин взялся научить разговаривать осла.

— И долго сидеть будешь? — поинтересовалась тетка.

Я пожал плечами:

— Спешить некуда, в машине тепло, под рукой любимая книга, что еще надо?

— И у тебя не возникло желания дать мне в морду?

Я посмотрел на ее слегка помятое личико, тщедушную фигурку, отметил слишком ярко, даже нелепо, выкрашенные волосы и галантно ответил:

— Как вам мог прийти в голову подобный вопрос? Дама с подобной внешностью может вызвать только одно желание.

— Какое? — разинула рот девица.

— Восхищаться ею, — ответил я и уткнулся во «Властелина колец».

За сорок лет жизни я пришел к странному умозаключению. К сожалению, вокруг нас слишком много хамов, грубиянов, да и просто дурно воспитанных людей. Ну представьте себе ситуацию. Едете в метро, и вдруг вам на ногу, обутую в тонкий замшевый ботинок, со всего размаху обрушивается острый каблучок-шпилька. Ваши действия? Как минимум вы взвизгнете:

— Нельзя ли поаккуратней?

Или того хлеще:

— Смотри, куда прешь, идиотка!

— Сам кретин, — огрызнется дама, — отклячил копыта, дурак.

И начнется свара, стихийно перерастающая в скандал. Результатом же военных действий будет капитально испорченное настроение, головная боль и отвратительное ощущение, которое бывает у человека, наступившего в дерьмо. Ну и чего добьетесь, затеяв выяснение отношений?

Я поступаю иначе. Просто отдергиваю ногу и говорю:

— Извините, вытянул конечности в проход, вот вы и споткнулись.

Не ожидающая подобного поведения женщина, как правило, смущенно бормочет:

— Простите, случайно вышло.

— Ничего, — улыбаюсь я, — даже приятно, когда такая красавица задевает в толпе.

Услыхав последнюю фразу, наши не привыкшие к комплиментам соотечественницы мигом становятся бордово-свекольного цвета, и инцидент заканчивается, не успев начаться. Причем в результате хорошо всем, и мне и женщине, и нога перестает болеть ровно через минуту. Если не становиться на одну доску с хамом, улыбнуться ему и сказать что-нибудь приятное, можно добиться поразительных успехов. Вы все равно не перекричите нахала, он ведь профессионал и ждет от вас определенного поведения, то есть всегда готов к отпору. Вот он, сверкая глазами, шипит:

— Молодой человек, немедленно уступите мне, ветерану, место!

Он уже настроен на борьбу, с его языка сейчас сорвется следующая фраза:

— Нахал, да как ты смеешь!

И тут вы ломаете ему всю малину, со спокойной улыбкой отвечая:

— О, простите, бога ради, не заметил сразу человека, убеленного сединами.

Все. Конфликт задавлен в зародыше. Попробуйте, здорово действует.

Вот и сейчас девица, совершенно не ожидавшая милого поведения от мужчины, побрела в свой джип. Я вновь погрузился в приключения хоббитов.

— Эй, парень, — вновь раздалось с улицы. Девушка, по-прежнему мерно двигая челюстями, заискивающе сказала: — Слышь, будь другом.

— Да, пожалуйста.

— Видишь, вон там, на другой стороне проспекта, ларек?

— Да.

— Сходи мне за сигаретами.

— Вам очень нужно?

— Да вот, — занудила девица, — не могу отойти от машины, Колян велел сидеть в джипе, не послушаюсь, пиздюлей навешает, а курить охота!

Я протянул «Мальборо»:

— Угощайтесь.

— Ну, такое говно я не курю.

Я заглянул в пачку, потом вылез наружу.

— Сходишь? — обрадовалась нахалка.

— У меня самого сигареты заканчиваются, заодно и вам возьму, только скажите, какие.

— «Собрание», — прочирикала бабенка.

Я кивнул и пошел через дорогу. Когда через пять минут с картонной коробочкой в руках я вновь поравнялся с джипом, у внедорожника неожиданно раскрылись все двери, и из глубин салона вывалилась целая куча людей, похожих друг на друга, словно зубья у расчески. Все, как один, одеты в кожаные черные куртки, джинсы и тупоносые ботинки. На головах, несмотря на мороз, у них красовались бейсболки.

— Ну, парень, — заорал один, самый высокий, — ну, блин, мы тебя два года ищем.

— Такого не бывает, — подскакивала на месте девица со жвачкой.

Удивившись неожиданному повороту событий, я протянул ей сигареты:

— Держите.

— Ну, блин, — восторгалась девушка, — ты молодец, давай знакомиться.

— Что происходит? — спросил я.

— Ты выиграл приз, — заорали парни в бейсболках, — повезло тебе, самый крутой станешь, мы с телевидения, понял?

— Нет, — покачал я головой, — нельзя ли объяснить более доходчиво?

— Вали сюда, — велел длинный и втянул меня в джип.

— Давай знакомиться, Николай Хоменко, ты меня че, не узнал?

— Нет, простите.

Все заржали.

— Да, — хлопнул себя по колену Николай, — облом вышел, так и надо, думаешь, всей стране известен, и потом, бац, и не узнают. А так тоже не припоминаешь?

Он стащил бейсболку, взъерошил кудрявые волосы, выпучил круглые глаза и прохрипел:

— Добрый день, здрассти вам, в эфире шоу Николая Хоменко «Невероятные ситуации».

— Простите, — осторожно ответил я, — нет.

В джипе повисло молчание. Не желая обидеть телевизионщиков, я быстро добавил:

— К сожалению, я очень занят по работе и редко обладаю свободным временем, поэтому многие, даже лучшие, передачи проходят мимо меня.

Это как раз один из тех редких случаев, когда я сказал неправду. Если всерьез, то я просто не люблю всяческих шоу и дурацких представлений. Смотрю только новости и фантастические фильмы.

— Дайте я ему объясню, — взвизгнула «жвачная» девица.

Из ее ярко накрашенного ротика полились слова. Шоу «Невероятные ситуации» существует на экране уже два года, но за этот срок совершенно не приелось зрителям. Его идея проста, как топор. Телебригада выезжает на улицы Москвы и устраивает какую-нибудь мелкую пакость. Ну, например, как в случае со мной, «зажимает» машину. Жертва выбирается совершенно произвольно, никакого плана нет, от непредсказуемости ситуация делается только прикольней. Ну а потом человека начинают специально злить, доводя его до обморока. Съемочная группа, находясь в укромном месте, покатывается со смеху, запечатлевая на ленте кадры. Впрочем, потом дикий хохот обуревает и зрителей, потому что люди, естественно, не подозревающие о том, что стали объектом розыгрыша, ведут себя соответственно.

— Вчера, — веселилась девица, — мы облили одной тетке пальто кефиром. Я вроде как шла из магазина, споткнулась, ну и все на нее выплеснула.

— Мать моя, — заржал Хоменко, — что она говорила! Уж поверь, я сам не белый лебедь, а прямо покраснел. Такие матюкальники! Драться полезла!

— А когда узнала, что мы с телевидения, — подхватил парень с камерой, — бросилась на Николашу с визгом: «Милый, я тебя не узнала». Цирк.

— Сегодня, значитца, машинку твою «заперли», — продолжала девица, — тоже ждали скандальчика...

— И ничего! — захохотал Николай. — Решили за сигаретами послать. Ну, думаем, сейчас ты Аньке навешаешь. Глядим, идешь. Слышь, парень, ты часом не священник?

— Колька, — сказал оператор, — а ты вспомни того батюшку, которому мы предложили собачку окрестить, ну-ка? Забыл, как он нас по кочкам понес? Любо-дорого слышать было.

— Ладно, кончай базар, — поморщился Хоменко, — вот что, парень, давай пиши здесь свои координаты.

— Зачем?

— Давай, не спорь, имя, фамилию, отчество, место работы, где живешь... Ну, быстренько.

— Объясните, к чему вам сия информация?

— О боже, — закатил глаза Хоменко, — приз тебе положен большой. Вызовем в студию, покажем передачу, потом тебя... И скажем, вот, дескать, нашелся в нашем городе патологически незлобивый человек.

— Один за два года, — хихикнула девица.

— Приз вручим торжественно, повезло тебе, — громыхал Николай Хоменко, — автомобиль получишь, «Жигуль».

— Спасибо, — ответил я, — но вынужден отказаться.

— Ты не понял, парень, — подхватил оператор, — тачку вручим, настоящую.

— Но у меня уже есть кабриолет, второй не нужен.

— Продашь, дурья башка.

Ситуация стала мне надоедать. Я развел руками:

— Извините, господа, я очень тороплюсь, теперь, надеюсь, отгоните джип или «Волгу».

— Слышь, чудак, — тихо сказал Николай, — мы тебя покажем крупным планом на всю страну. Я лично обещаю, что сумеешь передать всем привет, пять минут тараторить разрешу ради исключительности.

— Спасибо, я не жажду славы, — сказал я и толкнул дверцу джипа.

— Ребя, он псих, — прошептал оператор, — сбежал от дедушки Кащенко.

Я улыбнулся:

— Способна ли собака понять кенгуру?

— Не понял, — протянул Хоменко, — ты нас оскорбляешь?

— Упаси бог. Собака и кенгуру милые млекопитающие, очаровательные животные, но договориться друг с другом им не суждено, у них совершенно разный менталитет.

— Так кто из нас собака? — просвистел Хоменко, сравниваясь по цвету кожи с коренным жителем Америки. — Кто?

— Если вы так не любите друзей человека, хорошо, — быстро согласился я, — тогда вы — кенгуру, чудесное сумчатое.

«Жвачная» девица хрюкнула и завела мотор. Я вышел на тротуар, потом сел в «Жигули» и уехал в институт к Наташе Потаповой. Дурацкая история!

Будущих Песталоцци и Ушинских[1] «выпекали» в обшарпанном здании, которое давно, нет, не просило, кри-

---

[1] И о г а н н П е с т а л о ц ц и — швейцарский педагог-демократ. К о н с т а н т и н У ш и н с к и й — русский педагог-демократ. *(Прим. автора.)*

чало о ремонте. Притормозив одну из слишком сильно
накрашенных девиц, я поинтересовался:

— Наталью Потапову где можно найти?

— Какая группа? — шмурыгнула носом девчонка.

— Не знаю.

— Тогда идите в учебную часть, — посоветовала студентка и унеслась.

Мысленно поблагодарив ее за хороший совет, я двинулся по извилистым коридорам, разглядывая двери
кабинетов. Нужная отыскалась в самом конце. Я приоткрыл дверь и всунул голову в щель.

— Разрешите?

— Приемные часы для студентов после пятнадцати
ноль-ноль, — рявкнула, не поднимая глаз от каких-то
бумаг, женщина лет шестидесяти пяти, — сейчас учиться надо, а выпрашивать допуск на пересдачу следует в
определенное время.

Я улыбнулся. На пожилых дам мой внешний вид
действует безотказно, более того, буквально через пару
минут разговора неприступные, «железобетонные» леди
готовы сделать для меня все, что угодно. Молодым женщинам и девушкам я кажусь занудой, но тетки за шестьдесят самый мой контингент.

— Бога ради, извините, — «бархатным» тоном завел
я, входя в комнату, — естественно, я приду после трех.
Еще раз простите, не хотел мешать вам работать, меня
извиняет только то, что попал сюда впервые.

Инспектриса подняла глаза, оглядела мой костюм,
галстук и слегка сбавила тон.

— Садитесь.

— Нет, нет, не стану мешать, зайду после трех.

— Это правило для студентов, — улыбнулась женщина, — на вас не распространяется, садитесь, слушаю.

Я сел на обгрызенный стул.

— Будьте любезны, подскажите, в какой группе учится Наташа Потапова.

— А вам зачем? — свела вместе брови служащая.

Собираясь сегодня на задание, я понимал, конечно,

что столкнусь с трудностями, но плохо представлял себе их размах. Получается, что мне все время приходится врать, то есть заниматься неблаговидным и непривычным делом. Но подумайте сами, если я сейчас начну объяснять старухе истинное положение вещей, действие растянется на час, а мне всего-то следует узнать номер группы.

— Я ее дядя.

— Надо же, — покачала головой инспекторша, — кто бы мог подумать, что у Потаповой такие приятные родственники. Уж не обижайтесь, но ваша племянница — просто оторва.

Я скорчил постную мину:

— К сожалению, современная молодежь вся такая, у нас...

— Были принципы и воспитание, — подхватила бабушка, обрадованная встречей с единомышленником, — а вы видели, какой ужас у Наташи на голове?

Я чуть было не спросил «какой?», но вовремя прикусил язык и спросил совсем другое:

— Вроде у них сессия началась?

— Нет, идите в триста вторую аудиторию, там найдете Потапову.

Я вышел в коридор и вздохнул. Наверное, следует намекнуть Норе на повышение зарплаты.

СОДЕРЖАНИЕ

Литературно-художественное издание
Донцова Дарья Аркадьевна
БЕНЕФИС МАРТОВСКОЙ КОШКИ

Ответственный редактор *О. Рубис*
Редактор *Т. Семенова*
Художественный редактор *В. Щербаков*
Художник *В. Остапенко*
Компьютерная обработка *И. Дякина*
Технический редактор *О. Куликова*
Компьютерная верстка *С. Кладов*
Корректоры *Г. Гагарина, З. Харитонова*

Подписано в печать с готовых монтажей 11.07.2002.
Формат 84×108 $^1/_{32}$. Гарнитура «Таймс». Печать офсетная.
Бум. газ. Усл. печ. л. 20,16. Уч.-изд. л. 17,5.
Доп. тираж 30 000 экз. Заказ № 0206991.

ООО «Издательство «Эксмо».
107078, Москва, Орликов пер., д. 6.
Интернет/Home page — www.eksmo.ru
Электронная почта (E-mail) — info@ eksmo.ru

По вопросам размещения рекламы в книгах издательства «Эксмо»
обращаться в рекламное агентство «Эксмо». Тел. 234-38-00

Книга — почтой: Книжный клуб «Эксмо»
101000, Москва, а/я 333. E-mail: bookclub@ eksmo.ru

Оптовая торговля:
109472, Москва, ул. Академика Скрябина, д. 21, этаж 2
Тел./факс: (095) 378-84-74, 378-82-61, 745-89-16
E-mail: reception@eksmo-sale.ru

Мелкооптовая торговля:
117192, Москва, Мичуринский пр-т, д. 12/1.
Тел./факс: (095) 932-74-71

Сеть магазинов «Книжный Клуб СНАРК»
представляет самый широкий ассортимент книг
издательства «Эксмо».
Информация в Санкт-Петербурге по тел. 050.

Книжный магазин издательства «Эксмо»
Москва, ул. Маршала Бирюзова, 17 (рядом с м. «Октябрьское Поле»)

ООО «Медиа группа «ЛОГОС».
103051, Москва, Цветной бульвар, 30, стр. 2
Единая справочная служба: (095) 974-21-31. E-mail: mgl@logosgroup.ru
contact@logosgroup.ru

ООО «КИФ «ДАКС». Губернская книжная ярмарка.
М. о. г. Люберцы, ул. Волковская, 67.
т. 554-51-51 доб. 126, 554-30-02 доб. 126.

Отпечатано на MBS в полном соответствии
с качеством предоставленного оригинал-макета
в ОАО «Ярославский полиграфкомбинат»
150049, Ярославль, ул. Свободы, 97.